ROBERT SEE

Jetzt wird

G GOLDMANN

Lesen erleben

Buch

Für ihn ist es ein großer Moment, die Verwirklichung eines Traums: Er steht auf der Bühne und spielt den Apfelbaum. Doch dann vergisst er in der Aufregung den Text, strauchelt – und stürzt ... »Jetzt wirds ernst« erzählt die Geschichte eines eigenwilligen kleinen Jungen aus einer Provinzstadt, der unbedingt zum Theater will. Sie beginnt mit der Kindheit im kleinen Friseursalon der Eltern, gefolgt von der turbulenten Freundschaft mit dem treuen Begleiter und ewigen Konkurrenten Max und dem ersten Verliebtsein in Lotte mit den grellpinken Zehennägeln. So viel Unglück diese Liebe über den Helden bringt, so viel Glück bedeutet sie letztlich auch, denn durch Lotte entdeckt er, der Tschechows »Möwe« anfangs noch für ein Tierbuch hält, die Liebe zum Theater, den Weg, den er gehen wird. Ausgelassen, mit viel Zärtlichkeit, und doch in einem wundervoll lakonischen Ton, wagt sich Seethaler ganz dicht ran an seine Figuren und erzählt von all den kleinen und großen Dingen, die sie und ihre Wege kennzeichnen.

Autor

Robert Seethaler wurde 1966 in Wien geboren. Er ist ein vielfach ausgezeichneter Schriftsteller und Drehbuchautor. Seine Romane »Der Trafikant« und »Ein ganzes Leben« wurden zu großen Publikumserfolgen und standen monatelang auf der Bestsellerliste. Robert Seethaler lebt in Wien und Berlin.

Außerdem bei Goldmann lieferbar:

Ein ganzes Leben. Roman

Robert Seethaler

Jetzt wirds ernst

Roman

GOLDMANN

Der Verlag weist ausdrücklich darauf hin, dass im Text
enthaltene externe Links vom Verlag nur bis zum Zeitpunkt
der Buchveröffentlichung eingesehen werden konnten.
Auf spätere Veränderungen hat der Verlag keinerlei Einfluss.
Eine Haftung des Verlags ist daher ausgeschlossen.

MIX
Papier aus verantwor-
tungsvollen Quellen
FSC® C014496
www.fsc.org

Verlagsgruppe Random House FSC® N001967

7. Auflage
Taschenbuchausgabe März 2012
Wilhelm Goldmann Verlag, München,
in der Verlagsgruppe Random House GmbH,
Neumarkter Str. 28, 81673 München
Copyright © 2010 by Kein & Aber AG Zürich
Alle Rechte vorbehalten
Umschlaggestaltung: UNO Werbeagentur, München
Umschlagfoto: FinePic; Getty Images / Robert Daly
mb · Herstellung: Str.
Satz: DTP Service Apel, Hannover
Druck und Bindung: GGP Media GmbH, Pößneck
Made in Germany
ISBN 978-3-442-47672-5

www.goldmann-verlag.de

Der Sturz des Apfelbaums

Die Vorstellung ist gut besucht. Aus dem Zuschauerraum dringt das helle Stimmengewirr gedämpft zu mir in die Dunkelheit hinter der Bühne. Durch den Guckschlitz im Seitenportal luge ich vorsichtig hinaus. Etwa dreißig oder vierzig Vorschulkinder drängen sich in den Stuhlreihen und verfolgen die merkwürdigen Bühnengeschehnisse. Ihre vom klirrend kalten Wintermorgen immer noch verrotzten Gesichter leuchten vor Aufregung. Dabei plappern, kichern, tuscheln und zischeln sie durcheinander wie ein Spatzenschwarm in einer nachtdunklen Baumkrone. An der Rückwand stehen die Tanten, zwei riesige Frauen in wallenden Hosen und wild gemusterten Pullovern. Sie haben ihre Arme vor den gewaltigen Brüsten verschränkt und überwachen den Raum. Nichts entgeht ihnen, keine versteckten Boxhiebe, Spuckattacken, Heulanfälle oder vorgetäuschten Übelkeitsanflüge. Ein kurzes Heben der buschigen Augenbrauen genügt, um die Kinder schnell wieder ins unsichtbare Geschirr von Zucht und Ordnung zu spannen. Keine Frage: Die Tanten haben die Sache im Griff.

Mein Kopf steckt fast zur Gänze zwischen den Falten des schweren Samtvorhangs. Der Staub unzähliger Theateraufführungen kitzelt in meiner Nase. Ich unterdrücke den Niesreiz und gebe das Zeichen. Die Scheinwerfer gehen aus. Schwarz. Absolute Dunkelheit. Ein kühler Atemhauch an meiner Stirn. Ein Luftzug, der am Vorhang hinunterzugleiten scheint und mein Gesicht streift. Mit einem blechernen Sirren gehen die Scheinwerfer wieder an. Der Staub tanzt im Licht, das Spatzengezwitscher erstirbt, und ich setze mich in Bewegung. Langsam, sehr langsam stakse ich quer über die kleine Bühne bis ganz nach vorne an die Rampe und recke mit hölzernen Bewegungen meine Äste in die Höhe. Die steifen, mit echter Rinde beklebten Stoffbahnen umspannen meinen Körper, auf meinem Kopf raschelt leise das Laub, meine Äpfel glänzen wie die roten Rotzgesichter der Zuschauer.

»Guten Morgen, Kinder!«, sage ich mit knarrender Stimme. »Ich bin der Apfelbaum!«

Wie immer antworten die Kinder, lachen, klatschen, trampeln mit den Füßen. Einige springen sogar auf und rufen mir irgendetwas zu. Ich verstehe sie nicht mehr. Ihre Worte verschwimmen zu einem einzigen, undeutlich wabernden Geräuschestrom. In meinem Kopf wummert und dröhnt es. Mein ganzer Körper fühlt sich an wie betäubt. Nur im Magen blubbert eine eklige, dickflüssige Suppe. Ich versuche mich zusammenzureißen und einfach weiterzumachen.

»Vor Hunderten … von … äh … Jahren … äh …«

Aus. Der Text ist weg. Wie weggeblasen. Nie da gewesen. Ich stehe hier an der Rampe, dort unten sitzt das Publikum, und ich bin der Apfelbaum, so viel ist klar. Aber was, verdammt nochmal, war vor Hunderten von Jahren los gewesen?

»Vor Hunderten … von … äähh …«

Nichts. Ich spüre, wie mir der kalte Schweiß den Rücken hinunterläuft und sich am Unterhosengummi zu einem kleinen Rinnsal sammelt. Fast im selben Moment wird mir schwarz vor Augen, und kleine leuchtende Punkte ziehen in seltsam geschwungenen Bögen in meinem Gesichtsfeld vorüber. Der Kreislauf. Eine kurze Schwäche. Das kennt man ja. Das ist nichts. Das geht vorbei.

Doch es geht nicht vorbei. Die Punkte vermehren sich mit rasender Geschwindigkeit, beginnen zu tanzen und kleine flinke Kapriolen zu schlagen. Ich versuche es noch einmal:

»Vor … äh … äähh … ääähhh …«

Das wars. Endgültig.

Ich schnappe nach Luft. Reiße den Mund auf. Die Augen. Werfe den Kopf in den Nacken, sehe, wie die Pünktchen über mir verglühen. Es wird dunkel. Es rauscht in der Baumkrone, die Nacht fällt lautlos vom Himmel, die Sterne verzischen in der tiefen Finsternis, der Boden bricht auf, und ich taumle einem dumpf pochenden Abgrund entgegen.

Ich werde sterben.

Ich bin schon tot.

Es dauert höchstens ein, zwei Sekunden, dann bin ich wieder bei mir. Aber zu spät. Ich wanke bereits, torkele, versuche einen stabilisierenden Ausfallschritt, rudere mit den Armen, trete auf eine meiner Pappmachéwurzeln, stolpere, verliere das Gleichgewicht und kippe langsam von der Bühne. Gerade noch kann ich erkennen, wie die Kinder nach allen Seiten hin wegspringen. Gleichzeitig schießen mir in rasender Geschwindigkeit Fragen wie leuchtende Schriftbänder durch den Kopf: Warum bin ich hier? Warum stecke ich ausgerechnet in einem Apfelbaumkostüm? Was will ich? Wer bin ich? Was zum Teufel ist nur geschehen?!

Im nächsten Moment krache ich mit der Stirn an eine Stuhllehne. In meinem Kopf explodiert ein greller Feuerball, und ich bin weg.

Vom Soundtrack der ersten Jahre

Mein Weg zum Theater war verschlungen. Unvorhersehbar. Holprig. Als Kind hasste ich es sogar, angesehen und vorgeführt zu werden. Die Blicke anderer Menschen empfand ich als Zumutung. Nie wollte ich im Mittelpunkt stehen, ich wollte überhaupt nie irgendwo stehen. Ich wollte sitzen, kauern oder zusammengerollt in einer Ecke liegen, irgendwo am Rande der Gemeinschaft, von niemandem beachtet und in der Sicherheit von Schatten und Anonymität. Eigentlich wollte ich nur meine Ruhe, und ich hasste alles, was Licht auf mich werfen konnte: Kerzen, Lampen, Kronleuchter, Scheinwerfer.

Ganz zu Beginn meines Lebens hasste ich sogar das Tageslicht.

Mit meiner ganzen Kraft weigerte ich mich, das wohlige Weltall des Mutterbauches zu verlassen. Ich wollte ewig so weiterschweben in der warmen Nacht, nur begleitet vom dumpfen Schlag des großen Herzens über mir, dem gelegentlichen Darmgluckern direkt vor meinem Gesicht und den rätselhaften, gedämpften Geräuschen einer unbekannten Welt jenseits meines Universums.

Und ich schaffte es auch ziemlich lange, mich den Wehen und den verschiedenen ärztlichen Bemühungen entgegenzustemmen, siebenunddreißig Stunden lang, um genau zu sein. Doch plötzlich ging alles schnell. Die Wehen rollten immer druckvoller und in immer kürzeren Abständen heran. Ihre schiere Kraft schob und presste mich in Richtung Ausgang. Es wurde ungemütlich. Schließlich platzte mit einem ohrenbetäubenden Knall die Fruchtblase, und ich tauchte mit der Stirn voran in eine weiche Masse. Ein geheimnisvolles, dunkles Rauschen. Überall, unter mir, über mir, in mir. Gleichzeitig begann sich meine Schädeldecke zu verformen, mein Gesicht wurde gequetscht, die Wangen verschoben, die Ohren verfaltet. Und plötzlich ging nichts mehr voran. Für einen unendlich qualvollen Augenblick ging es nicht weiter. Aber auch nicht zurück. Ich rührte mich keinen Millimeter, steckte fest, gefangen in dem engen Raum, der eben noch meine Freiheit war.

Auf einmal gab es einen Ruck, etwas blubberte und schmatzte laut, direkt vor meinem Gesicht glitt das pulsierende Fleisch auseinander, und mit einem satten Schmatzen rutschte ich ins Freie.

Sofort wurde ich gepackt, verdreht und zurechtgerückt. Etwas zog und zerrte an mir, es gab einen weiteren Ruck, etwas heftiger noch als der erste, und plötzlich baumelte ich kopfüber im Nichts. Das Blut schoss mir in den Kopf und füllte ihn bis zum Platzen aus. Es war eisig kalt, der überwältigend, Licht brannte mein Schädelinneres grell, leuchtend, rosarot, mit einem saugenden Geräusch, einer Art lang gezogenem Seufzen, brachen meine Lungen auf, ein heller Schmerz durchzuckte meinen ganzen Körper, und ich begann zu brüllen.

Das Krankenbett ist ein Schlachtfeld, durchtränkt von Blut, Schweiß und allen möglichen anderen Flüssigkeiten. Irgendwie habe ich es geschafft und liege jetzt in ein Tuch gewickelt auf dem leeren Bauch meiner Mutter, faltig, verbeult, vollkommen unbehaart und bläulich violett. Ich kann das vertraute Darmgluckern hören, das dumpfe Schlagen des großen weichen Herzens, leise, gedämpft, wie aus weiter Entfernung. Ganz nah ist meine Heimat und doch so unerreichbar.

Irgendwo im Zimmer kramt leise fluchend eine Frau in einem weiß-blauen Kittel herum. Die Hebamme. Oder die Putzfrau. Das macht keinen Unterschied mehr. Am Ende der Schlacht sind alle Uniformen gleich. Meine Mutter liegt unter mir, ausgepumpt und schlaff. Ihre Augen sind geschlossen, der Atem geht ruhig, die Hände liegen leicht und warm auf meinem Rücken und bedecken ihn fast zur Gänze. Auf einem Stuhl neben dem Bett sitzt vornübergebeugt mein Vater, immer noch zitternd nach der Erschütterung. Draußen auf der Straße rauschen Autos vorüber. Mutter öffnet die Augen. Vater legt seine Hand auf ihre Schulter. Die weiß-blaue Frau geht leise fluchend aus dem Zimmer. Eine Leuchte sirrt von der Zimmerdecke herunter.

Das also ist das Leben.

Die Zeit und die Wirkung einer von Vater eigenhändig zusammengepanschten Kräutersalbe glätteten die Schrammen und Beulen meiner Geburt. Die Kräuter stammten aus dem winzigen, von hohen Hecken umwucherten Gärtchen hinter dem Haus, das wir am Stadtrand bewohnten. Jeden Morgen lief Vater gebückt unter dem verkrüppelten Kirschbaum herum und rupfte kleine Büschel aus dem taunassen Boden. Das Zeug wurde in einer Tonschale eingeweicht, mit einem Mörser zermanscht und dann als dicke, hellgrüne Paste überall auf meinem Körper verschmiert. Ich stank wie ein Komposthaufen, aber bald gewöhnte ich mich daran. Und irgendwann hatte sich das Ganze sowieso erledigt, und ich hatte mich zu einem einigermaßen ansehnlichen Jungen ausgeformt.

Vater jedenfalls hatte Freude an den Kräutern. Er wäre gerne Naturwissenschaftler geworden. Oder Pflanzenkundler. Oder wenigstens Apotheker. Das Schicksal in Gestalt seiner kriegsmüden Eltern hatte allerdings etwas anderes für ihn vorgesehen. Er wurde Friseur.

An der Vorderseite unseres Hauses, zur Straße hin, lag der Friseursalon. Auf einem Blechschild über der Eingangstür stand in großen mattgoldenen Buchstaben das Wort *Coiffeur* hingepinselt. Und darunter: *Frisuren für die Dame und den Herren.*

Sechs Tage in der Woche, Monat für Monat, Jahr für Jahr, ohne Krankheitsunterbrechung, ohne Urlaubspausen, standen Vater und Mutter in dem kleinen Laden und bedienten die Kunden. Die Arbeitsteilung war einfach: Vater schnitt, Mutter wusch.

Eine Ecke war für mich reserviert. Dort saß ich auf einer flauschigen Wolldecke und konnte ungestört die Vorgänge im Salon verfolgen. Mutters ruhige, sanfte Bewegungen. Vaters wendige Handgriffe. Das Aufblitzen der von einem verirrten Sonnenstrahl getroffenen Rasierklinge. Das bunte Gewackel der Lockenwickler auf den Kundenköpfen und so weiter. Ich mochte das. Alles war so selbstverständlich, gleichzeitig schien es jedoch einer geheimen Ordnung unterworfen zu sein, jede Bewegung schien mit den anderen Bewegungen im Raum zusammenzuhängen, sie zu beeinflussen und überhaupt erst zu ermöglichen.

Aber noch lieber hatte ich die Geräusche. Das Klappern der Schere, das helle Rauschen der Trockenhaube, das sonore Summen des Rasierapparats, das angriffslustige Fauchen des Föhns, das ruhige Plätschern des warmen Wassers, das Geplauder der Damen, das Schnarchen der Herren, all das sammelte sich zu einem beständigen, nie abreißenden Geräuschteppich, der über allem schwebte und quasi den Soundtrack meiner frühen Kindheit bildete. Ich saß still und zufrieden in meiner Ecke und hörte zu, wie die Jahre vergingen.

Bumsen mit Trixie

Es war ein brütend heißer Sommersonntag. Der Himmel schien ungewöhnlich hell, fast weiß. Keine Wolke. Kein Wind. Hoch oben zitterte die Sonne in ihrer eigenen Hitze. Meine Eltern hatten mich mit einer großen Tüte Karamellbonbons in den Garten geschickt und sich aus irgendwelchen Gründen ins Schlafzimmer verzogen.

Da stand ich jetzt, nur mit einer winzigen roten Badehose bekleidet, die Tüte mit den Bonbons in der Hand, einen ganzen leeren Nachmittag vor mir und tausend schwirrende Fragen in meinem dummen Bubenkopf.

Der Garten summte. Ein gelber Schmetterling torkelte vorüber, landete auf einem Halm, torkelte weiter, verschwand hinter dem Haus. Ich schloss die Augen und legte den Kopf in den Nacken. Plötzlich begann es mich zu schütteln. Das Glück hatte mich gepackt und rüttelte mich nun ordentlich durch. Ich lachte, schrie auf und schmiss die Arme in die Höhe. Die Karamellbonbons flitzten aus der Tüte und segelten wie kleine braune Meteore durch die Luft. Ich ließ mich nach hinten fallen und blieb auf dem Rücken liegen. Das Gras war trocken und warm. Darunter pulsierte die Erde, hob und senkte sich wie der Rücken eines großen Tieres.

Aus dem Schlafzimmer der Eltern drangen ein dumpfes Poltern und das überdrehte Kichern meiner Mutter. Ein einzelner Schweißtropfen löste sich von meiner Schläfe, kullerte hinters Ohr und verfing sich irgendwo im Haaransatz. Meine Stirn brannte unter der Sonne. Der Himmel strahlte in seiner ungewöhnlichen Helligkeit. Ich sprang auf, sammelte die verstreuten Bonbons ein und rannte quer über die Rasenfläche, am Kirschbaum vorbei, und zu der hohen Hecke hinüber, die unser Grundstück von der Nachbarschaft abschottete. Ich bog ein paar Äste zur Seite und kroch ins Gebüsch.

Drinnen war es angenehm kühl. Durch das dichte Blätterdach drang nur wenig Sonnenlicht herein. Ich hockte mich in meine Kuhle und ruckelte mir den Hintern zurecht. Dieser Platz war mein Rückzugsgebiet, mein ganz privater Schutzraum.

Ein winziger, dunkelgrün glänzender Käfer krabbelte träge über meinen Handrücken. Ich beobachtete ihn eine Weile, dann schnippte ich ihn ins Dickicht und steckte mir ein Karamell in den Mund.

Drüben auf dem Nachbargrundstück tat sich was. Leute standen im Garten herum. Redeten. Lachten. Ließen Gläser klirren. Frauen in Blümchenschürzen, Männer in Unterhemden. Uralte Knacker. Dreißig oder noch älter. Ich schob einen Zweig zur Seite und spuckte aus der Hecke heraus. Im hohen Bogen zischte der gleißende Tropfen meiner Verachtung durch die Luft und landete unbemerkt im Nachbarrasen.

Die Männer kippten Bier aus Dosen, die Frauen schlürften Sekt aus dünnen Gläsern. Auf einem wackeligen Grill brutzelten ein paar Würstchen. Das Fett tropfte zischend auf die glühenden Kohlestücke, und der Geruch von verbranntem Fleisch und billigem Parfum lag in der Luft. Alle waren gut gelaunt. Es wurde viel gelächelt, gezwinkert, mit dem Plastikschmuck geklimpert und so weiter. Goldzähne blitzten in der Sonne. Aus Sockenbündchen quoll das Wadenfett in winterlich weißen Wülsten heraus. In einem kleinen Rekorder eierte eine Kassette und untermalte alles mit einer Art blecherner Gute-Laune-Musik.

Ich wollte gerade wieder Speichel sammeln, um ein weiteres Geschoss abzuschicken, als ich sie sah: Ungefähr mein Alter, klein, pummelig, Pferdeschwanz, schwarze

Lackschuhe, weiße Söckchen, blauer Rock, gelbes Haarband. Stand einfach da, regungslos wie eine Statue, und starrte genau zu mir herüber. Ich wagte nicht, mich zu rühren. Blieb ganz still. Atmete nicht. Doch es war zu spät. Plötzlich setzte sie sich in Bewegung, hopste quer über den Rasen, ließ sich auf die Knie fallen und kroch zu mir ins Gebüsch.

Alles in mir spannte sich an. Ich wusste, dass ich aufpassen musste. Die Sache war mir unangenehm. Unheimlich. Aber jetzt gab es kein Zurück mehr, die Kleine saß nun einmal da. Vorsichtig hielt ich ihr die Tüte mit den Karamellbonbons hin. Sie nahm drei und steckte sie sich in den Mund. Eine Weile saßen wir leise lutschend da und starrten uns an.

»Magst du bumsen?«, fragte sie plötzlich und zeigte auf meine Badehose.

Das kam überraschend. Ich hatte von diesem Bumsen schon gehört, allerdings immer nur in irgendwelchen nebulösen, völlig unverständlichen Zusammenhängen.

»Und du?«, fragte ich vorsichtig zurück.

»Klar!«, sagte sie. »Zieh die Hose aus!«

Das klang vernünftig. Ich zog meine Badehose aus und hängte sie an einen Ast in Blickhöhe. Eine Weile geschah nichts. Die Erde war kühl unterm Hintern. Im Hintergrund plätscherte das Stimmengewirr der Grillgäste und das blecherne Gedudel aus dem Rekorder.

Plötzlich fasste sie sich an den Hinterkopf, zog ihr gelbes Haarband vom Pferdeschwanz, beugte sich nach vorne, griff beherzt zu und band mir eine große Schleife um meinen Pimmel.

Ich war beeindruckt. Ich hatte das Schleifenbinden noch nicht gelernt, weder im Kindergarten noch zu Hause, sie hingegen brauchte nur ein paar Handgriffe, und das Ding saß. Das kleine Luder hatte Erfahrung.

»Schön!«, nickte sie anerkennend und stopfte sich drei oder vier weitere Bonbons in den Mund. Jetzt erst sah ich ihre Augen. Sie waren ungewöhnlich groß und grün. Glänzend grün wie der Panzer des Käfers, den ich vorher ins Gebüsch geschnippt hatte. Und auf einmal sah ich auch ihre Zahnlücken, tief und dunkel wie Baugruben.

Vom Nachbargrundstück keifte eine schrille Frauenstimme herüber:

»Trixiiie!«

Das Mädchen zuckte zusammen als hätte ihr jemand mit einem nassen Lappen in den Nacken geschlagen.

»Ich geh dann mal!«, sagte sie schnell, nickte mir zu, kroch aus der Hecke, lief zu ihren Leuten hinüber und verschwand im Haus.

Ich blieb zurück, in meinem Blätterdachdunkel, eine gelbe Schleife um den Pimmel und ein seltsames Schwirren im Kopf.

Das also war Bumsen. Unspektakulär eigentlich. Obwohl ich davon bislang allerhöchstens ein paar verschwommene Fantasien und dementsprechend wenig Erwartungen gehabt hatte, war ich doch ein wenig enttäuscht.

Und trotzdem hatte die kurze Begegnung mit Trixi etwas in mir ausgelöst. Etwas nicht zu Benennendes. Etwas Unsagbares. Vielleicht waren es die Augen, vielleicht die Zahnlücken, vielleicht die kleinen Bewegungen der rosigen Wurstfinger an meinem Pimmel, schwer zu sagen.

Irgendetwas jedenfalls hatte mich in eine nie gekannte innere Verwirrung gestürzt und eine Sehnsucht in mir entzündet, die nicht mehr zu löschen sein würde. Nie mehr.

Die Bonbons waren alle. Ich kroch ein wenig benommen aus der Hecke und ging zum Haus hinüber. Zwischen meinen Beinen wippte die Schleife wie ein großer gelber Schmetterling. Aus dem Schlafzimmer im ersten Stock drangen immer noch die fröhlichen Geräusche meiner Eltern ins Freie.

Ein leichtes Lüftchen kam auf. Mein Schmetterling zitterte leicht. Dann schlug er ein-, zweimal mit den Flügeln, hob ab und trug mich am Schlafzimmerfenster vorbei, über den Kirschbaum, über unser Haus, über die Dächer der Stadt, hoch und höher und immer weiter durch die restlichen Tage dieses kurzen heißen Sommers.

Kasperls Tod

Mit sechs Jahren kam es zu meiner ersten Begegnung mit dem Theater. Eines Morgens lag ein kleines rosarotes Kärtchen neben meiner Kakaotasse auf dem Frühstückstisch. Eine Eintrittskarte mit gestanzten Abrisslöchern. Immer wieder musste mir Mutter die ernsten Anweisungen darauf vorlesen: Eintritt für ein Kind, keine Ermäßigung, Beginn dann und dann, Reihe dort und dort, Sitz so und so. Der Titel des Stückes lautete *Kasperls geraubtes Picknick*.

An einem trüben Regennachmittag bestiegen wir die Straßenbahn und fuhren die paar Stationen bis ans andere

Ende der Stadt. Es war über Nacht kalt geworden. Draußen dampfte der nasse Asphalt, und die Menschen hasteten mit Hüten, Schirmen und hochgeschlagenen Krägen geduckt durch die Straßen, während ich wohlig eingezwängt zwischen meinen Eltern saß, das unregelmäßige Ruckeln der Straßenbahn unterm Hintern und eine seltsam prickelnde Erregung in der Brust.

Gleich gegenüber der Haltestelle befand sich das Theater. Beziehungsweise das in den Fünfzigerjahren hingewürfelte Volkshochschulgebäude mit angeschlossener Mehrzweckhalle. Die Veranstaltung schien jedenfalls gut besucht zu sein. Da es mittlerweile wie aus Kübeln schüttete, drängelten sich die Leute im Eingangsbereich. Es herrschte ein brutales Geschiebe und Getrampel wie bei einer dieser afrikanischen Rinderherden während der verzweifelten Überwindung einer lehmigen Flussbettböschung.

Mutter nahm den Kampf auf. Entschlossen packte sie Vater und mich an den Händen, stürzte sich ins Gewimmel und begann sich wild durch die dampfenden Leiber zu rempeln.

Drinnen dann die Verabschiedung. Mutters Gesicht glänzte nass. Ein Gemisch aus Schweiß und Trennungstränen. Vater nickte mir zu und lächelte aufmunternd. Ein Typ in grauer Uniform nahm meine Karte entgegen und riss sie in der Mitte auseinander. Danach wurde ich an den Schultern gepackt und in den hell erleuchteten Saal geschoben, wo schon Hunderte Kinder in langen Stuhlreihen dicht gedrängt nebeneinanderhockten und gespannt auf die leere Bühne starrten. Ich wurde an meinen Platz geschoben, ziemlich weit vorne und fast in der Mitte. Da saß ich, eingeklemmt zwischen einem winzigen Mädchen und einem fetten Riesen von mindestens sieben Jahren, und traute mich nicht, mich zu rühren.

Es war laut, warm und feucht. Ein unangenehmer Geruch lag in der stickigen Treibhausluft. Ich dachte an die Eltern. Ich sah sie draußen auf der Straße durch den Regen eilen, Hand in Hand, mit wehendem Mantel und flatterndem Rock. Ich sah sie über die Pfützen hopsen, lachend, mit vor Vergnügen weit aufgerissenen Mündern. In immer weiteren und höheren Bögen sah ich die beiden davonspringen, bis sie schließlich endgültig abhoben und in Regenrinnenhöhe um die nächste Häuserecke flogen. Ganz leise hörte ich Mutters helles Quietschen hinter der grauen Regenwand verklingen.

»Abbeißen?«

Der fette Riese hielt mir seine Semmel entgegen. Eine gelbliche, dickflüssige Masse quoll daraus hervor und lief über seine Finger. Ich schüttelte stumm den Kopf und bemühte mich, nicht hinzusehen.

»Macht nichts«, sagte der Riese ernst, stopfte sich die komplette Semmel in den Mund und wischte sich die Hände an seiner Hose ab. Aus den Augenwinkeln sah ich, wie sich der Hosenstoff eng über den weich bebenden Schenkelspeck spannte.

Das Klingelzeichen ertönte. Gleich darauf wurde es dunkel. Musik erklang, und plötzlich erstrahlte die Bühne im grellen Licht. Da, wo eben noch ein dunkles Loch in der Mehrzweckhalle klaffte, erschien nun ein sonniger Wald aus bemalter Pappe und Draht. Eine Weile passierte nichts, dann wurde die Musik leiser, etwas regte sich hinter einem Busch, und Kasperl trat auf.

»Da sind ja die Kinder! Seid ihr alle daaa?!«, schrie er und ließ den Zipfel seiner Mütze kreisen. Sofort brüllte der komplette Saal einstimmig auf:

»Jaaaa!«

Ich blieb still. Dieser Kasperl gefiel mir nicht. Unsympathischer Bursche. Spazierte einfach so im Wald herum, hatte eine Idiotenmütze auf dem Kopf und stellte dumme Fragen.

Aber jetzt war er nun mal da und die Kinder auch, und es konnte mit der Geschichte losgehen. Es gab nämlich ein Problem: Eigentlich wollte Kasperl mit seinen Kumpeln Eichhorn und Frosch ein Picknick veranstalten, doch der Picknickkorb war weg. Einfach verschwunden. Und natürlich hatte Kasperl dazu eine eigene Theorie entwickelt: Ein Zauberer sollte hinter der Angelegenheit stecken. Und zwar nicht irgendein Zauberer, sondern der größte, gemeinste und hässlichste Zauberer der ganzen Gegend!

Ein Raunen durchlief die Sitzreihen. Eine Welle der Empörung. Entsetzen. Wut.

Kasperl hatte natürlich gleich einen Plan. Schnell wurde aus ein paar Blättern und Ästen ein zweiter Picknickkorb gebastelt und danach mit Hilfe des Hauruck-Gebrülls des Publikums eine Grube im Waldboden ausgehoben. Mit einem Seil wurde der Korb hinuntergelassen, die Grube wurde abgedeckt, die Falle war fertig, alle freuten sich, Kasperl klatschte in die fingerlosen Hände, Eichhorn und Frosch machten groteske Sprünge, und es wurde ein Lied gesungen.

Die drei waren so beschäftigt mit ihrer blödsinnigen Freude, dass sie nicht bemerkten, wie sich im Hintergrund ein paar Zweige teilten und den Blick auf einen graugesichtigen alten Knacker freigaben.

Der Saal brüllte wie aus einer Kehle. Die Kinder sprangen aus ihren Sitzen hoch, trampelten, klatschten und schrien. Mir war nicht klar, warum dieser Zauberer so schlecht ankam. Alles in allem schien er recht harmlos zu sein. Gar nicht unsympathisch. Er war dürr, stand etwas verloren in der Gegend herum und hatte einen ziemlich depressiven Gesichtsausdruck. Unter seinem mit silbrigen Sternen bestickten Hut quollen graue Haare hervor, die ihm in langen Strähnen über die Schultern flossen und einen ordentlichen Haarschnitt gut hätten gebrauchen können.

Er beobachtete die drei Idioten für einen Moment. Nickte kurz und sondierte nachdenklich die Umgebung. Ich war mir nicht sicher, ob er Kasperls Plan durchschaut hatte. Ob er überhaupt kapierte, was hier eigentlich los war. Und plötzlich war mir klar, dass ich ihn warnen musste.

»He, Zauberer!«, schrie ich so laut ich konnte. »Der Kasperl und seine blöden Kumpels wollen dich in eine Falle locken! Die wollen, dass du in ein Loch fällst, und dann wollen sie dich aufspießen und braten und mit deinen Knochen Mikado spielen!«

Der Zauberer schien mich für einen Moment anzusehen. Dann tauchte er ab, und es war es still im Saal. Völlige Geräuschlosigkeit. Ich hatte einen dieser magischen Augenblicke geschaffen, an dem eine ganze Halle wie auf ein Kommando einzuatmen scheint und das gemeinschaftliche Gebrüll für ein paar Sekunden erlischt.

Nur meine Worte standen hell und klar im Raum.

Auch die drei Freunde standen eine Weile regungslos und schweigend im Wald. Leise knarrte die Pappe, irgendjemand räusperte sich unter der Bühne.

Kasperl fing sich als Erster wieder.

»Aha ...«, sagte er und ließ ein bisschen unmotiviert seinen Mützenzipfel kreisen, »Kinder, ist denn der Zauberer wirklich hier gewesen?«

»Jaaa!«, schrien alle.

»Da müssen wir uns aber was einfallen lassen, oder, Kinder?«, sagte Kasperl und schien jetzt wieder einigermaßen den Überblick zu haben.

»Jaaa!«, brüllte der Saal.

Und mitten drinnen ich, zitternd vor Wut und hilfloser Aufregung. Diese Idioten. Diese hirnverbrannten Idioten! Offenbar kapierten sie nichts. Nicht das Geringste. Nur ich, ich als Einziger sehe das Unheil nahen. Die Ungerechtigkeit. Die Katastrophe.

Und auf einmal geht alles schnell. Die drei Helden stecken ihre Köpfe zusammen, tuscheln, kichern, tun wichtig, beratschlagen sich mit dem Publikum, alle sind sich einig, alle freuen sich, ein weiteres Lied wird gesungen, dazu wird ausgiebig im Kreis getanzt, anschließend versteckt man sich am Bühnenrand und wartet. Tatsächlich erscheint gleich darauf auch wieder der Zauberer. Er zittert ein wenig hilflos mit seinem Zauberstäbchen in der Luft herum und marschiert dann nichts ahnend direkt auf den Picknickkorb zu. Kasperl grinst. Das Publikum feixt.

Neben mir beginnen die Backen des fetten Riesen zu beben vor Aufregung. Der Zauberer spaziert nickend und murmelnd auf das teuflische Loch zu. Die Kinder halten den Atem an. Kasperl kichert. Seine Augen glänzen starr wie die Augen eines Raubvogels. Seine Nase ist spitz wie ein Schnabel. Ich spüre, wie mein Herz rast. Meine Stirn brennt. Mein Hemd klebt an der pochenden Brust. Und da halte ich es nicht mehr aus. Ich springe auf, drängle mich am fetten Riesen vorbei, stolpere den Mittelgang nach vorne, remple ein Plastikblumengesteck um und klettere auf die Bühne.

Es ist heiß, das Licht ist gleißend grell, im Hintergrund höre ich die Kinder toben wie hinter einem Wall aus Watte, und vor mir hockt Kasperl mit seinem grinsenden Raubvogelgesicht. Und jetzt platzt etwas in mir. Mit beiden Händen greife ich in den Wald hinein und kriege den Kasperlkopf zu fassen. Er fühlt sich ungewöhnlich kühl und hart an. Die Augen sind glatt und tot wie Murmeln, der Blick nicht zu ertragen. Ich zerre und reiße an ihm. Sein Körper ist merkwürdig schlank, fest und stark. Er wehrt sich, windet sich, krümmt sich. Doch mein Hass ist stärker. Und meine Angst sowieso. Es gibt einen Ruck, etwas knackst leise, etwas löst sich, und ich stolpere einen Schritt zurück. Da, wo eben noch Kasperl hockte, ragt nun eine Hand aus dem Waldboden. Ganz genau sehe ich die behaarten Finger, die kleine rosige Narbe am Daumenansatz und die dunkel geränderten Fingernägel. Dann ist sie weg.

In meinen Händen liegt der Kasperlkopf. Seltsam leicht liegt er da. Mit Kragen und Mütze. Aber ohne Körper.

Ich schleudere das Ding von mir und falle einfach um.

Ich sehe, wie der Kopf im Staubnebel durchs Scheinwerferlicht zischt und irgendwo im Dunkeln verschwindet.
Einer der Pappbäume kippt, der Waldboden bebt, die ganze Bühne wackelt, und ein Mann taucht dahinter auf. Und
gleich daneben eine junge Frau. Statt Händen wachsen Figuren aus ihren Unterarmen. Es sind Frosch und Eichhorn.
Hängen einfach so herum, schlaff und leblos. Es ist zu viel
für mich. Ich liege auf den Brettern an der Bühnenrampe und heule. Wie durch einen Nebelschleier sehe ich die
Gesichter der Kinder im Zuschauerraum. Manche schau-
en erstarrt und mit aufgerissenen Mündern den Geschehnissen auf der Bühne zu, andere weinen, manche lachen,
die meisten schreien. Ich blicke hoch. Ein zarter Staubfet-
zen löst sich aus dem Dunkel der Decke und schwebt in
sanften Schwüngen zu Boden.

Plötzlich liegt eine Hand auf meiner Wange. Sie ist
rau und warm. Sie gehört dem grauen Typ von vorhin.
Er riecht nach Zwiebeln und hat schiefe Zähne. Aber ich
mag ihn irgendwie. Er hebt mich hoch und trägt mich
auf beiden Armen durch den Mittelgang in Richtung Ausgang. Hinter uns auf der Bühne tut sich was. Jemand sagt
ein paar Worte. Die Kinder applaudieren. Musik erklingt.
Die Saaltür fliegt auf. Der Vorraum ist kühl, hell und weit.
Überall stehen und sitzen Erwachsene, unterhalten sich,
rauchen, blättern in Zeitschriften, trinken Kaffee. Und
ganz hinten, an einem Tischchen vor der riesigen Fenster-
front sitzen meine Eltern.

Mama springt auf, ihr Stuhl knarrt, der Tisch wackelt,
ein Löffelchen fällt klingelnd auf den Steinboden. Sie
streckt die Arme nach mir aus und hat mich und hält

mich, und ihr Schoß ist warm und weich, und ich heule ihr einen dunklen nassen Fleck ins Kleid. Daneben steht Vater. Wie im Traum sehe ich ihn dastehen, klein, mager und schief, das Jackett ein bisschen zu groß, der Krawattenknopf ein bisschen zu eng. Und hinter ihm rauscht das Wasser in unendlichen, dunklen Strömen die Scheiben hinab.

Der Feind

Ein paar Wochen darauf war Schulbeginn. Ich mochte die Schule von Anfang an nicht. Aus irgendeinem Grund war mir klar, dass nach dem Verzehr des Inhalts meiner riesigen Schultüte nichts Gleichwertiges mehr nachkommen würde. Und so war es auch.

Die Hermann-Conradi-Grundschule war der alte Anbau der noch viel älteren Hermann-Conradi-Realschule, die seit vielen Jahren wegen irgendwelchen Haushaltslöchern oder allgemeinen Bildungsmiseren vor sich hin bröckelte. Weder Schüler noch Lehrer wussten, wer eigentlich dieser Hermann Conradi gewesen sein sollte. Und es interessierte auch niemanden. Ganz oben an der großen Treppe im Foyer stand seine Büste, ein knochiger Glatzkopf mit Geiernase und fliehendem Kinn. Meistens klebte ein Kaugummi in seinem Gesicht und bildete ein Furunkel an der Wange, eine Beule an der Stirn oder einen Rotztropfen unter der Nase. Die Zeiten des alten Hermann Conradi waren offensichtlich lange schon vorbei.

Die Gänge waren lang und düster, die Decken hoch und fleckig, die steinernen Stufen ausgetreten von Tausenden und Abertausenden Kinderschritten. Im ganzen Gebäude hing ständig der Geruch von feuchtem Mauerwerk und säuerlichem Kartoffelsalat, der mittags in der überfüllten Mensa zu fast allen Gerichten auf die Teller gepanscht wurde. Das Essen war ein höhnischer Witz, garniert mit brauner Soße. Aber der Hunger zwang uns, das Zeug hinunterzuwürgen. In diesem Alter waren unsere Mägen noch zäh und unverwüstlich.

Die Pausen verbrachten wir auf dem hoch ummauerten Schulhof an der Gebäuderückseite. Beton, rieselnder Putz, abblätternde Farbe, ein paar beschmierte Sitzbänke, ein mit Brettern zugenageltes Gusseisentor und in einer Ecke ein schiefer Baum mit dürren, völlig blätterlosen Ästen. Neun Zehntel der Hoffläche wurden wie selbstverständlich von den Großen für sich beansprucht. Die Mädchen versammelten sich zu kleinen Grüppchen, kicherten konspirativ, lachten schrill oder standen einfach nur geschminkt und unnahbar herum. Die Jungs bildeten etwas größere Grüppchen, brüllten heiser, kratzten sich am Arsch, hatten Pickel im Gesicht und die Welt im Griff.

Manchmal gab es eine Schlägerei. Dann bildete sich schnell ein aufgeregter Kreis um die Kämpfenden. Ganz vorne in der ersten Reihe platzierten sich die Jungs mit dem breitesten Stand, neben ihnen die Bräute mit der dicksten Farbschicht im Gesicht, gleich dahinter die normalen Typen und die unauffälligen Mädchen und noch weiter hinten die Streber, die Zwerge und die Fettsäcke.

Ganz hinten, in der letzten Reihe, standen wir, die Kleinen, die Grundschüler.

Ursachen für solche Auseinandersetzungen gab es viele: ein schiefer Blick, ein dummes Wort, eine blöde Frisur; das richtige Mädchen zur falschen Zeit, das falsche Mädchen zur richtigen Zeit, die Fußballergebnisse, die politische Haltung, der Musikgeschmack, die schlechte Laune, die verletzte Ehre oder einfach nur das Scheißwetter. Aus jedem denkbaren Anlass ging man aufeinander los. Manche schlugen sich mit den Fäusten die Gesichter ein, andere wälzten sich eng umschlungen und keuchend auf dem Boden. Meistens aber ging alles genauso schnell vorbei, wie es begonnen hatte. Manchmal mischten sich die Mädchen ein, warfen sich hysterisch kreischend zwischen die Raufer und zerrten ihren Liebling von der Kampffläche, nur um ihm für immer und ewig seine Verfehlungen vorwerfen zu können. Oder einer der Lehrer kam angerannt, seiner Autorität und seinem Status entsprechend entweder mit wilder Entschlossenheit oder mit flackernder Angst in den Augen. Die Schläger wurden voneinander getrennt und ins Direktorenzimmer zitiert. Meistens kamen sie mit einer Verwarnung, immer aber als gefeierte Helden wieder.

Doch schon recht bald verloren diese Schulhofschlägereien ihre Attraktion für mich. Stattdessen verbrachte ich die meisten Pausen auf meinem Lieblingsplatz am gusseisernen Tor. Mein kleiner Hintern passte genau zwischen zwei Gitterstäbe. Es war hart und ungemütlich, aber ich hatte den Platz für mich alleine. Hier konnte ich je nach Befindlichkeit entweder hoch in den Himmel schauen oder hinunter auf den Boden starren. Oben zogen Flugzeuge und Träume vorbei, unten Ameisen und die Niederlagen des Schulalltags. Oft zeichnete ich mit den Schuhspitzen Figuren und Männchen in den Staub. Die kleinen Kerle rannten herum, hatten Hunde, schwangen Äxte, kämpften miteinander oder erschlugen Lehrer. Als einzige Zeugen dieser Taten krochen die Ameisen dazwischen herum. Irgendwie waren mir diese winzigen Tierchen sympathisch. Da rannten sie wie aufgezogen hin und her, wussten wahrscheinlich gar nicht warum und wozu, fragten aber auch nicht nach und schienen alles in allem ganz zufrieden zu sein.

Manchmal bückte ich mich und ließ eine Ameise auf meinen Daumen krabbeln. Eine Weile sah ich zu, wie sie unermüdlich im Kreis rannte, immer dem nahen, doch unerreichbaren Daumenhorizont hinterher. Wie ein einsamer Mann auf einem winzigen Planeten. Nach einer Weile ließ ich sie wieder auf den Boden hinunter, wo sie sich im Gewusel zwischen ihren Kollegen verlor.

Schrilles Glockengebimmel. Ausatmen. Die Lehrer lassen die Hände mit den Kreiden sinken und sacken in sich zusammen, als ob durch einen kleinen Riss in ihren Körpern ganz plötzlich alle Luft entweicht. Die ganze Klasse springt auf, alle schreien, lachen, heulen wie junge Wölfe und stürmen aus den Klassenzimmern, hinaus, hinaus auf den Schulhof, ins Freie, ans Licht. Ich bleibe noch sitzen. Höre die Schritte in den Fluren verklingen. Sehe mir für einen Moment das Schweigen vorne an der Tafel an. Dann stehe ich langsam auf und gehe.

Wie immer trat ich als einer der Letzten ins Freie und ging quer über den Hof, hinüber zu meinem Platz am Gusseisentor.

Sofort bemerkte ich, dass etwas nicht stimmte. Da saß schon jemand. Hockte einfach da, den Hintern wie ich sonst zwischen die Gitterstäbe gezwängt, und starrte auf den Boden hinunter. Ich kannte den Kerl vom Sehen. Er war ungefähr in meinem Alter und ging in die Nebenklasse. Ein kleiner Bursche, bestimmt einen Kopf kleiner als ich, aber fest und stämmig. Eine verrotzte Kartoffelnase, ein winziges Mündchen, rote Backen und eigentümlich runde, hellblau glänzende Augen. Das Auffälligste an ihm waren seine ungewöhnlich blonden, fast weißen Haare, die ihm in wirren Strähnen vom Kopf abstanden.

Diese Karikatur eines aus der Zeit gefallenen Bauernbuben saß nun also ganz selbstverständlich auf meinem Platz und störte meine Pausenruhe. Ich beschloss, ihn nicht weiter zu beachten, und setzte mich neben ihn.

Eine Weile geschah nichts. Aus den Augenwinkeln konnte ich erkennen, wie er konzentriert das Ameisengewusel auf dem Boden betrachtete. Dabei zog er in kurzen Abständen laut schniefend seinen Rotz in die Nase zurück. Plötzlich hob er den Kopf und sah mir direkt ins Gesicht.

»Die mag ich nicht!«, sagte er mit einer Stimme, die klang, als hätte ihm jemand mit einer kleinen Harke den Rachen zerfurcht, dunkel, rau und heiser. Dann stand er auf und begann auf den Ameisen herumzutrampeln.

Das kam überraschend. Und tat weh. Ich sprang hoch, holte etwas ungelenk aus und schlug dem Blonden meine Faust mitten ins Gesicht.

Ich hatte so etwas noch nie zuvor getan, körperlichen Auseinandersetzungen war ich immer erfolgreich aus dem Weg gegangen. Nun aber war der Bann gebrochen. Ich war einer von ihnen.

Der Blonde schien sowieso schon lange dazuzugehören. Jetzt nämlich holte er seinerseits aus und ballerte mir eine Gerade direkt zwischen die Augen. Ich spürte den Schmerz kaum, doch sicherheitshalber kippte ich nach hinten. Sofort warf er sich auf mich. Wir langten ordentlich zu, packten, was wir vom anderen in die Hände bekamen, die Arme, den Hals, die Ohren, die Haare, und zerrten und rissen daran, so heftig wir konnten. Fest ineinander verkeilt, keuchend und schwitzend, wälzten wir uns im Dreck. Die Ameisen hatten keine Chance. Aber ich merkte es nicht mehr. Ich war blind vor Wut, Schmerz und verletztem Stolz. Der Blonde vermutlich auch. Keiner von uns wollte unten liegen. Keiner wollte verlieren. Keiner gab nach. Keiner gab auf.

Und hätte uns nicht der eilig heransprintende Sportlehrer Wolarek an den verschwitzten Schöpfen gepackt, mit Gewalt auseinandergerissen, uns links und rechts über seine ochsenbreiten Schultern gehängt und wie zuckende Jagdtrophäen schnurstracks hoch ins Direktorenzimmer getragen, dann würden wir sicher, aber ganz hundertprozentig sicher, noch heute in verzweifelt keuchender Umarmung über den Schulhof kollern.

Blutsbrüder

Direktor Oberstudienrat Heinrich Priem war der jüngste Spross einer uralten Bauernfamilie. Seit Jahrhunderten baute man Kartoffeln an. Schon als kleiner Junge musste Heinrich gemeinsam mit seinen älteren Brüdern gebückt über die weiten Äcker schleichen und Kartoffeln aus dem Dreck klauben. Die Hände der Bauernleute waren über die Jahre ihren Erdäpfeln immer ähnlicher geworden, hatten sich in rissige, merkwürdig verformte Knollen verwandelt. Die Hitze über den Feldern war unerträglich, die Sonne verbiss sich in die Nacken, Schweiß brannte in den Augen, Staub füllte die Lungen. Doch die feuchte Morgenkälte war noch schlimmer. Heinrich konnte neben sich die breiten Rücken der Brüder knarren hören. An manchen Morgen dampften ihre Leiber wie Rinder auf der taunassen Weide. Langsam und schwer stapften die klobigen Stiefel durch die Furchen und durch die Tage. Das Gesicht immer der Erde zugewandt, die Augen leicht gerötet, die Blicke stumpf. Geredet wurde kaum. Schweigsam ging man zur Arbeit, schweigsam zog man übers Feld, schweigsam ging man nach Hause. Weil unnötiges Gerede nur von der Arbeit ablenkt, sagte der Vater. Und weil es sowieso nichts zu reden gab.

Der Vater ging voran, immer ging er voran, gab das Tempo vor, den Takt, bestimmte die Pausen, sprach das Gebet, teilte das Brot und ließ das Wasser fließen.

Das Haus der Priems war fast so alt wie die Familie selbst. Einer der Vorväter hatte es errichtet, hatte schweigsam Stein auf Stein gelegt und war nach dem Richtfest vor Erschöpfung tot vom Dach gekippt. Die Söhne, deren Söhne und wiederum deren Söhne hatten weitergemacht, immer weiter, hatten angebaut, zugebaut und umgebaut, Generationen hatten unter diesem Dach gelebt, gegessen, gebetet, geschlafen, hatten Kinder gezeugt, ihr Vieh vor Gewitter und Sturm geschützt, hatten die letzten Tropfen der heiligen Kirche auf der heißen Stirn gespürt und waren gestorben.

Auch in der Stube regierte der Vater. Da saß er in seinem Sessel, die schwieligen Füße bis über die Knöchel im dampfenden Salzwasserpott, starrte in den Fernseher und war das Wort und das Gesetz und das Gebot. Wer nicht gehorchte, wurde hörig gemacht, wer nicht folgte, wurde getrimmt.

Die unterste Stufe der steinernen Kellertreppe hatte zwei über die Jahre ausgeschliffene Vertiefungen, genau an der Stelle, an der die Söhne in der Dunkelheit ihre Sünden abknieten. Bis sie der Vater in seiner Gnade erlöste. Oder bis sie einfach vor Erschöpfung nach vorne kippten.

Auch der kleine Heinrich kniete oft am Fuße dieser Treppe, im Rücken den feuchtkühlen Atem des Kellerlochs und über ihm die Ahnung einer noch härteren Bestrafung. Tagsüber der Acker, abends die Treppe, nachts die rasenden Träume, das waren die schlechten Tage.

Die guten Tage waren die Sonntage. An den Sonntagen schrubbten sich die Brüder frühmorgens so lange gegenseitig mit der Rosshaarbürste ab, bis sich die Haut in dünnen, grauen Fetzen vom Körper löste und darunter eine neue, rosig glänzende Schicht zum Vorschein kam. Danach schlüpften sie in duftende weiße Hemden und gestärkte schwarze Anzüge und marschierten geschlossen zur Kirche. In den hölzernen Stuhlreihen konnte man sitzen. Hatte seine Ruhe. War still und ernst. Und der einlullende Singsang von der hohen Kanzel versprach Wunderbares: Da gibt es irgendwo etwas Weiteres als einen Kartoffelacker! Da gibt es irgendwo etwas Mächtigeres als den Vater! Der kleine Heinrich saß eingezwängt zwischen seinen Brüdern. Wieder konnte er ihre Rücken knarren hören, aber hier hatte es etwas Tröstliches. Die bunten Lichtbalken, die durch die Mosaikfenster fielen und staubdurchwirbelt den hohen Raum durchragten, verhießen eine Zukunft, fern von dreckigen Knollen und rissigen Händen.

Und das Knien auf den weichen Holzbänken war geradezu eine Wohltat.

Als nach dem großen Sturm der Blitz einschlug und der Hof bis aufs Fundament abbrannte, mitsamt Stall, Vieh und Maschinen, musste der Vater von seinen Söhnen mit aller Gewalt und in letzter Sekunde ins Freie gezerrt werden. Dort blieb er einfach stehen und rührte sich nicht mehr. Einen ganzen Tag und eine halbe Nacht lang stand er regungslos vor dem riesigen, lautlos kokelnden Haufen.

Man fand ihn am nächsten Morgen. Er hing an einem Türstock, der wie durch ein Wunder einsam stehen geblieben war. Ein Bild wie aus einem alten Western. Seine Hände waren zu Fäusten geballt und hingen wie Steine an den schlaffen Armen. Über den Feldern hinter ihm ging die Sonne auf.

Heinrich trauerte nicht lange und auch nur nach außen hin. In Wahrheit jubilierte sein Herz. Hin und wieder ging er am frühen Morgen heimlich zum Friedhof, um auf Vaters Grab zu spucken. Er war nun achtzehn Jahre alt, die Kellertreppe war abgebrannt, der Vater tot, die Mutter im Heim, die Brüder in alle Richtungen verstreut, und die Kartoffelbranche ging sowieso den Bach runter.

Heinrich Priem folgte seiner stillen, aber zähen Sehnsucht und warf sich endgültig in den Schoß der Kirche. Er wollte Pfarrer werden. Eine Weile ging die Sache auch gut. Zwei Jahre lang, um genau zu sein. Danach kamen ihm die Hormone und ein rundliches Mädchen namens Helga in die Quere. In einer wirren Stunde voller Lust und Gewissensbisse ließ er sich von Helga einfangen, und sie wurde schwanger. Die Kirche öffnete ihren Schoß, und er plumpste auf den harten Boden der Weltlichkeit.

Vom Katholizismus zur Pädagogik sind die Wege kurz. Heinrich beschloss, Lehrer zu werden. Und er wurde ein guter Lehrer. Nach einer Lehrzeit als Aushilfskraft in einer dörflichen Grundschule kam er schließlich an die Hermann-Conradi-Gesamtschule. Er setzte sich ein, bildete sich fort, diente sich hoch und wusste seinen Ehrgeiz nötigenfalls zu verbergen, um niemandem auf die Füße zu treten. Und hinter seiner hohen, glatten Stirn verbarg sich ein furchtbarer, an fundamentalen Starrsinn grenzender Gerechtigkeitssinn.

Eines Tages folgte er dem lang ersehnten Ruf der Obrigkeit, räumte seine wenigen Habseligkeiten aus dem Blechspind im durchräucherten Lehrerzimmer und deponierte sie ein Stockwerk höher in den Schubladen des schweren

Eichenholzschreibtisches im Direktorenzimmer. Dann setzte er sich, legte die Hände in den Nacken, atmete tief aus, ließ sich in die weiche Lehne seines Direktorensessels zurücksinken und lächelte still.

Und dieses Lächeln ist nie wieder ganz verschwunden aus Direktor Heinrich Priems Gesicht. Freundlich lächelnd saß er auch jetzt da, hinter seinem Eichenholzschreibtisch, in seinem großen Sessel, die Krawatte akkurat gebunden, die dünnen Resthaare auf dem rosigen Kopf in Reih und Glied gelegt, und sah sich den Blonden und mich freundlich an.

Sehr freundlich.

Aber irgendwas stimmte nicht mit diesem Lächeln. Es waren die Augen. Direktor Priems Augen lächelten nicht. Sie waren grau, klein und ohne Glanz. Wir bemühten uns, dem Blick auszuweichen, schauten auf unsere Füße hinunter oder versuchten die Muster im ausgetretenen Parkettboden zu entschlüsseln.

Eine Weile war es still im Direktorenzimmer. Dann knirschte leise das Sesselpolster, und Direktor Priem entkam ein tiefer, ein sehr tiefer Seufzer. Wir schauten hoch.

»Jesus hat für uns alle gelitten!«, sagte der Direktor mit sanfter Stimme. »Auch für euch, ihr dummen, kleinen Buben!«

Dabei deutete er mit seinem rosigen Finger auf eine der hohen Wände. Ein hölzerner Gottessohn hing da oben dürr am Kreuze und blickte auf uns herab.

»Und ihr dankt es ihm mit einer Schulhofrauferei?«

Traurig schüttelte der Direktor den Kopf. Darauf lehnte er sich weit nach vorne über den Schreibtisch und winkte uns mit einer weichen Bewegung zu sich heran. Wir rutschten näher und hielten den Atem an. Plötzlich schnellten seine Arme nach vorne, und er hatte uns an den Ohren. Beziehungsweise an den feinen Härchen davor, am Schläfenansatz. Jeweils mit drei Fingern packte er ein Haarbüschelchen und fing an, ganz langsam daran zu drehen und zu ziehen. Parallel hob es uns aus den Stühlen. Sinnlos versuchten wir den kleinen Drehungen der Direktorenfinger zu folgen. Wir wanden uns wie Würmer. Die Kopfhaut schien sich vom Schädel zu lösen. Der Schmerz war unerträglich. Scharf und hell. Aber wir schrien nicht. Wir jammerten nicht. Wir machten keinen Mucks. Die Angst vor der Schande war stärker als der Schmerz.

Die Schulglocke läutete. Der Direktor stockte kurz. Dann gönnte er sich noch eine letzte, sehr langsame Viertelumdrehung. Schließlich ließ er los. Wir plumpsten auf unsere Stühle zurück und fassten uns an die heißen Schläfen.

»Die Pause ist vorbei!«, sagte er und lehnte sich in seinen Sessel zurück. Wir standen auf und trotteten aus dem Zimmer.

Als ich einen verstohlenen Blick über die Schulter zurückwarf, sah ich, wie sich an der Wand etwas bewegte. Der dürre Jesus am Kreuz hatte zu atmen begonnen, sein schmächtiger Brustkorb hob und senkte sich, die Fingerchen krümmten sich über den blutigen Nagelköpfen, sein ganzer ausgemergelter Körper rührte und streckte sich, soweit es seine eingeschränkte Bewegungsfreiheit eben zuließ. Dann drehte er den Kopf zu mir und nickte mir freundlich zu. Ich beschloss, nicht weiter auf ihn einzugehen, und zog die schwere Tür hinter mir zu.

Eine Weile standen wir unschlüssig im Gang herum und bemühten uns, möglichst aneinander vorbeizuschauen. In die Augen konnten wir uns noch nicht sehen. Einfach so gehen konnten wir allerdings auch nicht. Das Erlebnis im Direktorenzimmer hatte ein unsichtbares Band durch unsere Bubenseelen gefädelt und uns miteinander verbunden. Die Finger eines einzigen Mannes hatten uns aus den Stühlen gehoben, wir hatten uns gewunden wie Würmer, doch wir hatten nicht geschrien, nicht gejammert, nicht geflennt. Wir hatten dem Herrn Direktor Oberstudienrat Heinrich Priem keine einzige Träne gegönnt.

Und jetzt standen wir da, staubig, blutig und geschunden. Unsere Köpfe brannten, unsere Nasen schmerzten, wir hatten ein paar Haare weniger an den Schläfen, aber in unseren schmalen Brüstchen glühte etwas, warm, groß und weit. Das war der Stolz.

Aber natürlich konnten wir nicht ewig dastehen und an die Decke hoch- oder auf den Boden hinunterstarren. Irgendwann trafen sich unsere Blicke. Wir sahen uns ernst an. Ich rümpfte die Nase. Er auch. Ich legte die Stirn in Falten. Er machte es mir nach. Ich zeigte ihm die Zunge. Er zeigte mir seine. Schließlich übernahm er das Kommando. Er hob den Arm, steckte mir seinen Zeigefinger in die Nase, zog ihn mit etwas Blut an der Kuppe wieder heraus und lutschte ihn ab. Ich nickte. Hatte verstanden. Machte es ihm nach. Er hatte weniger Blut im Nasenloch als ich. Doch es reichte. Ich lutschte es ab. Er schien zufrieden zu sein und legte mir seine Hand auf die Schulter.

»Blutsbrüder!«, sagte er. Ich nickte noch einmal. Und weil damit im Grunde genommen alles gesagt war, gingen wir in unsere Klassenzimmer. Es gab noch viel zu lernen.

Von South Dakota, böhmischen Fleischtaschen und einem Lavastrom im Marienmond

Mein blonder Blutsbruder hatte auch einen Namen: Max. Und es stellte sich heraus, dass Max ebenfalls in unserem verschlafenen Stadtrandviertel wohnte, nur ein paar Straßen weiter, ganz in der Nähe unseres Hauses. Doch das waren andere Verhältnisse. Ganz andere. Das Haus war riesig. Eine Villa. Ein Palast. Der Garten war groß wie ein Fußballplatz und hatte einen akkurat gepflegten Rasen. Die Auffahrt war breit wie eine Autobahn und mit strahlend weißem Kies bestreut. Es gab keine Zimmer, sondern Säle, Hallen, Plätze. Man konnte sich für jeden Wochentag mindestens eine Toilette aussuchen und versank knöcheltief in den weichen Teppichen, die überall den Boden bedeckten. Das Geld lag in der Familie und wurde von Generation zu Generation weitergegeben wie ein Gen. Und es kam immer noch neues dazu.

Max' Vater hatte noch vor der Geburt seines Sohnes seine Sachen gepackt und sich auf eine überaus dringende Geschäftsreise begeben, von der er bislang noch nicht zurückgekehrt war. Nach Zwischenstationen auf Tahiti, in der Ukraine und einem zweijährigen Aufenthalt in einem marokkanischen Gefängnis hatte es ihn nach Amerika verschlagen. Inmitten der endlosen Weiten South Dakotas, was in Max' Ohren irgendwie indianisch und daher auch interessant und abenteuerlich klang, betrieb er eine riesige Rinderfarm mit angeschlossener Hackfleischdosenfabrik, die nach seinen eigenen Aussagen außer jeder Menge Arbeit nichts weiter abwarf als einen Riesenhaufen Kuhscheiße. Sein Geld verdiente er mit anderen Geschäften. Niemand wusste, um welche Geschäfte es sich genau handelte, aber da zuverlässig zu jedem Monatsanfang ein Scheck mit einem beachtlichen Geldbetrag ins Haus flatterte, hörte man irgendwann auf, weiter danach zu fragen.

An der Wand in Max' Zimmer hing ein Foto seines Vaters. Es zeigte einen verwegen aussehenden Mann mit sonnenverbranntem Gesicht, eigentümlich runden, hellblau glänzenden Augen und einem wirren, weißblonden Haarschopf. Er trug eine kurze Khakihose, ein papageienbuntes Hemd und hatte in der Hand eine dieser riesigen Baseballmützen, die uns damals noch schwer beeindruckten. Er hielt sie hoch über seinen Kopf und schien damit irgendjemandem weit hinter der Kamera zuzuwinken.

Manchmal nahm Max das Foto von der Wand, setzte sich auf sein Bett und starrte es an. Wenn ich ihn dabei störte, wurde er wütend. Also setzte ich mich still in eine Ecke und wartete. Meistens legte er das Bild nach ein paar Minuten wieder weg. Dann sah er mich für einen Moment etwas verwundert an, als wäre er eben von einer langen Reise heimgekehrt und hätte vergessen, wer ich war.

Max' Mutter hieß Martha. Sie war klein und zierlich, hatte langes, leuchtend hellrotes Haar, pflegte sich in schleierartige Kleider zu hüllen und trug stets ein seltsam verschobenes Lächeln mit sich herum. Im Wochenbett nach Max' Geburt hatte sie damit angefangen, ein wenig wunderlich zu werden. Sie schien verwirrt, berichtete von Stimmen, die nachts aus ihrem Kopfkissen direkt in ihr Ohr flüsterten. Angenehme Stimmen waren das, freundlich und zart. Aber dieses nächtliche Stimmengewirr hatte den Nachteil, dass es den Schlaf störte. Die Stimmen erzählten so interessante Dinge, dass das Einschlafen immer unmöglicher wurde und Martha mit dem kleinen Max in ihren Armen ruhelos durch die vielen Zimmer rannte. Mit der Zeit wandte sie sich immer mehr von den Dingen dieser Welt ab. Sie hörte auf, Zeitung zu lesen, verheizte nach und nach die Familienbibliothek im Kaminfeuer und stellte den Fernseher und das Radiogerät auf die Straße. Gleichzeitig wurde sie immer einsilbiger, bis sie eines Tages das Sprechen komplett einstellte. Sie hatte sich endgültig in ihre Welt zurückgezogen, schien dabei aber nicht unglücklich zu sein.

Ich mochte sie, auch wenn ich sie nicht oft zu sehen kriegte. Hin und wieder rauschte sie an uns vorbei wie ein bunter Blätterwirbel im Herbststurm, hinterließ einen schweren, süßlichen Parfumnebel und war ebenso schnell wieder verschwunden, wie sie aufgetaucht war.

Manchmal im Sommer, wenn wir draußen im Gras lagen oder für unsere Blechautos tiefe Furchen in den Kiesweg zogen, sah ich sie an einem der hohen Fenster im ersten Stock stehen. Ihr Blick war in die Ferne gerichtet, eine Hand spielte mit ihrem Haar, während die andere unsichtbare Figuren in die Luft zeichnete, immer wieder dieselben weichen Bewegungen, dieselben zarten Linien mit den Fingern. Die Hand schien zu tanzen, da oben hinter der Fensterscheibe, losgelöst vom übrigen Körper, fast wie ein eigenständiges Lebewesen, und nach einer nur für Martha hörbaren Musik. Das ging oft eine ganze Weile so. Dann hielt diese Hand plötzlich mitten in einer Bewegung inne, Martha senkte ihren Blick zu uns Buben hinunter, nickte uns freundlich zu, drehte sich um und verschwand.

Um die Dinge des Alltags und um Max' Erziehung kümmerte sich eine böhmische Hausdame namens Prbjiska. Diese Frau Prbjiska war eine dürre, aber resolute Erscheinung mit einem vogelartigen Gesicht und einem beständig wackelnden, schwarzgrauen Haarknäuel auf dem Kopf. Sie sprach nur gebrochen Deutsch, lachte viel, rauchte heimlich kurze, stinkende Zigarrenstumpen und kochte jeden dritten Tag Fleischtaschen nach einem Rezept, das sie angeblich als einzigen Lohn für ihre jahrzehntelange Arbeit als Dienstmagd bei einer uralten böhmischen Großgrundbesitzerfamilie erhalten hatte.

Eines Tages, als ich Max nach der Schule besuchte, befahl uns Frau Prbjiska zu sich in die Küche. Wir bekamen große Gläser mit frischem Saft und Strohhalmen. Daran sollten wir nuckeln und ansonsten ruhig sein. Dann legte sie los. Sie explodierte förmlich. Mit einer Geschwindigkeit, die man ihrem dürren Körper nie zugetraut hätte, begann sie durch die Küche zu wirbeln.

Schranktüren flogen auf und zu, Teller hoben sich von ihren Stapeln und glitten über die Arbeitsplatte, Schüsseln drehten sich kullernd nebeneinander, ein Messer blitzte durch die rosigen Fleischstücke, Kartoffeln rodelten über die Raspel, wurden zu gelben Flocken zerrissen, in einer Pfanne brutzelte das Butterschmalz, in einer anderen schwitzten Perlzwiebelchen. Ein Dampfen, ein Zischen, ein Fauchen. Mit einem dumpfen Geräusch platzte eine Mehlpackung auf, für einen Augenblick verschwand alles in einer weißen Wolke, bevor sich das Mehl wieder senkte und die Sicht auf die rasende Frau Prbjiska freigab.

Nach und nach begann sich in dem ganzen Durcheinander eine Struktur abzuzeichnen, die Dinge bekamen eine Form, Frau Prbjiskas Bewegungen einen übergeordneten Sinn. Die Kartoffelflocken wurden zu kleinen Häuflein zusammengeschoben, mit Mehl, Eigelb und Butter verknetet, zu handtellergroßen Fladen geformt, mit den gewürzten und leicht angebratenen Fleischwürfelchen gefüllt, in die zischende Pfanne gebettet und so lange geschwenkt, gewendet und mit zerlassener Butter beträufelt, bis sie schließlich goldbraun, dampfend und duftend auf unseren Tellern landeten. Die Dinger waren so heiß, dass wir sie kaum in den Händen halten konnten. Wir taten es trotzdem. Immer wieder bissen wir in die knisternde Kruste, dass das Fett nur so spritzte, und hörten erst auf, als uns schlecht wurde und wir wie abgeschossene Tiere von den Küchenstühlen plumpsten. Schwerfällig krochen wir über den glatten Küchenboden, rollten die Flure entlang, über die Teppiche, die Treppe hinunter und hinaus in den Garten. Dort lagen wir im Gras und hielten schweigend unsere glatten prallen Bäuche in die Sonne.

Auf dem Heimweg glänzte an meiner Hose ein großer dunkler Fleck. Und im Hosensack dahinter lagen zwei dicke, fetttriefende, immer noch warme böhmische Teigtaschen.

Zwei- oder dreimal im Monat bestiegen wir die Straßenbahn und machten uns auf den Weg zu Max' Großvater, der nur drei Stationen weiter das städtische Altersheim Marienmond bewohnte. Der Marienmond unterschied sich rein äußerlich nur wenig von einer Legehennenhalle, die ich einmal in einer Tierdokumentation gesehen hatte. Ein niedriger, lang gestreckter Plattenbau, an dessen aschgrauen Wänden ein paar dürre Efeuranken mühevoll dem Sonnenlicht entgegenkrochen. Die gläserne Eingangstür öffnete sich, und man betrat eine fremde Welt. Hier schienen die Lebensvorgänge ihren üblichen Rhythmus verloren zu haben. Die Zeit war wie geronnen. Die Minuten lösten sich wie dickflüssige Tropfen aus den Wänden, die Stunden wälzten sich bleischwer durch die langen Gänge, und die Tage kamen gar nicht mehr vom Fleck. Manche der Heimbewohner versuchten dem Stillstand zu entkommen und schlurften stundenlang im Kreis herum. Die meisten aber saßen einfach da, hörten Musik aus kleinen Radios, dösten oder schauten mit sehnsuchtsvoll geröteten Augen in Richtung gläserner Eingangstür.

Max' Opa hing meistens schief in seinem Rollstuhl im großen Gesellschaftsraum, hatte eine karierte Decke über den Knien und eine fadenscheinige Wollmütze auf dem Kopf. Er sprach selten. Während all unserer Besuche nur ein paar wenige, kaum verständliche Worte. Meistens hing er einfach nur da und röchelte leise. Es war mir ein Rätsel, was Max an diesen Besuchen fand. Doch er ließ sich nicht davon abbringen. Durch nichts und niemanden. Mindestens zweimal im Monat hatten wir im Marienmond zu sitzen und dem Opa beim Röcheln zuzuhören.

Eines Tages, als wir nach der Schule ankamen, war das Heim geschlossen. Wir spähten durch die Eingangstür hinein. Der Eingangsbereich und die Flure dahinter lagen da wie ausgestorben. Die Alten waren verschwunden, mitsamt Personal. Manchmal organisierte die Heimleitung Ausflüge, kleine Tagesreisen, kollektive Bustrips mit Produktpräsentation und Krankenschwesternbegleitung.

Wir wollten uns schon wieder auf den Weg machen, als Max mich auf eines der Kellerfenster aufmerksam machte. Es stand offen. Wir schauten uns um. Kein Mensch zu sehen. Da blieb uns gar nichts anderes übrig.

Wir krochen durch den Fensterspalt ins Innere. Über ein paar gestapelte Kisten gelangten wir auf den Kellerboden. Hier drinnen war es still und kühl. Durch die staubigen Fenster drang kaum Licht herein. Die Luft war feucht, und es roch modrig. Alle Geräusche klangen stumpf, ohne Widerhall, wurden förmlich aufgesogen von den feuchten Wänden. In einer der Kisten knackte es leise. Diese Kisten waren lang und schmal, aus hellem Holz, vernagelt und verschraubt.

Wieder knackte es.

Und in diesem Moment war mir alles klar. Wir hatten eine grausige Entdeckung gemacht – das Endlager der Altersheimbewohner! Hier lagen die Alten, fein säuberlich gestapelt und nach Todesdatum geordnet. Hier wurden sie entsorgt, hier fand der teuflische Plan der Heimleitung seine schreckliche Vollendung. Und wir sollten die nächsten sein! Das Fenster hatte nicht einfach so zufällig offen gestanden, nur weil irgendein verblödeter Hausmeister vergessen hatte, es zu schließen. Nein, dieses offene Fenster war eine Falle, in die wir Dummköpfe nichts ahnend hineingetappt waren!

In panischer Angst fing ich an zu klettern. Ich bestieg die Kisten, die Särge der armen Alten, zog mich an ihnen hoch, dachte mit Schaudern an die morschen Knochen, an das verwesende Fleisch, an die graue, zerfallende Haut in den Kisten unter mir.

Ich kroch hoch, so schnell ich konnte, von einer Kiste zur nächsten. Plötzlich ein lautes Krachen. Unter meinen Füßen splitterte das Holz, eine Kiste kippte, dann noch eine, und noch eine, bis schließlich der ganze Stapel polternd in sich zusammenbrach.

Langsam senkte sich der Staub.

Ich saß auf dem Boden, um mich herum lagen die Kisten verstreut, ein paar waren aufgeplatzt, die Deckel verschoben, die Brettchen zerborsten. Zum Vorschein kam Bettwäsche und Geschirr. Muffige, blassgelbe Bettwäsche und stumpfes, abgeschlagenes Geschirr.

An der Wand stand Max und schaute ausdruckslos auf mich herab. Ich räusperte mich, hustete übertrieben laut und klopfte mir möglichst gelangweilt den Staub von der Hose. Max drehte sich wortlos um und öffnete eine Metalltür, die ich bis dahin noch gar nicht bemerkt hatte. Der Weg war frei.

Wir liefen einen engen Kellergang entlang. Heizkessel, Rohre, Gerümpel, bröckeliger Putz, Spinnweben, hie und

45

da ein verstaubtes Fensterchen. Über eine steile Treppe ging es hoch. Die Tür war nicht verschlossen.

Im Heim war es noch stiller, noch bleierner, noch lebloser als sonst. Die Gänge waren niedrig und lang, Blechleuchten an der Decke, gelbliche Wände, graublauer Linoleumboden, kleine Tische mit gehäkelten Deckchen und Plastikblumengestecken, ein paar Stühle, ein paar staubige Gummipflanzen, ein paar Ständer mit Broschüren aller Art: *Was tun bei Herzinfarkt*, *Wohin bei Inkontinenz* und so weiter. Überall gingen hellgrüne Türen ab, an denen selbst gebastelte Namensschilder angebracht waren. *Fritz*, *Leopold*, *Helga*, *Traudel*. Die Tür von *Helmut* stand offen. Jeder einzelne Buchstabe auf dem Schildchen war in einer anderen Buntstiftfarbe hingekrakelt. Wir gingen hinein. Das Zimmer war winzig, Helmut schien nicht mehr viele Ansprüche zu haben. Auf dem Boden neben dem Bett stand ein Paar ausgefranster Hausschlappen, daneben ein seltsamer Plastikbehälter, aus dem eine Art Röhre in die Luft ragte. Als ich das Ding vorsichtig anstupste, schwappte und gluckste es im Inneren leise. Auf dem Nachtschränkchen lag eine längliche Plastikschachtel mit mehreren kleinen Fächern, in denen eine Menge bunter Pillen lagen. Das sah appetitlich aus.

Max nahm sich eine dicke rote und steckte sie in den Mund. Ich wollte etwas vorsichtiger sein und nahm eine winzig kleine blaue. Sie schmeckte enttäuschend, nämlich nach nichts. Max griff sich eine gelbe und schluckte sie hinunter. Ich erwischte eine rosarote. Er eine kugelrunde weiße. Ich eine stäbchenförmige grüne. Wir nahmen uns jedes der Fächer vor, eins nach dem anderen, wir probierten sie alle, von jeder Farbe, jeder Form und jeder Größe jeweils eine. Und dann alles nochmal von vorne.

Schließlich war die Schachtel leer. Ich schmiss sie in eine Ecke, ließ mich rückwärts auf das Bett fallen und schloss die Augen. Die Metallstreben unter mir knirschten leise, die Matratze bebte leicht. Das ganze Bett schien irgendwie in Bewegung gekommen zu sein. Ich machte die Augen wieder auf. Über mir stand Max und grinste. Plötzlich aber drehte er sich um und lief aus dem Zimmer. Ich sprang auf und rannte hinterher.

Wir stürmten schreiend durch die Gänge, schlitterten um die Ecken, polterten gegen Gummibäume, rempelten Tischchen und Stühle um. Im Eingangsbereich kullerten wir ein paar Minuten über die Auslegeware, sprangen wieder hoch und fielen uns in die Arme. Wir waren völlig durchgeschwitzt, unsere Gesichter leuchteten, unsere Köpfe waren heiß wie Öfen. Fast gleichzeitig fiel unser Blick auf das Wandregal hinter uns. Es reichte bis an die Decke und war bis obenhin vollgestopft mit Broschüren. Wir verloren keine Zeit. Sofort begannen wir damit, die Heftchen eins nach dem anderen aus den Fächern zu reißen, sie zu zerfetzen und sie uns um die Ohren zu hauen, bis sich die Seiten lösten und im ganzen Eingangsbereich herumflatterten.

Als wir das Regal leer geräumt hatten, blieben wir keuchend stehen und sahen uns an. Max machte einen ziemlich ramponierten Eindruck. Schief und ein wenig vornübergebeugt stand er da, den Kopf leicht gesenkt, die Arme fest vor dem Bauch verschränkt. Sein Gesicht war dunkelrot, aus der Nase baumelte eine lange Rotzglocke, darüber glänzten die Augen wie hellblaue Glasmurmeln. Sein Blick sprang gehetzt hin und her. Er schien etwas zu suchen. Irgendwo hinter mir. Ich drehte mich um. Aber da war nichts. Außer vielleicht dieses Rauschen. Irgendwo rauschte es. In den Mauern, in der Decke, hinter den Türen. Oder nur in meinem Kopf? Ein leises, gleichmäßiges Rauschen war das. Ich fasste mit beiden Händen an meine Wangen. Sie waren glühend heiß. Und plötzlich spürte ich den Durst. Ein brennendes Ziehen in der Kehle. In der Brust. Im Bauch.

Ich sah mich um. Zwei Türen ganz in der Nähe waren nicht hellgrün wie die anderen, sondern weiß. Ein Mann im Rollstuhl auf der einen Tür, eine Frau im Rollstuhl auf der anderen. Ich nahm die mit der Frau, beugte mich unter den Wasserhahn und trank aus vollen Zügen. Das Wasser schmeckte übel, abgestanden und ölig. Und es konnte meinen Durst nicht stillen. Ich trank und trank, riss den Mund auf, schluckte, gurgelte, sabberte, hielt schließlich den ganzen Kopf unter den Hahn, aber dieses ölige Gesöff perlte völlig wirkungslos durch meine Kehle, durch meinen ganzen Körper.

Ich rannte aus der Toilette und auf Max zu. Mir war klar, dass ich ihn warnen musste, ihn beschwören, ihn schütteln, ohrfeigen, durchprügeln, ihm seinen rotweißen Kopf von den Schultern hauen musste. Immer noch stand er mit gesenktem Kopf und vor dem Bauch verschränkten Armen da. Doch irgendetwas stimmte nicht. Irgendetwas war anders. Ich wurde langsamer und blieb stehen. Er hob den Kopf. Blickte mir direkt in die Augen. Hob die Oberlippe. Senkte sie wieder. Schniefte.

»Max?«, fragte ich zaghaft.

Statt einer Antwort hob er die Arme hoch über seinen Kopf und begann mit winzigen Schritten seitlich wegzutrippeln.

»Max!«, schrie ich und wollte hinterher. Aber ich kam nicht vom Fleck. Meine Füße bewegten sich keinen Millimeter.

Ich klebte fest. Und auf einmal merkte ich, wie der Boden nachgab, wie das Linoleum schmolz, wie sich der Beton darunter aufweichte und zu einer zähen, dickflüssigen Masse zerfloss. Bis zu den Knöcheln steckte ich in einem harzigen Brei. Mit einem hellen Aufschrei ließ ich mich nach vorne fallen, wollte meinem Körper so viel Auftriebsfläche wie möglich geben. Ich schlug gleichzeitig mit Nase und Kinn auf. In meinem Kopf blitzte es, grüne Leuchtpunkte stiegen direkt vor meinen Augen auf, zogen in weiten, hohen Bögen durchs Tiefschwarz des Weltalls, bevor sie am Höhepunkt kurz innehielten und explodierten. Es regnete Farben. Grün. Blau. Rot. Orange. Gelb. Und auf einmal drückte mich irgendeine gewaltige Kraft hoch und schob mich vorwärts. Da bemerkte ich den Strom unter mir, heiß, leuchtend rot an der Oberfläche und tief grollend in seinem Inneren.

Ich schwamm auf einem gewaltigen Lavastrom.

Träge und unaufhaltsam wälzte er sich den Altersheimgang entlang. Um mich herum zerploppten große, dickflüssige Blasen, es blubberte und zischte, dünne Rauchsäulen stiegen hoch und breiteten sich zu einer giftig gelben Wolkendecke aus.

Ich sah, wie eine Gummipflanze mitgerissen wurde, wie

sie sofort lichterloh brannte und eine Sekunde später mit einem knisternden Ächzen versank. Die Hitze begann mir die Augen aus dem Schädel herauszuschmelzen, die giftigen Dämpfe brannten meine Lunge aus.

Gleichzeitig war es unfassbar schön. Ich fühlte mich leicht und frei. Aufgehoben und getragen von etwas Größerem und Stärkerem als mir selbst. Und da ließ ich los. Ließ mich einfach treiben. Es war ja alles so einfach. Es war ja alles gut!

Mit einem nachsichtigen Bedauern sah ich noch, wie Max auf allen vieren an der Wand hochkroch, oben an der Kante kurz anhielt, und schließlich direkt über mir wie eine Fliege die Decke entlangkrabbelte.

Ich lächelte.

Als die Altersheimbewohner nach einem langen Tag in der lokalen Blumenausstellung mit anschließendem Konditoreibesuch müde und auf wackligen Beinen in den Marienmond zurückkamen, bot sich ihnen ein erschreckender Anblick. Der Eingangsbereich war übersät mit Zeitschriften, Krankenkassenbroschüren und losen Blättern. In den Gängen waren Tische und Stühle umgekippt, dazwischen lagen überall gehäkelte Tischdecken. Die Gummibäume waren aus den Töpfen gerissen, die Zimmertüren standen weit offen, im Damenklo rauschte das Wasser. Und inmitten dieses ganzen Durcheinanders befanden sich zwei kleine Jungen. Der eine lag mit heruntergelassener Hose in seiner eigenen Pfütze im Gang, der andere hockte zusammengekrümmt in einer Ecke und murmelte in einer fremden, seltsam singenden Geheimsprache vor sich hin.

Die Alten beratschlagten sich. Das heißt, sie schrien mit sich überschlagenden Stimmen und wild durcheinander piepsenden Hörgeräten aneinander vorbei. Manche wollten die Polizei rufen, andere die Feuerwehr, die meisten beide zusammen und gleich noch die Rettung dazu. Der bucklige Herr Pfänder erhob beschwörend die Arme und verkündete mit zittriger Fistelstimme, dass hier ganz eindeutig der Teufel seine Finger im Spiel habe und dass der Beelzebub bekanntlich nur durch gemeinsames Gebet und Buße wieder zurück in seinen Höllenpfuhl getrieben werden könne. Da allerdings kein Mensch Herrn Pfänders eindrückliche Worte hören wollte, latschte er beleidigt auf sein Zimmer, um dort für den Rest des Tages auf einer Handtuchrolle vor seinem Bett zu knien und vierhundert Rosenkränze zu beten.

Mehr Beachtung fand ein anderer Vorschlag: Man solle doch, meinte eine kleine, aber resolut auftretende Fraktion, diesen kleinen Drecksgaunern die Hände abhacken oder den Kopf oder am besten überhaupt gleich alles und hernach die noch einigermaßen brauchbaren Teile an die Kanalratten verfüttern, die Nacht für Nacht (übrigens unbemerkt oder still geduldet von der Heimleitung!) den Küchenhintereingang bevölkerten und in den Mülltonnen herumlärmten. Wahrscheinlich hätte sich diese Idee auch durchgesetzt, wenn nicht Max' Großvater für einige wenige Augenblicke aus seiner täglichen Nachmittagserstarrung erwacht wäre und in einem Anfall von Klarsichtigkeit seinen Enkel erkannt hätte.

»Max, du kleiner Trottel!«, sagte er und schlief wieder ein.

Jetzt ging alles schnell. Der Heimleiter, der Heimleiterstellvertreter, die Tagesschwester und der Hausmeister kamen angerannt. Der Heimleiter und sein Stellvertreter waren entsetzt, die Schwester war besorgt, der Hausmeister war immer noch besoffen von den vielen Likören in der Konditorei. Ein Krankenwagen und eine polnische Putzkolonne wurden gerufen, und an die Heimbewohner wurde eine Extraportion Pillen verteilt. Max und ich wurden mit Blaulicht ins städtische Krankenhaus gebracht. Man behandelte uns recht anständig, pumpte uns die Mägen aus und schloss uns für eine Nacht und einen halben Tag an einen Salzwassertropf an. Danach ging es nach Hause.

Während der nächsten vier Tage konnte ich keine feste Nahrung bei mir behalten und mich nur mühsam, mit zittrigen Knien und schleifenden Füßen zwischen Bett und Toilette hin- und herbewegen. Am fünften Tag wurde ich am frühen Morgen von einer fetten Fliege geweckt, die mit voller Wucht gegen meine Fensterscheibe geknallt war. Ich stieg aus dem Bett, riss das Fenster weit auf und schnippte die kleine Leiche vom Fensterbrett in den flirrenden Sommer hinaus.

Da stand ich nun, ein dünner, nackter, noch etwas blasser Junge im offenen Fenster. Durch die Kirschbaumblätter blitzten mir die ersten Sonnenstrahlen ins Gesicht. Ich kniff die Augen zusammen. In meinem Bauch blubberte es ein letztes Mal leise. Dann war er still.

Ein Riss im Universum

Die Tage im Friseursalon tröpfelten wie gewohnt vor sich hin. Mittlerweile war ich zu groß, um in der Ecke auf einer Wolldecke zu sitzen. Stattdessen saß ich jetzt manchmal auf einem niedrigen Höckerchen am Fenster und sah dem Treiben zu. Obwohl von einem Treiben eigentlich gar keine Rede sein konnte. Es tat sich ja nicht viel, die Geschäfte liefen schlecht, und auch die Damen vom Stadtrand bemühten sich mittlerweile lieber in die Straßenbahn, um zu dem erst kürzlich eröffneten Friseursalon in der Innenstadt zu fahren. An der Haltestelle konnte man beobachten, wie sie als herkömmliche Menschen einstiegen und drei Stunden später als aufgeplusterte Paradiesvögel wieder herauskamen und stolz ihre asymmetrisch auftoupierten Köpfe nach Hause balancierten. Selbst die meisten Bewohnerinnen der nahe gelegenen Mietskaserne, allesamt Bedienerinnen, Kassiererinnen oder andere Dienstleistungshilfskräfte, wollten mittlerweile auf den Luxus einer derartig zeitgemäßen Balzfrisur nicht mehr verzichten und verirrten sich höchstens ausnahmsweise in unseren kleinen Laden. Im Grunde genommen kamen nur noch ein paar wenige Stammgäste, Leute, die sich zu alt für eine Straßenbahnfahrt, aber doch noch irgendwie zu jung für das Marienmond fühlten.

Unser Salon war winzig und eben gerade deswegen gemütlich. Die Tapeten hatten über die Jahre ihre Farben verloren, die Muster waren nur mehr als bleiche Schatten erahnbar. Von der Decke hing ein uralter Kronleuchter, dessen Glaskristalle jedes Mal leise klirrten, wenn sich die Tür öffnete und Kundschaft hereinkam.

Im Sommer stand die Tür manchmal den ganzen Tag offen, und man konnte den kleinen Haarknäueln zusehen, wie sie vom warmen Luftzug getrieben ins Freie kollerten. Als ob sie endlich von ihren Wurzeln befreit in eine neue Zukunft aufbrachen, so sah das aus.

Das Linoleum am Boden war glatt und ausgetreten. Auf einem Glastischchen neben dem Eingang lagen Zeitschriften, daneben stand entweder eine Vase mit frischen Blumen oder ein Topf mit wirrem Grünzeug aus dem Garten. Vor drei großen Spiegeln standen drei große Friseurstühle. Eine weitere Sitzgelegenheit, eine Art gepolsterter Liegestuhl, befand sich auf der gegenüberliegenden Seite vor dem Haarwaschbecken.

Das war Mutters Wirkungsbereich. Die Haarwäsche war ihr Fachgebiet und ihre stille Leidenschaft. Manche Kunden kamen nur, um sich von ihr die Haare waschen zu lassen. Da lagen sie dann, leise schnurrend oder laut schnarchend, die rosarot umschäumten Köpfe in ihre Hände gebettet. Unter dem sanften Streicheln, dem feinen Kitzeln, dem rhythmischen Walken und dem energischen Kneten begannen die Leute zu schmelzen. Man konnte zusehen, wie sie immer mürber wurden, wie sie von Minute zu Minute immer tiefer im Liegestuhl versanken, bis sie schließlich fast zur Gänze in den Polsterschlitzen zu verschwinden drohten.

Die meisten Leute aber kamen zum Schneiden. Das heißt, sie kamen zu meinem Vater.

Vor vielen Jahren hatten seine Eltern ihm Schere und

Kamm in die Hände gedrückt und ihn vor einen Haufen alter Ziegenfelle gesetzt. Widerwillig hatte er angefangen, an den Fellen herumzufrisieren und erste, schiefe Schnitte anzubringen. Überraschenderweise legte sich dieser Widerwillen aber schnell, und zeitgleich mit den Schwielen an seinen Fingern wuchs ein völlig unbekannter Ehrgeiz in ihm heran. Und im Laufe der Zeit lösten sich seine Träume von einer Laufbahn als Botaniker oder Apotheker langsam, stetig, tröpfchenweise aus seinem Kopf, um gemeinsam mit dem Stirnschweiß für immer im Ziegenhaargewirr zu versickern. Übrig blieben ein kleines, kaum noch wahrnehmbares Wehmutsgefühl und eine leise flackernde Sehnsucht.

Als irgendwann auch das letzte Fell frisiert und zugeschnitten war, setzte man ihn vor einen Styroporkopf mit ausdrucksleerem Gesicht und täglich wechselnden Echthaarperücken. Eine Weile starrten sich die beiden an, schließlich machte sich Vater ans Werk.

Unter den strengen, aber wohlwollenden Anweisungen der Eltern wurde er schnell besser. Immer flinker flogen seine Hände über den leise knirschenden Kopf, immer geschickter wurde seine Kammführung, immer sicherer der Umgang mit Schere, Föhn und Lockenwicklern.

Eines Tages war es so weit: Vater legte sein Werkzeug weg, boxte den Styroporkopf mit einem etwas linkischen Aufwärtshaken vom Tisch und verlangte selbstbewusst nach einem Kunden. Oder einer Kundin. Jedenfalls nach einem echten Menschen aus Fleisch und Blut und mit Haaren. Seine Eltern sahen sich an. Und schon am nächsten Tag stand Vater hinter einem älteren Frühpensionär namens Scharnigl und schnitt dessen gelblich schütteres Haar. Und er machte seine Arbeit gut.

Herr Scharnigl blickte in den Spiegel, räusperte sich ein paar Mal, rückte umständlich seinen Krawattenknopf zurecht, nickte zufrieden, gab ein paar Groschen Trinkgeld und ging. Vater reinigte Schere und Kamm und fegte gewissenhaft die gelblichen Haarknäuel zusammen. Dabei hörte er in seiner Schürzentasche leise Herrn Scharnigls Münzen klimpern. Und auf einmal spürte er, wie in seiner Magengegend ein kleiner Knoten platzte und wie sich daraus eine Wärme ergoss, die sich überallhin ausbreitete, zuerst in den Bauch, dann hinunter in die Lenden, gleich darauf hoch in die Brust, noch höher in den Hals und schließlich in den Kopf. Sein ganzer Körper war plötzlich ausgefüllt und fast ein wenig aufgebläht von dieser seltsamen, weichen Wärme. Das war der Stolz.

Zwar schrumpfte mein aufgeblähter Vater in den nächsten Jahren ganz langsam wieder auf Normalgröße zusammen, seinen Stolz aber verlor er nie mehr. Er hatte seine Berufung, seinen Platz und seinen Sinn im Leben gefunden.

Er war Friseur.

An jedem Arbeitstag stand er gerne auf, ging noch lange vor seinen Eltern in den Salon hinunter, zog die laut knatternden Rollläden hoch, füllte seine gelbe Gießkanne mit Wasser aus dem Duschkopf über dem Haarwaschbecken und wässerte damit die Blumen oder das Grünzeug auf dem Zeitschriftentisch. Dabei vergaß er nie, den Pflanzen ein paar freundlich geflüsterte Worte für den Tag mitzugeben. Anschließend band er sich sorgfältig seine Schürze um, strich sie mit zwei schnellen Bewegungen entlang der

Oberschenkel glatt, sperrte die Eingangstür auf, trat ins Freie, stellte sich auf die Zehenspitzen und begann sich mit leise knackendem Kreuz zu dehnen und zu strecken. Immer das Gleiche, an jedem Arbeitstag, zu jeder Jahreszeit, bei jedem Wetter: Ins Freie treten. Auf die Zehenspitzen. Dehnen. Strecken. Dem leisen Kreuzknacken nachspüren. Danach konnte der Tag beginnen.

Ein paar Jahre lang führten sie den Salon zu dritt. Als mein Großvater völlig überraschend die Schere wegen einer Lungenembolie abgeben musste und ihm die Großmutter vier Wochen später nicht ganz so überraschend nachfolgte, entschloss sich Vater, den Salon für ein paar Tage zu schließen. Zum ersten und zum letzten Mal in seinem Leben.

Er ging zum Grab seiner Eltern. Weinte. Ging wieder nach Hause. Lag im Garten unter dem Kirschbaum. Schnitt die Hecke. Pflegte seine Kräuter. Sprach mit seinen Blumen. Weinte noch ein bisschen. Starrte ins Gras oder in den Himmel. Schließlich steckte er eines Abends die Gartenschere ins Petersilienbeet, ging in sein Zimmer, schlüpfte in seinen Sonntagsanzug, einen hellbraunen Zweireiher, band sich eine gestreifte Krawatte um und verließ das Haus. Mit der Straßenbahn fuhr er in die Innenstadt und suchte ein Tanzlokal auf, von dem ihm die sehr alte Stammkundin Frau Greitlinger einmal mit kopfschüttelndem Missfallen erzählt hatte.

Drinnen war es unangenehm laut, aber angenehm dunkel. Vater stellte sich an die Theke, bestellte zwei Biere und zwei Schnäpse und kippte alles möglichst schnell hinunter.

Dann ging er auf die Tanzfläche.

Erst waren seine Bewegungen ein wenig unkoordiniert, aber irgendwann begannen die Biere und die Schnäpse zu wirken. Er wurde lockerer. Ausgelassener. Ruderte mit den Armen. Kreiste mit dem Becken. Schlenkerte mit den Knien. Schleuderte die Beine. Schaute hoch in die bunten Lampen. Drehte sich und lachte. Er fand Gefallen am Tanzen, an sich selbst und am Leben im Allgemeinen.

Und außerdem war da so eine junge Frau. Die stand einfach da, am Rande der Tanzfläche, hatte ein Glas mit buntem Inhalt in der Hand und schaute ziemlich gelangweilt drein. In Wirklichkeit war diese junge Frau alles andere als gelangweilt, in Wirklichkeit raste ihr Herz und flatterte ihr linkes Lid vor Aufregung, weil sie sich an diesem Abend zum allerersten Mal in ihrem Leben getraut hatte auszugehen, und dann gleich in ein Tanzlokal, und zwar nicht in irgendein Tanzlokal, sondern in das, nach der Empfehlung irgendeiner Bekannten, angeblich lauteste und dunkelste Tanzlokal der Stadt.

Das alles konnte mein Vater natürlich nicht wissen. Und selbst wenn er es gewusst hätte, es wäre ihm in diesem Moment egal gewesen. Scheißegal sogar. Beim ersten Anblick dieser offensichtlich so gelangweilten jungen Frau hatte ihn nämlich etwas erwischt, im Hirn, im Herzen, im Bauch oder überall gleichzeitig, und das wühlte jetzt da drinnen herum. Beunruhigend war das, heiß und fast ein bisschen schmerzhaft. Und wunderschön.

Er beschloss zu handeln. Möglichst unauffällig ruderte, kreiste, schlenkerte und schleuderte er sich zu ihr hinüber und tanzte drei Lieder lang in Griffweite vor ihr auf und ab. Als er schließlich während der ersten Takte des vierten Liedes aufgeben und die Tanzfläche verlassen wollte, geschah es: Sie lächelte. Eigentlich war es kein richtiges Lächeln, sondern eher eine etwas schiefe Mundverzerrung. Aber es genügte. Vaters Herz lief über, und er lud sie stotternd auf einen Drink ein. Eine Weile saßen sie sich an einem silbrig glänzenden Tischchen gegenüber, er trank ein großes Bier und wusste ansonsten nicht, was er mit seinen Händen machen sollte; sie nippte an einem Weingläschen und zupfte dabei die ganze Zeit mit Daumen und Ringfinger der rechten Hand an einer Blusenfalte.

Sie sagten Du zueinander. Erzählten voneinander. Fragten nach. Lächelten. Schwiegen. Beobachteten sich unauffällig. Sie mochte diesen braunen Punkt an seinem Hals, genau oberhalb des Kehlkopfs, der bei jedem Schluck wie ein kleiner Aufzug hoch und runter fuhr; er bewunderte diese weichen Rundungen ihrer Oberarme. Wie kann ein Mensch nur solche Oberarme haben, fragte er sich insgeheim, wie aus Porzellan sind die, nur eben weich. Sehr, sehr weich. Da hielt er es nicht mehr aus und nahm ihre Hand. Sie ließ es geschehen. Und in diesem Moment passierte etwas Seltsames: Die gerade eben noch hämmernd laute Musik wurde leiser und leiser und noch ein bisschen leiser, und plötzlich war sie weg. Aus. Stille. Und gleichzeitig mit der Musik verschwand auch das gesamte Drumherum. Es war, als ob sich alles in eine unbekannte Dunkelheit zurückziehen würde, die Tanzenden, die Trinkenden, die Tische, die Stühle, die Theke, die Barfrau, die Diskokugel, der Boden, das komplette Tanzlokal, die ganze Welt versank in eine tiefe, samtige Schwärze.

Ein einziges Licht blieb, ein letzter Lichtkegel in der ewigen Finsternis, wie ein Riss im Universum. Und in diesem Lichtkegel saßen mein Vater und diese junge Frau an ihrem silbrig glänzenden Tischchen. Im Glas zitterte das Bier nach einem lautlosen Takt, sonst bewegte sich nichts. Die beiden hielten sich an den Händen. Er sah sie an. Sie sah ihn an. Und alles war klar.

Am nächsten Tag gingen sie spazieren, am übernächsten ins Kino, am dritten ins Bett. Vier Wochen später räumten sie gemeinsam die alten Möbel der Eltern auf die Straße, und sie zog bei ihm ein.

Als sie ihm eines Morgens am Frühstückstisch plötzlich den Eierlöffel wegnahm und seine Hand an ihren Bauch legte, direkt an diese unfassbar zarte Stelle unterhalb des Bauchnabels, blieb er erstaunlich gefasst. Genau drei Minuten lang ließ er die Hand dort liegen. Dann stand er auf, ging in den Garten und begann mit aller Kraft am verkrüppelten Kirschbaum zu rütteln. Kurz darauf kam er mit schweißglänzendem Gesicht in die Küche zurück und legte meiner Mutter ein paar ziemlich kleine, aber sehr dunkelrote Kirschen in den Schoß. Sie aß sie alle, eine nach der anderen. Er schaute ihr dabei zu. Und acht Monate später ging ich als bläulich violetter und ziemlich verbeulter Sieger aus der blutigen Schlacht im Krankenhaus hervor.

Die rote Strumpfhose

Eines Nachmittags schraubte meine Mutter die Sham-
pooflasche zu, trocknete sie mit einem Taschentuch sorgfältig ab, stellte sie an ihren Platz hinter dem Haarwaschbecken, band ihre zart geblümte Friseurschürze ab, hängte
sie an einen Haken neben der Eingangstür, ging nach oben
und legte sich ins Bett, um nie wieder aufzustehen.

Irgendetwas hatte sich schon vor längerer Zeit daran gemacht, sich in ihren Körper hinein- oder aus ihm heraus-
zufressen. Die kleinen bunten Pillen, die sie seit Monaten
alle paar Stunden einem Döschen aus der Schürzentasche
entnahm, hatten die ganze Sache noch eine Weile hinaus-
zögern können. Bis es eben nicht mehr ging.

Jetzt lag sie unter einem hohen Deckenberg im abge-
dunkelten Schlafzimmer, und man konnte förmlich zusehen, wie sie jeden Tag an Gewicht verlor, wie sie immer
schmaler, leichter und zerbrechlicher wurde. Gleichzeitig
mit dem Gewicht schien sie seltsamerweise auch an Licht
zu verlieren. Das rosige Leuchten hinter ihrer Stirn ver-
blasste allmählich, das Glänzen ihrer Augen ermattete, die
Konturen ihres Körpers begannen zu verschwimmen.

Meine Mutter löste sich auf.

Eines Abends rief sie mich zu sich. Ihre Stimme klang
schwach und brüchig. Wie immer betrat ich das Zimmer
vorsichtig, auf Zehenspitzen, leise, ganz leise, nirgendwo
anstoßen, nirgendwo versehentlich dagegenpoltern, die
Mutter nicht stören, nicht aufregen, nicht erschrecken. Ihr
Kopf war kaum zu erkennen im dunklen Gebirge von Kis-

sen und Decken. Sie nickte mir zu und versuchte ein Lächeln. Ich setzte mich zu ihr und ließ die Beine über den Bettrand baumeln. Ich hatte eine rote Wollstrumpfhose an. Mit gelben Flecken an den Knien. Das Bett knarrte bei jeder kleinsten Bewegung, also bemühte ich mich, möglichst still zu sitzen. Wir schwiegen. Draußen im Kirschbaum krächzte ein Vogel. Mutter hob den Kopf und sah mich an. Ganz hinten in der Tiefe ihrer Augen schimmerte noch etwas, wie eine verlorene Taschenlampe auf dem Grund eines Teiches. Ich schaute. Mutter schaute. Das Bett knarrte. Der Vogel krächzte. Plötzlich nahm sie ihre ganze Kraft zusammen, richtete mit einem leisen Stöhnen ihren Oberkörper auf und legte ihre Hand an meine Wange. Leicht wie ein Blatt Papier lag die Hand da. Ich blieb kerzengerade sitzen und hielt den Atem an. Ich wollte ein Mann sein, stark und stolz, keine Schwäche zeigen, keine Angst, es wird ja alles wieder gut, natürlich wird alles gut, ich würde für meine Mutter sorgen, sie beschützen, sie in den Arm nehmen und halten und drücken, so fest ich nur konnte.

Aber ich war kein Mann. Ich war kaum zehn Jahre alt, meine Beine baumelten über den Bettrand, ich hatte eine rote Strumpfhose an, und die Hand meiner Mutter lag auf meiner heißen Backe.

Und auf einmal sah ich, wie das Schimmern aus der Tiefe ihrer Augen langsam hochstieg, die Oberfläche durchbrach, sich löste und an ihren Wangen hinunterlief.

»Komm her …«, sagte sie und drückte mich an sich. Ihre Stimme war leise und warm.

»Komm her …«

Es waren die letzten Worte, die ich von meiner Mutter zu hören bekam. Sie starb am nächsten Morgen.

Schweigsam und Hand in Hand gingen Vater und ich den fast menschenleeren Weg vom Friedhof nach Hause. Wir trugen beide schwarze Anzüge, meiner war viel zu groß, der meines Vaters zu klein und am Kragen und an den Ellbogen schon etwas abgewetzt.

Es war einer der letzten warmen Herbsttage. Obwohl wir schwitzten, trugen wir Krawatten. Vater wischte sich immer wieder mit einem Stofftaschentuch über Gesicht und Nacken. Am Grab war er aufrecht geblieben, hatte jedem der Trauernden ins Gesicht gesehen und die Beileidsbekundungen mit einem Händedruck und einem stummen Nicken entgegengenommen. Ich hatte neben ihm gestanden und versucht es ihm gleichzutun. Einer nach dem anderen waren sie angetreten, Onkel, Tanten, Großtanten, Nichten, Neffen, der Cousin aus dem Norden, ein paar Stammkunden, sogar die alte Frau Pawlik kam in ihrem Rollstuhl mühselig auf dem Kiesweg herangewackelt. Der frische Erdhügel lag mit Blumen überstreut da und duftete. Insekten schwirrten herum. Sonnenlicht blitzte durch die Bäume. Ganz hinten tuckerte ein winziger Bagger mit einem dicken Friedhofsgärtner im grünen Overall die Friedhofsmauer entlang.

Wir machten an einem kleinen Laden halt, dessen Auslagenscheiben von einer samtigen Staubschicht überzogen waren. Vater verschwand drinnen und kam gleich darauf mit einer Packung Zigaretten und Streichhölzern wieder. Ein paar hundert Meter gingen wir weiter, bis er plötzlich stehen blieb, sich auf die Gehsteigkante setzte und sich eine Zigarette anzündete. Es war die erste und letzte im Leben meines Vaters. Eine filterlose. Der Rauch stieg hoch und verkräuselte sich in der warmen Sommerluft. Er begann zu husten. Zog noch einmal. Hustete wieder. Schließlich schnippte er die Kippe in hohem Bogen über den Asphalt, knüllte die Packung zusammen und warf sie hinterher. Eine Weile geschah nichts. Dann legte er die Hände vors Gesicht und begann zu weinen. Er weinte lautlos, mit bebenden Schultern. Ich sah, wie die Tränen in dünnen Bächen unter seinen Handflächen hervorrannen, wie sie über das Kinn rollten und weiter den Hals hinunter, bis sie sich schließlich in einem dunklen Fleck am Hemdkragen sammelten. Ich wusste nicht, was ich tun sollte. Ich stand einfach nur da und sah zu, wie sich mein Vater am Straßenrand in ein zittriges Häufchen verwandelte.

Irgendwann war es vorbei. Er nahm die Hände vom Gesicht, holte sein Stofftaschentuch hervor, schnäuzte sich und sah mich an. Seine Stirn war tief gefurcht und rot von der Sonne, seine Wangen glänzten feucht, und an der linken Schläfe wand sich ein kleiner, zart pulsierender Aderwurm.

»Gehen wir nach Hause!«, sagte er leise.

Ich nickte, er stand auf, wir nahmen uns an den Händen und gingen.

Eine gläserne Seele, ein steinerner Kopf
und ein paar fliegende Jahre

Mein Status in der Schule veränderte sich schlagartig. Ganz plötzlich war ich vom äußersten Rande der Gemeinschaft in den Mittelpunkt des Interesses gerückt. Ich trug die Aura eines dunklen Geheimnisses mit mir. Ich war die Verkörperung einer unseligen Ahnung. Ich war der Junge, der seine Mutter verloren hatte.

Man tuschelte, wenn ich um die Ecke kam. Verstummte, wenn ich vorüberlief. Wich mir aus. Tat geschäftig. Steckte den Kopf in den Spind. Schielte möglichst unauffällig herüber. Vielleicht hatten sie Mitleid mit mir. Vielleicht eine Art von merkwürdigem Respekt. Ich wusste es nicht. Und ich wollte es auch nicht wissen. Im Grunde genommen wollte ich gar nichts mehr wissen. Ich ging herum. Packte die Schultasche ein. Saß im Unterricht. Starrte an die Tafel. Marschierte zum Sportunterricht. Und so weiter, alles wie gehabt.

Und doch war alles anders. Die Tage liefen dahin wie immer, aber sie gingen mich nichts mehr an. Die Zeit hatte ihre Bedeutung verloren. Die Dinge und die Menschen auch. Es war, als ob mich der Fluss des Lebens an einer scharfen Krümmung abgeworfen hätte. Jetzt lag ich da, ausgespült und gestrandet, und sah den bunten, sprudelnden Strom teilnahmslos an mir vorüberziehen.

Die Ameisen am gusseisernen Tor waren verschwunden. Wobei ich mir gar nicht mehr sicher war, ob sie überhaupt jemals da gewesen waren. Nichts war mehr sicher. Wenn eine Mutter einfach so gehen kann, einfach irgendwohin verschwinden kann, dann ist gar nichts mehr sicher.

Es war eine gläserne Stille in mir. Doch diese Stille war trügerisch. Die kleinste Erschütterung, und es würde einen winzigen Riss geben. Schnell würde sich dieser Riss ausbreiten und verfächern, es würde leise knacksen und knirschen, und schließlich würde sich mit einem hellen Knall die ganze Spannung lösen. Meine Seele würde zersplittern.

Drüben, auf der anderen Seite des Schulhofes, gab es einen hysterischen Auflauf. Ein Schüler hatte einem anderen den Mittelfinger gebrochen. Der Junge starrte fassungslos seinen Finger an, der von der Hand abstand wie ein angeknacktes Würstchen. Daneben lag der Fingerbrecher auf dem Bauch und versteckte plärrend sein Gesicht in den verschränkten Armen. Die umstehenden Jungs brüllten mit Schaum vor den Mäulern, die Mädchen kreischten und scharrten mit den Hufen, jemand schimpfte, einem anderen wurde schlecht, in einer gewaltigen Staubwolke kam Sportlehrer Wolarek angedampft und so weiter. Es ging mich nichts mehr an.

Neben mir saß Max. Seine Nasenflügel zitterten, und er schnaubte vor aufgeregter Neugierde. Es war ihm sichtlich eine Qual, sich nicht unter die Schaulustigen zu mischen, unerträglich. Aber er blieb sitzen.

Die letzten Tage war er nicht von meiner Seite gewichen. In den Pausen saß er neben mir, auf dem Nachhauseweg trottete er hinter mir her, an den Nachmittagen streunte er stundenlang vor unserem Haus herum.

Die Schulglocke läutete. Sofort sprang Max auf.

»Wer als Erster in der Klasse ist!«, rief er heiser.

»Geht nicht. Hab mir was verrenkt oder so«, sagte ich.

»Scheiß drauf!«, sagte Max und sah mich herausfordernd an.

»Nö …«, antwortete ich.

Max schniefte. Ein dünner Rotzfaden hing ihm leicht zitternd aus der Nase. Eine Weile stand er etwas unschlüssig da. Man konnte förmlich zusehen, wie seine Euphorie im Schulhofstaub versickerte. Dann hob er den Arm, wischte sich mit dem Pulloverärmel den Rotz vom Gesicht, drehte sich um und trottete in Richtung Schulgebäude.

Der Hof leerte sich schnell. Noch ein paar Nachzügler, ein heimlicher Raucher, ein verwirrter Erstklässler, dann war ich allein.

In einer schattigen Ecke lag ein kleiner dunkler Haufen. Ein Maulwurfshügel vielleicht. Oder die Scheiße eines besoffenen Sitzenbleibers. Hoch oben flatterten zwei braune Vögel, zwitscherten aufgebracht, hackten plötzlich aufeinander ein, trudelten jedoch gleich darauf wieder ab und verschwanden hinter dem Schuldach. Aus den Klassenzimmern drangen leise die Stimmen der Lehrer heraus. Es ging weiter. Alles geht immer irgendwie weiter. Ich stand auf, ging quer über den Hof und betrat das Gebäude.

Drinnen war es kühl. Ich stieg die steinernen Stufen hoch. Ging den Flur entlang. Hörte den leisen Widerhall meiner Schritte. Die letzte Tür links führte zu meiner Klasse. Ich legte die Hand an die Klinke und hörte Frau Limmeritz, die mit ihrer freundlich fiependen Stimme ein Gedicht vortrug. Ich wollte hineingehen und den Rest der

Stunde still vor mich hin dämmern. Doch etwas hinderte mich daran. Regungslos blieb ich im Flur stehen, den Kopf leicht gesenkt, die Hand immer noch an der Klinke. Irgendwo im Haus verhallten ein paar Stimmen, von weit draußen drangen gedämpft die Verkehrsgeräusche herein, in der Klasse fiepte Frau Limmeritz, und in meinem Kopf rauschte das Blut.

Plötzlich bemerkte ich, dass ich nicht allein war. Jemand beobachtete mich. Ganz genau konnte ich den Blick spüren, wie eine federzarte Berührung im Nacken. Vorsichtig wendete ich den Kopf. Der Flur lag unverändert da, lang, hoch und düster. Und auf einmal sah ich ihn. Da stand er, ganz hinten an der Treppe. Es war Hermann Conradi.

Ein matter Lichtstreifen hatte sich durch ein kleines Fenster im Treppenaufgang hereinverirrt und lag quer über dem steinernen Geierkopf. Er sah mich direkt an. Die Mundpartie lag im Schatten, es war nicht zu erkennen, ob er lächelte. Doch ich nahm es an. Es konnte gar nicht anders sein. Eine ungeheure Wut stieg in mir hoch. Der Klumpen, den ich seit einiger Zeit in meiner Brust mittrug, schwoll an, ließ mir kaum noch Platz zum Atmen.

Da nahm ich die Hand von der Klinke und ging los.

Ich lief direkt auf Conradi zu. Der Lichtstreifen auf seinem Kopf zitterte leicht. Er schien ein wenig zurückzuweichen, ein, zwei Millimeter höchstens. Aber ich konnte es fühlen.

Und dann war ich bei ihm. Ganz nah. Jetzt konnte ich den spöttisch verzerrten Mund erkennen, ein Mündchen, winzig und schief im Schatten der Geiernase. In diesem

Moment platzte der Klumpen. Ich brüllte auf und rannte mit ausgestreckten Armen auf ihn zu.

Ich erwischte ihn voll. Mit einem ungesunden Knirschen löste sich der Kopf vom Sockel, kippte nach hinten ab und polterte die steinernen Stufen hinunter. Ich sah, wie die Geiernase knackte, wie die spitzen Backenknochen abplatzten, wie das höhnische Mündchen eingeschlagen wurde, wie ein Ohr in hohem Bogen durch die Luft sauste und wie schließlich der ganze Kopf am Treppenabsatz in tausend Stücke zerkrachte.

In drei grandiosen Sekunden hatte sich Hermann Conradis Andenken in einen Haufen Schutt verwandelt.

Überall in den Gängen flogen die Türen auf, und Lehrerköpfe erschienen. Jeder Kopf eine einzige Frage. Dahinter quollen die Trauben der Schüler heraus. Jemand lachte. Jemand schrie. Alle lachten. Alle schrien.

Und ich begann zu rennen. Ich rannte die Treppe hinunter. Schlitterte über die abgesplitterten Steinstückchen unter meinen Schuhsohlen, sprang über die Restbrocken des Kopfes, rannte weiter, stieß das hohe Tor auf und stürzte hinaus ins Licht.

Hinter mir brach das Chaos aus. Die Ziegel zitterten, die Wände bebten, der Dachstuhl wölbte sich, im Gebälk darunter knisterte es, das ganze Gebäude schien zu erwachen, mühsam, ächzend, stöhnend wie unter schweren Rheumabeschwerden. Die Mauern dehnten sich aus, zogen sich wieder zusammen, knirschten und seufzten. Die Hermann-Conradi-Gesamtschule hatte zu atmen begonnen.

Aber ich drehte mich nicht um. Vom Schulgelände

rannte ich auf die Straße hinaus, um die nächste Ecke, entlang einer halb verfallenen Betonmauer, entlang einer toten Fensterreihe, wieder um die Ecke und weiter, weiter, immer weiter. Ich fegte über die Straßen, meine Füße schienen den Asphalt kaum zu berühren. Ich hörte Autos hupen, Menschen schreien, das abgerissene Gekläffe eines Hundes, das wilde Gebimmel der Straßenbahn, das Kreischen ihrer Räder. Hinter den Waggonscheiben zogen Gesichter vorüber wie verwackelte Sonnenflecken. Ein paar Tauben flatterten auf und zogen hoch. Darüber schlugen zwei Flugzeuge ein filigranes Kreuz in den strahlend blauen Himmel. An einer Plakatwand lehnte regungslos ein Polizist, die Hände in den Hosentaschen, die Mütze hoch aus der Stirn geschoben. In einer Auslage stemmten sich ein paar halbnackte Schaufensterpuppen mit steifen Armen gegeneinander.

Ich lief weiter. Die Häuser wurden niedriger. Vor den Fenstern leuchteten Geranien, in den Vorgärten lümmelten grinsende Gartenzwerge. Hie und da ragten Kinderköpfe aus einer Sandkiste. Eine Katze streckte sich träge, bog mit weit aufgerissenem Maul ihr Kreuz durch. Geschäfte machten dicht. Rollläden knatterten herunter. Es dämmerte. Überall gingen die Lichter an. Fenster. Straßenlaternen. Der Mond. Kaum noch Menschen auf der Straße, hin und wieder ein Besoffener, ein einsamer Spaziergänger, das Aufglimmen einer Zigarette in einem Hauseingang. Nacht. Dunkelheit. Ruhe. Die Stadt schien sich zurückzulehnen und auszuatmen. Nur ich rannte durch die menschenleeren Straßen. Meine Lungen hatten längst aufgehört zu brennen. Mein Herz schlug langsam und ruhig.

Schon hinter der nächsten Ecke ging die Sonne auf. Wie im Zeitraffer zog sie über den Himmel, tauchte wieder ab, kam wieder hoch. Ich lief weiter. Rannte durch die Tage, durch Wochen und Monate. Es wurde kühler. Der erste Nachtfrost kam. Und am nächsten Morgen begann es zu schneien. Die Flocken verfingen sich in meinen Haaren und schmolzen auf der Stirn. Auf dem schneeweichen Boden konnte ich meine Schritte kaum noch hören, fast lautlos lief ich durch die Straßen und schnaubte meinen weißen Atem vor mich hin.

Im Frühling verließ ich die Stadt. Auf den Feldern und Wiesen hielten sich nur mehr ein paar verstreute Schneeflecken, dann waren auch sie weg. Stattdessen blühten die ersten Krokusse. Der Regen war schwer und warm. Überall brach es grün hervor.

Der erste Sommer war ungewöhnlich heiß, der zweite verregnet und kühl, der dritte angenehm, die nächsten wieder drückend heiß. Der Horizont verschwamm im Hitzeflimmern, die Erde wurde trocken und rissig, es knackte und staubte unter meinen Füßen. Hin und wieder tauchte ein Traktor auf, wackelte vorbei, verschwand wieder. Ein paar Bauernhöfe. Ein paar Fabriken. Dörfer. Reihenhaussiedlungen. Einkaufszentren. Hochspannungsmasten. Wege. Straßen. Autobahnen.

In einer sternenklaren Nacht spürte ich plötzlich einen stechenden Schmerz in den Schienbeinen. Über den Knöcheln knarrten die Wachstumsfugen. Meine Kleider waren mir längst zu klein geworden. Überall platzten die Nähte, riss der zerschlissene Stoff. Die Schuhe hingen in Fetzen an den Füßen. Ich schleuderte sie von mir, riss mir die letzten

Stofffähnchen vom Körper und lief nackt weiter. Die Hitze machte mir nichts aus, die Kälte spürte ich nicht. Meine Haare verfilzten und fielen in langen, dicken Strähnen über meine Schultern. Unter den Achseln und zwischen den Beinen kräuselten sich erste Härchen. Alles juckte. Pustel und Pickel sprossen an meiner Stirn, verschwanden aber innerhalb eines einzigen Herbstes wieder. Allmählich veränderte sich meine Perspektive auf die Welt, die Dinge um mich herum wurden kleiner, der Boden unter meinen Füßen entfernte sich, Zentimeter für Zentimeter. Ich war gewachsen, und ich wuchs weiter, langsam und stetig, ohne großartige Wachstumsschübe.

Und dann, an einem späten Nachmittag im Oktober, die Luft war gläsern klar, die Sonne hing schon tief über dem hügeligen Horizont, blieb ich stehen.

Ich stand mitten in einer weiten, abgeernteten Felderlandschaft. Ein paar vereinzelte Halme zitterten im leichten Herbstwind. Ich sah an meinem Körper hinunter. Alles war gewachsen. Nase, Arme, Hände, Beine, Füße, Schwanz. Überall wucherten gekräuselte Härchen. Es fröstelte mich leicht. Zum ersten Mal seit Jahren. Ich ging in die Knie, streckte mich, schlug mir meine Arme mehrmals um die Brust und schüttelte die Beine aus. Dann ging ich nach Hause.

Von den Frauen

Jetzt waren wir die Großen. Die Alten. Die Realschüler. Wurden von den Kleinen bewundert, gehasst, umschwänzelt oder gemieden. Meinen ehemaligen Lieblingsplatz am Gusseisernen hatte ich längst aufgegeben und freigemacht für den Nachwuchs. Mein Hintern war mittlerweile sowieso zu breit geworden, und ich schaffte es kaum, eine Arschbacke zwischen die Gitterstäbe zu quetschen.

Die Geschichte mit Hermann Conradi lag jetzt schon ein paar Jahre zurück, aber sie hatte mich zu einer lebenden Legende gemacht, und die anderen Schüler begegneten mir mit einer paradoxen Art herablassenden Respekts. Hin und wieder redeten sie über mich. Aber selten mit mir direkt. Vielleicht hielten sie mich für einen Psychopathen, ganz sicher jedenfalls für einen etwas abgedrehten Sonderling.

Die Legende trieb in den überhitzten Schülerköpfen allerdings ziemlich merkwürdige Blüten. Die tatsächlichen Geschehnisse verschwanden im Komposthaufen der Zeit, um irgendwann als wild wuchernde Gerüchte oder nach allen Richtungen ausschlagende Fantasien neu und frisch aufzukeimen. Ein kleines Grundschülerrudel vertrat sogar die These, ich hätte den alten Hermann Conradi persönlich die Treppe hinuntergeschmissen.

In den Pausen lungerten Max und ich nun meistens auf einer der bunt beschmierten Holzbänke herum. Dabei gaben wir garantiert keinen hübschen Anblick ab. Die beginnende Pubertät hatte unsere Leiber und Seelen gleichermaßen verformt, mitleidlos hatte sie unsere Gesichter und die Gedanken dahinter zerwühlt.

Mein Körper hatte jegliche Proportion verloren, die Gliedmaßen schlenkerten unkontrolliert, der Hals war lang und dünn wie bei einem Fischreiher, und auf meinem Kopf schienen sich die längst verschwunden geglaubten Geburtsbeulen neu und umso monströser auszuformen.

Max hatte es noch schlimmer erwischt. Er war kaum in die Höhe geschossen, schien im Gegenteil immer gedrungener zu werden. Außerdem hatte er Pickel bekommen. Allerdings keine normalen Pickel. Das waren leuchtende Furunkel. Feurige Geschwülste. Pulsierende Hörner. Rumorende Krater. Max' Gesicht hatte Ähnlichkeiten mit den brutzelnden Hackbraten in Frau Prbjiskas Küche. Oder mit der Zeichnung auf dem Cover unserer Geografiebücher: Sie zeigte die Erdoberfläche vor Millionen von Jahren, eine zerrissene, berstende, blubbernde Landschaft, ein Schlachtfeld der Ewigkeit.

Mit den Schamhaaren begannen auch seltsame Gefühle und verdrehte Gedanken zu sprießen. Wir kannten uns nicht mehr aus. Mit nichts mehr. Es tat sich etwas, in uns und um uns, so viel stand fest. Was genau das allerdings sein sollte, wussten wir nicht. Im Grunde genommen wussten wir gar nichts mehr. Alles ging durcheinander, in unseren Köpfen und in unseren Herzen. Wir hatten Gefühlsschwankungen wie manche der Damen im Friseursalon, die manchmal einfach so, ohne ersichtlichen Grund zu heulen anfingen.

Wir wussten nichts, doch wir ahnten etwas. Irgendetwas wartete da draußen noch auf uns. Etwas Großes, Unbekanntes, ein fremdes, grenzenlos weites Land, das zu betreten uns mit unseren ungeschickten Quadratlatschen jetzt noch nicht erlaubt war. Wir waren wie zwei tollpatschige Junghirsche, die dumm und stolz ihr erstes Geweih in der Gegend herumtrugen. Wir schäumten und tropften aus allen Drüsen, rieben nachts unsere Lenden an den Bettpfosten und röhrten den Mond an.

Unsere Sehnsucht hatte keinen Ort und keinen Namen, aber eines war uns instinktiv klar: Es ging um Mädchen. Aus irgendwelchen Gründen hatten diese seltsamen Geschöpfe, die uns vor Kurzem noch einen feuchten Furz interessiert hatten, den Schlüssel zum Paradies in ihren mit Plastikringen besteckten Fingern.

Da saßen wir auf der Pausenhofschulbank und sahen sie vorüberziehen. Trampelnde Horden. Stolzierende Grüppchen. Kichernde Paarformationen. Wir nahmen Witterung auf, blähten die Nüstern und sogen tief den süßen Duft der Parfumwolken ein, die die Mädchen wie eine wabernde Aura umgaben.

Wir hatten sie durchschaut. Wussten Bescheid. Die konnten uns nichts vormachen, mit ihrem Getue, ihrem Geklimper, ihren falschen oder echten Wimpern, den perlweißen Zähnchen in den rosigen Mündchen, den zarten Schulterhügeln, den hüpfenden oder wogenden oder baumelnden oder einfach nur still prangenden Brüsten, mit ihrem ganzen Gestöckel, Geschlenker und Gewackel.

Außerdem hatten wir uns Heftchen besorgt. Pornohefte.

Vögeljournale. Fickblätter. Das war allerdings teurer Lehr-
stoff. Da wir uns nicht in einschlägige Geschäfte trauten,
ging unser Taschengeld fast zur Gänze für die Wucher-
preise der mafiösen Oberstufenhehler drauf, die mit ihrer
Pornoware in der dunkelsten Schulhofecke herumlunger-
ten. Aber die Investition zahlte sich aus. Jetzt waren wir
vorbereitet, die Mädchen konnten kommen.

Natürlich wollten wir keine herkömmlichen Liebhaber
abgeben. Keine dahergelaufenen Durchschnittsbastler.
Wobei unsere Auffassungen diesbezüglich ziemlich unterschiedlich waren. Max sah sich eindeutig als Hengst. Tem-
peramentvoll. Feurig. Stolz. Ein Bursche, der angreift, statt
lange zu überlegen. Der zupackt, anstatt abzuwarten. Der
brüllt, statt zu flüstern. Der keine Erlaubnis braucht und
keine Gnade kennt. Ein wenig besorgt war er nur beim
Thema Nachschub. Ein Mädchen würde nämlich nicht ge-
nügen, das war klar. Auch nicht zwei. Und auch nicht eine
Handvoll. Er würde mehr brauchen. Viel mehr. Schließlich hatte er die Kraft und die Härte, einen ganzen Wald
voll frischem Holz zu spalten!

An dieser Stelle brach regelmäßig ein unkontrolliertes,
heiseres Lachen aus ihm heraus. Tränen schossen ihm in
die Augen, er begann wild zu schniefen, und ich musste
ihn mit ein paar kräftigen Schlägen auf den Rücken wieder in die Besinnung zurückklopfen. Dann wischte er den
Rotz in den Pulloverärmel, lehnte sich zurück, vergrub
seine Hände tief in den Hosentaschen und grinste dümm-
lich vor sich hin.

Jetzt war ich dran. Und natürlich sah ich mich ganz

anders. Ich war eher der sensible Typ. Ein Mann voller Geheimnisse, die still in den dunklen Tiefen seiner Seele schlummerten. Ein verletzter Mann. Schwer verwundet sogar. Aber einer, der trotz allem mit stolzer Ruhe durchs Leben schritt. Die Frauen würden mich umschwirren wie die Motten den Wäschesack. Und zwar alle. Die schlanken. Die üppigen. Die Schülerinnen. Die Lehrerinnen. Die frischen Blüten. Die reifen Früchte. Alle würden sie hinschmelzen unter meinem traurigen Blick, würden zerfließen in meinen bergenden Armen, würden sich auflösen unter meinen ahnungsvollen Händen. Zum ersten Mal würden sie sich aufgehoben wissen. Beschützt und verstanden. Und zum ersten Mal in ihrem Leben würden sie sich hingeben können, vollständig, ohne Halt und ohne falsche Scham. In meinem Schoß, in meiner unendlich sanften Gewalt würden sie ihre Herkunft, sich selbst und die ganze Welt vergessen.

Ungefähr hier bimmelte meistens die Schulglocke. Ein paar Sekunden blieben wir noch sitzen und stierten unseren Gedanken hinterher. Dann standen wir auf und gingen hinein.

Ein Mädchen wie ein Chevrolet

Eines Tages in der Geometriestunde fiel Max plötzlich der Radiergummi aus der schlaffen Hand, kullerte ein ganzes Stück über den Fußboden und wurde erst von der zerschlissenen Schuhsohle unseres Geometrielehrers Herrn

Bednarek aufgehalten. Herr Bednarek löste sich widerwillig von seinen schnörkellosen Kreidezeichnungen an der Tafel, drehte sich um und sah gerade noch, wie Max mit verdrehten Augen seitlich wegkippte und auf dem Boden aufschlug. Herr Bednarek wurde weißer als die Kreide in seiner Hand, er ließ sein Lineal fallen, lief durch die Tischreihen, stieg mit einem hohen Ausfallschritt über Max' reglosen Körper, rannte auf den Gang hinaus und schrie um Hilfe.

Großer Aufruhr. Alle stürmten aus den Klassenzimmern, niemand kannte sich aus, aber jeder machte sich wichtig. Ein Kollege kümmerte sich um Herrn Bednarek. Ein anderer um Max, der auch wirklich gleich wieder zu sich kam und sofort zu kotzen begann.

Er sah grauenhaft aus. Sein ohnehin ständig gerötetes Gesicht leuchtete nun feuerrot. Zwischen seinen Pickeln und Pusteln hatten sich Knötchen, Blasen und kleine Hörner gebildet, die eine milchige Flüssigkeit absonderten. Der Schularzt kam angerannt, schnell wurde ein Krankenwagen gerufen, und Max wurde in ein Laken gewickelt, auf eine Tragbahre gehievt und unter dem lauten Gejohle der kompletten Schülerschaft hinausgetragen.

Die nächsten Tage verbrachte er als dick verschmierte und verpackte Mumie im Krankenhaus, bevor er für ein paar weitere Wochen auf das riesige Fernsehsofa im elterlichen Wohnzimmer verfrachtet wurde.

Es waren die Windpocken.

Als ich einmal versuchte, ihm einen Besuch abzustatten, wurde ich schon an der Toreinfahrt von Frau Prbjiska abgewimmelt. Nein, ein Besuch sei jetzt nicht möglich, auch morgen nicht und übermorgen schon gar nicht. Ruhe, Salben, kühle Bettlaken, Schlaf und möglichst viele Toilettenbesuche, darum gehe es jetzt und um nichts anderes!

Ich ließ ein paar Schulhefte da, unter die ich unauffällig zwei neue Pornos gemischt hatte, und sah, wie Frau Prbjiska mit langen Schritten und dem wild wackelnden Haarknäuel auf ihrem Vogelkopf die breite Kiesauffahrt hochmarschierte und im Haus verschwand.

Irgendwoher waberte der Duft von gegrilltem Fleisch. Koteletts, Bratwurst oder so. Dicht über dem Rasen tollten zwei kleine Vögel herum. Geflatter, Geschrei, ein paar verlorene Federn, dann zischten sie wieder ab und verschwanden in einer der mannshohen Hecken. In den Fensterscheiben des riesigen Hauses blitzten die Sonnenstrahlen. An einem der Fenster im ersten Stock stand Martha. Ihr Blick war in die Ferne gerichtet, ihre schmale, weiße Hand zeichnete die immer gleiche Bewegungsabfolge in die Luft, weiche, fließende Linien.

Ich kniff die Augen zusammen und bemühte mich, irgendeine Figur, ein Muster oder einen Sinn in diesen Bewegungen zu erkennen.

Aber da war nichts.

Das Rad der Schulzeit drehte sich inzwischen weiter, ohne dass man das Gefühl hatte, irgendwie voranzukommen. Ein Mühlstein, unter dessen Gewicht die Träume und Hoffnungen der Schüler zu feinem Staub zermahlen wurden. Ein ewig gleicher Ablauf immer wiederkehrender Tage und Stunden.

Bis zu diesem einen Tag.

Pause. Alle sprangen auf und rempelten sich schreiend ins Freie. Vorne sackte Mister Subetzky, unser ausgezehrter Englischlehrer, in sich zusammen und blickte traurig auf den verlorenen Trupp Vokabeln, der vor ihm an der Tafel Habtacht stand. Er schnippte die Kreide ins Fach, wischte sich mit ein paar müden Bewegungen die Hände an seiner Bundfaltenhose ab und verließ das Klassenzimmer.

Ich ging wie immer als Letzter, schlenderte träge den Flur entlang, schlappte die Treppe hinunter und trat hinaus in die strahlende Schulhofhelligkeit. Draußen das übliche Treiben. Stolzieren, Balzen, Schreien, Kichern, Heulen, Blöken, Schlägern und so weiter.

Doch etwas war anders. Auf unserer Bank saß jemand. Ein Mädchen. Saß einfach da, hatte ein Buch im Schoß und knetete mit Zeigefinger und Daumen der linken Hand an ihrem Ohrläppchen. Eine helle Hand war das. Und ein rosiges Ohrläppchen. Dazu eine Brille mit dunklem Hornrahmen, ein brauner Pferdeschwanz, ein weißes T-Shirt, ein kurzer, roter Rock und ein Paar gelbe Strandsandalen. Ihre Zehennägel glänzten in einem grellen Pink. Ich hatte diese Farbe schon einmal gesehen. An einem uralten Chevrolet, der vor vielen Jahren majestätisch wie ein Kreuzfahrtschiff durch die Straßen gezogen war und mittels eines quäkenden Lautsprechers auf dem Dach Werbung für irgendeine Veranstaltung gemacht hatte. Damals hatte mich der Gegensatz zwischen dem strahlenden Erscheinungsbild des alten Chevy und der idiotischen Marktschreierstimme aus dem Blechtopf auf seinem Dach irritiert.

Auch jetzt war ich irritiert. Verwirrt. Vernebelt. Kurzfristig verblödet. Alles an diesem Mädchen war perfekt. Alles passte zusammen. Alles saß, wo es hingehörte. Nicht einmal diese kleine, weiße, mondsichelförmige Narbe knapp unter ihrem Knie störte. Im Gegenteil: Ohne diese Mondsichel hätte etwas gefehlt, das Knie wäre mir irgendwie unfertig vorgekommen, unvollendet und fehlerhaft, wie von Gottes stümperhaftem Lehrling hingepfuscht.

Mit Sichel aber: perfekt!

Mein Mund war staubtrocken, auf meiner Stirn stand der Schweiß, in meinem Schädel sprangen die Gedanken herum wie Popcorn im heißen Topf. Aber ich stand da und konnte mich nicht rühren. War festgenagelt und einbetoniert im Schulhofboden. Das traurige Denkmal eines Idioten. Ein würdiger Nachfolger für den im Treppenhaus zerschellten Hermann Conradi.

Da hob sie den Kopf und sah mich an.

»Willst du dich setzen?«

Ihre Stimme war hell und leise und ein wenig brüchig. Ihre Augen waren grün.

»Kann ich ja mal machen«, sagte ich heiser. Dann gab ich mir einen Ruck, trat mit einem ungewollt langen Ausfallschritt auf die Bank zu und setzte mich.

Ziemlich lange geschah nichts. Das Mädchen senkte wieder den Kopf und vertiefte sich in ihr Buch, das genau genommen gar kein Buch war, sondern eher ein Heft. Ein kleines, dünnes, gelbes Heftchen.

Mit einem übertrieben lauten Gähnen lehnte ich mich zurück, machte die Beine lang, breitete die Arme auf der Lehne aus und legte den Kopf in den Nacken. Eine gemütliche Haltung sollte das sein. Gemütlich, zugleich auch lässig und souverän. Und warum auch nicht? Warum sollte ich es mir an einem stinknormalen Schultag, in einer stinknormalen Zehnuhrpause nicht auf meiner Holzbank gemütlich machen dürfen?

Eine Weile blieb ich so. Leise raschelten die Buchseiten auf dem Mädchenschoß neben mir. Die Lehnenkante begann sich unangenehm in meine Schulterblätter zu bohren. Oben im Himmel tat sich nichts.

Plötzlich hörte ich sie murmeln, leise, hell und brüchig. Ich blieb ganz ruhig. Keine Wolken, keine Vögel, nichts. Sie murmelte. Ganz eindeutig bildete sie kaum hörbare Silben, Worte und Sätze. Und zwar immer wieder dieselben Silben, Worte und Sätze. Allmählich fing mein Nacken an wehzutun. Ich blinzelte. Immer noch nichts los da oben. Mit einem weiteren lauten Gähnen richtete ich mich auf und streckte den Rücken durch. Dabei versuchte ich unauffällig hinüberzulugen. Wie zuvor knetete sie mit Daumen und Zeigefinger an ihrem Ohrläppchen.

»Sitzt hier und liest, was?«, bemerkte ich nach kurzer Überlegung.

»Genau!«, sagte sie und hob den Kopf. Das Grün ihrer Augen schimmerte hinter den Brillengläsern hervor. Ich musste an das riesige Aquarium denken, das wir als Grundschüler einmal während eines Ausflugs in den Zoo besucht hatten. Da drinnen schwammen Lebewesen, die ich nie zuvor gesehen hatte. Manche trudelten wie zerschlissene Fetzen direkt unter der Oberfläche herum, während andere silbrig und elegant durchs offene Wasser zischten. Ein paar potthässliche Gesellen lagen einfach nur regungslos in einer Ecke am Kieselgrund. Hin und wieder saugte sich ein glubschäugiges Ding an der Scheibe fest und starrte zu uns hinaus. Wir pressten uns die Nasen auf der anderen Seite platt und konnten nicht genug kriegen von den sonderbaren Vorgängen in dieser unergründlichen, grün schimmernden Welt.

Während dieser Gedanken war ich offenbar ganz langsam nach vorne gekippt. Jetzt konnte ich mich gerade noch zusammenreißen und verhindern, dass meine Stirn gegen ihre Brillengläser stieß.

»Was hast du denn da?«, fragte ich und deutete mit einer lässigen Handbewegung auf das Büchlein in ihrem Schoß.

»Tschechow«, sagte sie.

»Was?«

»Anton Tschechow.«

»Aha!«

»*Die Möwe.*«

»Tierbuch?«

»Theaterstück.«

»Aha!«, sagte ich noch einmal. Irgendwie war mir plötzlich meine Lässigkeit abhandengekommen, war gemeinsam mit dem letzten Restchen Intelligenz verdunstet in der warmen Schulhofluft. Wieder kam ich mir vor wie der Idiot, der ich eigentlich immer schon gewesen war. Ich kannte diesen Tschechow nicht, ich kannte überhaupt nichts, wusste nichts, konnte nichts, saß einfach nur dumm und steif da, schwitzte unter den Achseln und starrte in die tiefgrünen Aquarien dieses wunderbaren Mädchens.

»Ich spiele die Möwe«, sagte sie. »Aber im Stück heißt sie Nina – hier!«

Sie hielt mir das gelbe Heftchen unter die Nase. Eine Art Personenverzeichnis, lauter ellenlange unaussprechliche Namen. Ich folgte ihrem Finger, diesem kleinen, hellen, glatten, süßen Finger. An der vierten Stelle im Verzeichnis blieb er liegen. *Nina Michailowna Sarjetshnaja, ein junges Mädchen, Tochter eines reichen Gutsbesitzers* stand da. Ich hätte gern an diesem Finger gelutscht. Oder ihn mir zumindest an meine heiße Stirn gelegt.

»Spielst also Theater?«, fragte ich mit tonarmer Stimme.

»Schultheater!«, nickte sie, schlug das Heft zu und schob sich mit einer stolzen Bewegung die Brille auf der Nase hoch.

In diesem Moment läutete die Glocke. Sofort sprang sie auf, steckte das Heftchen in eine der hinteren Rocktaschen und ging. Ich sah, wie sich das kleine, gelbe Ding bei jedem ihrer Schritte ein wenig weiter aus der Hinterntasche schob, bis es schließlich ganz herausfiel. Das Mädchen bückte sich und streckte mir für einen herrlichen Augenblick ihren Hintern entgegen, eine feste, knackige, tiefrote Frucht.

Als sie im Schulgebäude verschwunden war, blieb ich noch eine Weile sitzen.

Etwas war passiert mit mir. Etwas hatte sich verändert. Alles hatte sich verändert. Ich konnte es fühlen. Aber begreifen konnte ich es nicht. Dieses Mädchen hatte mir in einer einzigen Zehnuhrpause mein Herz zu Brei geschlagen. Jetzt strömte der Saft ungefiltert überall in meinem Körper herum. Vor dieser Pause war ich ein unbedarfter Junge mit schlenkernden Gliedmaßen, komischen Fantasien und der Aussicht auf eine Karriere im väterlichen Friseursalon. Nach der Pause, nämlich jetzt, war ich ein hormonzerwühltes Wesen, das sich zu häuten und seine glatte Jungenlarve abzustreifen begann, um sich unter einer völlig unbekannten, schmerzenden Sehnsucht einem einzigen Ziel entgegenzuwinden: Ein Mal, ein einziges Mal in diese pralle, rote, süße Frucht zu beißen!

Tschechow

Noch am gleichen Nachmittag besorgte ich mir *Die Möwe* in derselben gelben, heftchendünnen Ausgabe wie die meiner neuen Bekanntschaft, verzog mich auf mein Zimmer, kroch mit einer Taschenlampe unter die Bettdecke und fing an zu lesen.

Es war zäh. Dieser Tschechow schien ein ausgemachter Langweiler zu sein. In seinem Stück passiert so gut wie gar nichts: Ein paar Leute hocken in Russland auf einem öden Landsitz, reden ununterbrochen und gehen sich dabei ungeheuerlich auf die Nerven. Ein junger Typ will Schriftsteller werden, seine Mutter nörgelt ständig an ihm herum, seine Freundin spielt Theater, ein echter Schriftsteller tritt auf und redet gefühlsduselig daher, ein Arzt, ein Lehrer und eine Art reicher Bauer schauen vorbei, am Abend wird ein Stück aufgeführt, das geht gehörig in die Hose, die junge Schauspielerin brennt mit dem Schriftsteller durch, kommt jedoch nach ein paar Jahren zurück, wieder wird herumgesessen und viel geredet, alle scheinen irgendwie unglücklich zu sein, die Schauspielerin haut erneut ab, der junge Schriftsteller erschießt sich und aus.

Es war ein einziges Elend. Aber ich musste da durch.

Am nächsten Tag kam ich schon lange vor Unterrichtsbeginn zur Schule, deren Mauern in den ersten Sonnenstrahlen glühten. Ich ging direkt ins Lehrerzimmer und bat Frau Gorac um ein vertrauliches Gespräch unter vier Augen.

Frau Gorac war eine der jüngeren Lehrerinnen und hatte sich erst vor Kurzem aus dem sicheren Schoß der pädagogischen Akademie freigestrampelt. In unserer Klasse war sie bislang noch nicht aufgekreuzt, aber unter den anderen galt sie als warmherzig, gutgläubig und engagiert bis zur Selbstaufgabe, sie wollte das Beste für ihre Schüler und Schülerinnen, zu allen Zeiten, zu allen Gelegenheiten und mit aller Macht, auch wenn diese selbst eigentlich erst einmal gar nichts wollten, außer ihre Ruhe und möglichst keine Schwierigkeiten.

Frau Gorac unterrichtete Deutsch und Geschichte. Außerdem leitete sie den von ihr selbst ins Leben gerufenen Oberstufen-Theaterkurs und war gleichzeitig auch Veranstalterin, Regisseurin, Kostümschneiderin und Oberbeleuchterin der ersten geplanten Theatervorführung in der langen, trockenen Geschichte der Hermann-Conradi-Gesamtschule.

»Was kann ich für dich tun?«, fragte sie.

Um ungestört reden zu können, waren wir in ein leeres Grundschulklassenzimmer gegangen und saßen uns nun auf zwei winzigen Kinderstühlchen gegenüber. Anscheinend verschwendete Frau Gorac an Äußerlichkeiten aller Art nicht allzu viele Gedanken. Das betraf Sitzgelegenheiten offenbar genauso wie Kleider, Frisuren oder Körperformen. Ihr kleiner, gedrungener Körper steckte in einem verwaschenen Blümchenkleid. Ihre Brüste ragten wie Schubladen aus dem würfeligen Oberkörper, die Arme waren kurz, dicklich und schlaff, die Beine stämmig und von einem Netz bläulicher Adern durchwebt. Hals gab es keinen, dafür umso mehr Kinn. Sie hatte glänzende Backen, auf denen ständig rötliche Flecken tanzten, und ihre Augen strichen rastlos in ihren dunkel umrandeten Höhlen herum.

»Ich möchte Theater spielen«, sagte ich.

Frau Gorac nickte misstrauisch. Dabei fing ihr Kinn an, sich in Bewegung zu setzen, und geriet in eine Art sanft schwabbelnde Schwingung.

»Hast du schon mal gespielt?«, wollte sie wissen.

»Klar!«, log ich. »*Das tödliche Picknick im Wald.*«

»Kenne ich nicht.«

»Muss man auch nicht kennen!«, beruhigte ich sie. »Mein Lieblingsautor ist außerdem sowieso Tschechow. Anton Pawlowitsch Tschechow!«

Ich hatte den Namen zu Hause auswendig gelernt und so lange vor mich hin gesprochen, bis ich ihn flüssig und ohne zu stolpern aufsagen konnte. Frau Goracs Gesicht hellte sich sofort auf, über ihre Backen zogen die rötlichen Flecken wie Fetzenwölkchen über einen frühmorgendlichen Herbsthimmel.

»Die Probe beginnt morgen Nachmittag um drei«, sagte sie ernst.

»Wo?«

»In der Turnhalle!«

Ich nickte. Sie nickte. Und unter unseren Hintern knarrten leise die Stühlchen.

Die Turnhalle gehörte zum ältesten Teil des Schulgebäudes. Vermutlich stand sie sogar schon Jahrzehnte vor der Errichtung der ganzen Schule da. Ein Überbleibsel aus uralten Zeiten, als die Buben noch in engen Strumpfhosen und die Mädchen in bodenlangen Kleidern geturnt hatten. Es war der einzige Raum, in dem es noch schlimmer stank als in der Mensa. Der Schweiß und die Tränen einer Unzahl gequälter Kinder hatten sich in alle Poren hineingefressen. Der rissige Holzboden, die Barren, Trampolins, Kletterstangen und Keulen waren gesättigt vom Leid ganzer Schülergenerationen. Gelüftet wurde nur einmal im Jahr. Die staubigen Fenster lagen hoch oben, knapp unter dem Dach, und der Schulwart hatte es mit dem Kreuz und mit dem Knie und war außerdem sowieso meistens zu besoffen, um noch eine Leiter erklimmen zu können.

Die Zeiger der verbeulten Uhr über dem Basketballkorb standen auf eine Minute vor drei, als ich die Halle betrat. In der Hallenmitte, genau auf der Mittellinie des Fußballfeldes, stand ein fast voll besetzter Stuhlkreis, nur ein einziger Stuhl war noch frei. Ich erkannte Frau Gorac. Und das Chevrolet-Mädchen. Die Sache wurde ernst.

Alle Blicke waren auf mich gerichtet. Das Geräusch meiner quietschenden Schuhsohlen auf dem alten Holzboden durchbrach die gespannte Stille im Raum. Ich setzte mich auf den freien Stuhl.

Frau Gorac stand auf, trat zu mir, legte mir ihre Hand auf die Schulter und blickte in die Runde.

»Darf ich vorstellen: Semjon Semjonowitsch Medwedenko, unser neuer Lehrer!«

Ich war dabei. Ich hatte die wahrscheinlich mieseste Rolle im ganzen Stück abgekriegt, den kleinkarierten und geldgeilen Dorflehrer, aber ich war dabei.

Wie sich herausstellte, war dies erst die zweite Probe, eine sogenannte Leseprobe. Ich hatte also außer der Rollenverteilung und ein paar Terminabsprachen nichts versäumt.

Die Probe begann. Das heißt, alle kramten ihre gelben Heftchen hervor und ruckelten ihre Hintern auf den harten Holzstühlen zurecht, dann erzählte Frau Gorac mit glühenden Backen etwas über dieses Jahrtausendgenie Tschechow, las den Titel und die Regieanweisungen von der ersten Seite ab, klappte ihr Büchlein wieder zu und sah mit erwartungsvollem Blick zu mir herüber.

Der Lehrer hatte den ersten Satz des Stückes. Aus irgendwelchen Gründen interessierte er sich für Mascha, eine Art Magd oder Köchin oder so etwas, die von einer winzig kleinen, dafür umso fetteren Zwölftklässlerin namens Tinka gespielt wurde.

»Warum gehen Sie eigentlich immer in Schwarz?«, las ich laut.

»Aus Trauer um mein Leben. Ich bin unglücklich«, antwortete Tinka weinerlich.

»Warum? Ich verstehe das nicht … Sie sind gesund, und Ihr Vater ist zwar nicht reich, aber doch nicht unvermögend. Da habe ich es um einiges schwerer als Sie. Ich bekomme alles in allem dreiundzwanzig Rubel im Monat, und davon geht noch etwas für die Altersversorgung weg, und trotzdem trage ich keine Trauer.«

»Um das Geld ist es mir nicht zu tun. Auch ein Armer kann glücklich sein.«

Und so weiter. Es war fürchterlich. Und es wurde immer schlimmer. Es traten auf in dieser Reihenfolge:

Erstens: *Sorin*, ein hinkender Gutsbesitzer, dargestellt von einem vierschrötigen Kerl namens Heiner Heinz, der sich beim Theaterkurs nur angemeldet hatte, weil er wegen eines angeborenen Hüftschadens nicht Fußball spielen durfte.

Zweitens: *Trepljow*, ein Möchtegern-Dichter, in Gestalt des irgendwie katholisch aussehenden Milchbübchens Oscar, der als Liebling aller Lehrer und vieler Mädchen galt und deswegen im Schulhof ziemlich oft mit dem Gesicht im Dreck lag.

Drittens: *Jakow*, ein Arbeiter, verkörpert von Paul, einem schweigsamen Burschen mit niedriger Stirn und hängender, immerfeuchter Unterlippe.

Viertens (endlich!): *Nina*, Tochter eines reichen Gutsbesitzers, die Titelfigur, die Möwe, gespielt von dem Chevrolet-Mädchen, die übrigens Lotte hieß.

Fünftens, sechstens und siebtens: *Dorn*, ein dauergeiler Arzt, *Schamrajew*, ein cholerischer Gutsverwalter, und *Polina*, seine Frau, dargeboten von einem pickeligen Brillenträger namens Kurt, dem rachitischen Zehntklässler Steffen und der teiggesichtigen Slavina, die ihren Text mit einem merkwürdigen Akzent vortrug, der sich anhörte, als wäre jedes einzelne Wort durch einen Fleischwolf gedreht worden.

Achtens: *Arkadina*, eine alternde, ziemlich überdrehte Schauspielerin, verkörpert von Herta, einem Mädchen mit stumpfem Blick, drahtigen Stirnfransen und dem vielleicht gewaltigsten Vorbau der Schule.

Neuntens und letztens: *Trigorin*, Schriftsteller, talentlos aber gewieft, dargestellt von einem langen, dürren Strick namens Friedhelm Usterlitz.

Das war die Hermann-Conradi-Schauspieltruppe.

Wir lasen also das Stück. Wort für Wort. Satz für Satz. Seite für Seite. Es war zäh, es klang grausam, es dauerte ewig, doch irgendwann war es vorbei. Alle klappten ihre Heftchen zu und fingen gleich an, mit leuchtenden Gesichtern aufgeregt durcheinanderzuplappern. Nur Lotte schien mit ihren Gedanken immer noch ganz bei den Russen zu sein. Sie saß mit geschlossenen Augen da, das offene Heft auf ihrem Schoß, und memorierte stumm den Text. Ihre Lippen bewegten sich lautlos und zart, wie der Flügelschlag eines Schmetterlings.

In dieser Nacht träumte ich von einem pinkfarbenen Chevrolet. Ich saß am Steuer und trieb den Chevy über die endlosen Weiten der russischen Steppe. Es war warm. Ein schwerer Duft lag über der Landschaft, der Geruch von frisch gehäckseltem Weizenstroh, von heißem Borschtsch und kaltem Wodka, von frischer Kuhscheiße und den dampfenden Unterröcken der Bauerntöchter. Irgendwo über einem dunstverschwommenen Teich ging die rote Sonne unter wie eine Tomate in der Soljanka. Plötzlich legte sich eine Hand auf meine Schulter. Aus den Augenwinkeln konnte ich die hellen Finger erkennen.

Ich trat das Gaspedal durch bis zum pinkfarbenen Boden-blech, wir schossen über den Asphalt, weit hinter uns ver-sank die Tomate endgültig im Suppenteich, die Brühe ging über, ergoss sich überallhin und tauchte diese ganze fette, russische Gegend in ein saftiges Blutrot. Ich legte meine Hand auf ihre und begann ihre Finger zu kneten. Das Le-ben ist okay, dachte ich, im Großen und Ganzen ist dieses Leben doch okay! Dann hörte ich ein Stöhnen hinter mir und drehte mich um.

Kälte. Ein Schatten. Ich erstarrte. Auf der Rückbank saß nicht Lotte, sondern Frau Gorac und ein schmaler, ganz in schwarz gekleideter Mann.

»Darf ich vorstellen«, sagte Frau Gorac und drückte ihre hellen Finger wie Stahlnägel in das Fleisch direkt über meinem Schulterblatt, »Anton Pawlowitsch Tschechow!«

Tschechow tippte sich kurz mit dem Zeigefinger an die Krempe seiner Melone, die das Gesicht darunter in einen dunklen Schatten legte.

»Jedes Leben muss den Naturgesetzen entsprechend einmal ein Ende haben!«, sagte er mit einer seltsam sam-tigen Stimme. Dann beugte er sich ganz langsam vor, bis sein Gesicht aus dem Schatten auftauchte. Aber das war gar kein Gesicht. Es war ein augenloses, vernarbtes Stück Fleisch mit einem blutigen Riss in der Mitte. Der Riss öff-nete sich, ein stinkendes Loch tat sich auf, und Tschechow lachte los. Gleichzeitig streckte er seine dürren Arme aus, um sich meinen Hals zu krallen. Seine Finger waren dünn und heiß wie glühende Drähte, sofort zogen sie sich zu-sammen und brannten sich mit einem Zischen in mei-ne Haut ein. Meine Zunge schwoll an und füllte meinen

Mund wie ein Stück Holz. Ich versuchte mich zu wehren und kriegte irgendwie seinen Hals zu fassen, ganz genau konnte ich den hüpfenden Kehlkopf unter meinen Fingern spüren. Ich packte noch fester zu und warf mich mit meinem ganzen Gewicht zurück. Etwas knackte laut, und ich kippte auf den Seitensitz. In den Händen hielt ich einen ekelhaften Klumpen, einen teigigen Kloß, formlos, bleich und …

Ich fuhr hoch und schnappte nach Luft. Meine Augen brannten. Das Herz schlug wie verrückt. Ich saß nackt und aufrecht im Bett. Das Laken und die Kissen waren schweißdurchtränkt. Obwohl das Fenster offen stand, war es im Zimmer stickig und heiß.

Draußen im Kirschbaum raschelte etwas. Unten in der Küche hörte ich meinen Vater rumoren. Es roch nach frischem Kaffee. Ganz leise dudelte das Radio. Alles halb so schlimm, dachte ich, während sich mein Herz allmählich wieder beruhigte, alles halb so schlimm!

Künstlerische Auseinandersetzungen

Die Proben fanden zweimal die Woche statt. Die hölzerne Sprossenwand wurde mit wirr bemaltem Packpapier überklebt und sollte die endlosen Weiten der russischen Steppe beziehungsweise die noch endloseren Sehnsüchte der russischen Steppenbewohner symbolisieren. Ein paar Gymnastikmatten dienten uns als Bühnenboden. Das hatte zur Folge, dass wir uns ziemlich wackelig und tölpelhaft durch die Szenen bewegten, was Frau Gorac aber nicht weiter zu stören schien.

Es herrschte Anwesenheitspflicht. Alle sollten bei jeder Probe dabei sein, auch wenn sie gerade nicht dran waren. Das vermittelt ein Gespür für die Abläufe, Entwicklungen und Stimmungen im Stück, meinte Frau Gorac. Außerdem sollten wir Darsteller voneinander profitieren, aus den eigenen und den Fehlern der anderen lernen, uns gegenseitig unterstützen, uns loben oder den Umgang mit konstruktiver Kritik erlernen. Ensemblegeist und soziale Kompetenz, so nannte Frau Gorac das. Theoretisch klang es gut.

Praktisch lief es anders.

Bei der ersten richtigen Probe betraten diejenigen, deren Szene gerade dran war, den Mattenboden, standen schwankend da und fingen an, ihren Text aufzusagen. Die anderen saßen davor und schauten zu.

Nach ungefähr drei Minuten entbrannte der Streit. Die Meinungen, wie die eigene Rolle beziehungsweise wie das ganze Stück denn eigentlich zu interpretieren sei, gingen stark auseinander. Lotte sah natürlich ihre Nina als Dreh-und Angelpunkt des Dramas, sie sei ja schließlich die Titelfigur, die Möwe, ein zarter, verirrter Meeresvogel, den das Schicksal in diese geistlose Provinz verblasen hatte und der nun gezwungen sei, hoch über dem Dunst von Dummheit und Ignoranz seine einsamen Runden zu ziehen, eine Suchende, eine Leidende, eine ewig Sterbende.

Gegen diese Interpretation wurde sofort vehement Einspruch erhoben. Herta schob ihren riesigen Busen in die Szene und verwies darauf, dass Dummheit und Ignoranz vielleicht eher in einem Vogelhirn als auf einem russischen Gutshof mit jahrhundertlanger Tradition zu finden seien und im Übrigen ja wohl selbstverständlich ihre Arkadina die tragische, weil missverstandene Hauptfigur des Stückes sei.

Dem wiederum widersprach das Milchbübchen Oscar. Mit bebender Stimme bat er darum, dem Werke Tschechows doch den ihm zustehenden Respekt zu erweisen, immerhin habe sich der Dichter ja gerade in der *Möwe* ein Denkmal in Form der Rolle des Trepljow gesetzt, deren Interpretation ja nun er, Oscar, die Ehre habe zu übernehmen, und zwar ganz alleine dank Frau Gorac' weiser Entscheidungskraft.

Daraufhin erhob nun Heiner Heinz seine Stimme und bemerkte, dass Oscar vielleicht doch bitteschön lieber seine obergescheite Fresse halten und sich die Arschkriecherei für einen späteren Lebensabschnitt aufsparen solle, da er ihn ansonsten persönlich ungespitzt in die Hallenwand rammen werde.

Allgemeine Unruhe brach aus.

Tinka und Herta steckten ihre zischelnden Köpfe zusammen und blickten hasserfüllt zu Lotte hinüber, die hinten an der Sprossenwand lehnte und mit stiller Inbrunst ihre Rolle vor sich hin murmelte. Kurt, Steffen und Slavina überbrüllten einander mit ihren jeweils einzig richtigen und annehmbaren Stückinterpretationen, während Paul den Turnsaal verließ, um, wie er sich ausdrückte, in einer ausgiebigen Sitzung die Toilette bis unter die Decke vollzuscheißen.

Friedhelm Usterlitz machte laut und vernehmlich darauf aufmerksam, dass er jetzt hiermit seinen ihm gebührenden Platz einnehmen werde. Dann stellte er seinen Stuhl mitten auf die Gymnastikmatten, setzte sich und begann mit einem breiten, irgendwie alpenländischen Akzent seinen Text aufzusagen.

Die Unruhe erhob sich zum Sturm.

Herta fing an, schrill keifend an Friedhelm und seinem Stuhl zu rütteln. Tinka legte sich in eine Ecke und schluchzte laut. Kurt, Steffen und Slavina hatten Frau Gorac umringt und brüllten mit der verzweifelten Überzeugungskraft der Argumentlosen auf sie ein.

Meine Frage, wann denn jetzt die Probe eigentlich losgehen solle, wurde mit höhnischem Gelächter bedacht. Am höhnischsten lachte Oscar, woraufhin ihm Heiner Heinz seine flache Hand vor die Stirn klatschte und er erst wie eine Sirene aufheulte, danach schnell zusammensackte und still liegen blieb. Lotte hatte inzwischen die Sprossenwand erklommen, saß jetzt auf der obersten Sprosse, raufte sich die Haare und rief mit sehnsuchtsvoll verschleiertem Blick Tschechows Worte in die stinkende Leere der Turnhalle hinaus.

Das Milchbübchen Oscar rührte sich wieder und versuchte unauffällig in Richtung Ausgang zu kriechen, wurde aber von Paul, der soeben mit zufriedenem Gesichtsausdruck von der Toilette zurückgekommen war, an beiden Beinen gepackt und auf die Szene zurückgezerrt.

Plötzlich flog der erste Medizinball. Irgendjemand hatte den gut gefüllten Sportgerätekasten neben der Sprossenwand entdeckt. Weitere, immer schwerere Bälle folgten. Dann Springseile, Sandsäcke und Keulen. Dazwischen flatterten die Textheftchen wie kleine, gelbe Vögel durch die Luft. Unter den Füßen und Leibern verschoben sich die Bodenmatten, verkeilten sich, richteten sich auf wie verkantete Eisschollen, brachen wieder zusammen. Schreien. Wimmern. Heulen. Brüllen.

Und wahrscheinlich wäre das alles so auch noch eine ganze Weile weitergegangen, wenn Frau Gorac nicht zur anderen Turnhallenseite hinübermarschiert wäre, das graue Kästchen in der Wand geöffnet und einen der vielen darin befindlichen Knöpfe gedrückt hätte. Ein gellend lauter, unerträglich quäkender Ton erklang. Die Spielzeitsirene. Als Einzelgeräusch war es auszuhalten. Aber jetzt hörte es nicht mehr auf. Immer wieder drückte Frau Gorac den Knopf, ruhig, rhythmisch und gnadenlos. Wir ließen voneinander ab, hielten uns die Ohren zu, krochen unter die Gymnastikmatten und schrien um Erlösung.

Ganz plötzlich war es aus. Still war es im Turnsaal. Niemand sagte etwas. Niemand rührte sich. Und in meinen Ohren klingelte ein winziges Glockenspiel, golden und zart.

Von Dämmerträumen und Arschbissen

Jeden Morgen, schon während des Aufwachens, tauchte Lotte vor mir auf. Ihre grün schimmernden Augen, die rosigen Ohrläppchen, der sanfte Mund, die weichen Schultern, die kleine weiße Mondsichel unter dem Knie.

Schnell holte ich mir einen runter, und Lottes Dämmerbild verpuffte gemeinsam mit meinem unterdrückten Lustschrei in der stickigen Zimmerluft. Aber spätestens am Frühstückstisch war sie wieder da. Ich schmierte mit dem Messer die Silhouette ihrer Brüste auf meinem Butterbrot nach. Sah ihr Gesicht aus der Kaffeetasse zu mir herausschimmern, wie das Antlitz einer wunderschönen Leiche auf dem Grund eines schwarzen Teiches. Oder ich holte mir ein Stück Leberwurst aus der Dose und formte daraus ein Ohrläppchen, auf dem ich gedankenvoll herumknetete.

Mein Vater saß mir gegenüber und tat, als ob er nichts bemerkte. Er blätterte konzentriert im Monatsjournal der Friseurgewerkschaft und sagte kein Wort.

Ich kam jeden Tag schon lange vor den anderen zur Schule und lungerte am Eingangstor herum. Mit dem Rücken lehnte ich mich gegen das warme, alte Holz und schnippte Steinchen in den Gully oder gegen die Reifen vorbeifahrender Autos. Irgendwann kam der Schulwart angeschlappt. Ich hörte ihn drinnen leise fluchend mit dem Schlüssel hantieren, und gleich darauf ging schwerfällig ächzend das Tor auf. Jedes Mal stierte er mich für einen Moment misstrauisch an, nickte, stammelte irgendetwas Unverständliches und verschwand wieder.

Nach den Lehrern und den Kleinen mit ihren hopsenden Schulranzen trudelten nach und nach auch die Oberstufenschüler ein. Spätestens zu diesem Zeitpunkt holte ich mein Textheftchen hervor. Ich war der einsame Träumer am Schultor, eine Künstlerseele, verloren in dieser verrückten Welt von Dummheit und Ignoranz. Konzentriert blätterte ich im Heft und murmelte vor mich hin.

Nur hin und wieder blickte ich versonnen hoch, um über das Gelesene nachzudenken. Aber in Wirklichkeit interessierten mich Tschechows Worte einen Scheißdreck. Ich blickte nur hoch, um Lotte nicht zu verpassen. Und ich verpasste sie nie.

Schon von Weitem sehe ich sie um die Ecke kommen. Ihre Ohrläppchen leuchten wie kleine Pastelllaternen. Hinter ihrem Nacken baumelt der Pferdeschwanz. Die braunen Haare glänzen. Die grünen Augen sowieso. Mit gesenktem Kopf, scheinbar ins Textheft vertieft, fange ich an, auf und ab zu gehen. Doch aus den Augenwinkeln betrachte ich ihren Hals. Den mattzarten Glanz ihrer Haut. Das fadendünne Goldkettchen, das unter dem Kinnschatten hervorblitzt. Dabei wird mir ein wenig heiß, und in den Schläfen wummert es dumpf. Am liebsten würde ich das Scheiß-Textheft in den Gully stopfen, mir schreiend das Hemd vom Leib reißen, mich vor ihr auf den Bauch werfen und mit beiden Armen ihre Knöchel umschlingen. Stattdessen lege ich den Kopf bedeutungsvoll in den Nacken, blinzle ins Sonnenlicht und deklamiere halblaut Tschechow-Sätze.

Schließlich ist sie da. Sieht mich an, lächelt, geht vorüber, verschwindet in der Schule. Zurück bleibt der Duft ihres Shampoos. Aprikose mit einem Hauch Vanille. Ein paar Augenblicke bleibe ich noch benommen stehen, dann stecke ich das Heft weg und gehe hinein.

Die Proben gingen weiter. Die ersten Stürme hatten sich einigermaßen gelegt, und es flogen keine Sportgeräte mehr durch die Luft. Die meisten von uns beherrschten mittlerweile ihren Text, die anderen hatten zumindest dessen ungefähren Sinn begriffen. Unter Frau Gorac' geduldiger Anleitung kämpften wir uns durchs Stück. Szene für Szene, Akt für Akt. Wir staksten die vorgegebenen Wege über die Gymnastikmatten ab, ruderten und schwankten voreinander herum und sagten unsere Sätze auf. Es ging voran.

Eines Tages bat mich Tinka, mit der ich die meisten Spielszenen hatte, nach der Probe noch eine Weile zu bleiben. Sie fühle sich unsicher, wolle etwas ausprobieren, wolle sogar sehr viel ausprobieren, schließlich seien die Szenen von Mascha und Medwedenko noch nicht ausgereizt, die Stimmung noch nicht gefunden, die Ausdrucksformen noch nicht ausgelotet und so weiter. Da ich nichts Besseres zu tun hatte, blieb ich.

Die anderen verließen den Turnsaal, die Türen gingen zu, und da standen wir. Die Stille in der Halle war seltsam. Kein Brüllen, kein Blöken und kein pathetisches Deklamieren. Nur in der Sprossenwand knirschte es leise.

Tinka sah mich erwartungsvoll an. Sie war ungefähr zwei Köpfe kleiner als ich. Aber um mindestens zwanzig Kilo schwerer.

»Warum gehen Sie eigentlich immer in Schwarz?«, fragte ich lustlos.

»Aus Trauer um mein Leben. Ich bin unglücklich«, antwortete Tinka und setzte sich langsam in Bewegung.

»Warum?«, fragte ich. »Ich verstehe das nicht … Sie sind gesund, und Ihr Vater ist zwar nicht reich, aber …«

Weiter kam ich nicht. Plötzlich stand sie ganz nah bei mir und versuchte mit ihren kurzen Armen meinen Oberkörper zu umschlingen.

»Du weißt es doch!«, zischte sie leise zwischen den Zähnen hervor. »Du weißt es doch, oder?«

»Was?«, fragte ich ängstlich.

Statt einer Antwort presste Tinka ein grunzendes Geräusch hervor, sprang mich an, schlang Arme und Beine um meinen Körper und wollte mich küssen. Wie gierige Tierchen auf der Suche nach Beute krabbelten ihre Lippen über mein Gesicht. Ich bekam kaum noch Luft, meine Arme waren an den Oberkörper gepresst, darunter knirschten schon die Rippen. Dieser kleine Teufel war stark wie ein Schimpanse. Meine Beine gaben nach, und ich kippte seitlich weg. Jetzt lag ich auf dem Rücken. Tinkas Gesicht glänzte, ihr Kopf hing wie ein leuchtend roter Lampion über mir, darüber die Deckenlampe als Glorienschein. Plötzlich hatte sie mich am Hinterkopf, vergrub ihre Fingerwürstchen in meine Nackenhaare, zog meinen Kopf hoch und drückte mir einen feuchten Kuss auf den Mund. Ihre Zunge war überraschend klein und flink. Nass und salzig. Ich bäumte mich in der Umklammerung auf. Unsere Vorderzähne klickten aneinander, ein Zucken, ein heller Schmerz an der Zungenspitze, der süßliche Geschmack von Blut.

Tinka richtete sich wieder auf und leckte sich die Lippen. Ihre Pupillen waren groß wie Hemdknöpfe. Mit einer einzigen Bewegung riss sie ihre Bluse auf. Sofort quollen die großen weißen Brüste heraus und fingen direkt über meinem Gesicht an herumzubaumeln. Ich schloss die Augen.

Plötzlich waren ihre Finger wieder da. Diesmal an meiner Hose. Leise hörte ich das Gürtelleder knarren. Das

Klicken der Schnalle. Das Ratschen des Reißverschlusses. Tinka schnaufte und gluckste glücklich. Und im nächsten Moment hatte sie meinen Kleinen in ihrer Hand. Wie Krakenarme krochen die Finger auf dem Stämmchen entlang, umfassten den Sack, zogen und drückten und kneteten daran. Meine Beine begannen zu zucken. Dann mein Hintern. Mein ganzer Körper.

Mit einem vergnügten Quietscher hob Tinka ihren Arsch und fasste sich unter den Rock. Das war meine Chance. Sofort wand ich mich aus ihrer Umklammerung und fing an auf allen vieren wegzukrabbeln.

Doch sie war schneller. Packte mich an den Füßen, an den Knöcheln, an der heruntergezogenen Hose, an allem, was sie zu fassen kriegte. Ich krallte mich in die Gymnastikmatten und versuchte wie ein Esel nach hinten auszutreten. Plötzlich: ein scharfer Schmerz in meiner linken Arschbacke. Tinka hatte zugebissen. Hatte ihre kleinen spitzen Zähne einfach in meinen Hintern geschlagen. Ich heulte auf. Und in diesem Moment war mir klar: Ich würde in dieser Turnhalle sterben. Zerfetzt und aufgefressen von einem dicken Schulmädchen.

In diesem Moment erbebte die Erde. Der Hallenboden erzitterte. Die Sprossenwände wackelten. Die römischen Ringe tanzten an den Seilen. Das ganze Gebäude schien zu vibrieren. Der Lärm schwoll an, mit einem lauten Kracher flogen die Türen auf, und eine Herde dampfender Jungen kam in den Saal gestürmt. Burschen aus der letzten Klasse. Die Ältesten. Die Größten. Die Hässlichsten und Gemeinsten. Da polterten, stampften und trampelten sie in die Halle hinein. Wahrscheinlich kamen sie vom

Fußball, vom Weitspringen oder vom Kugelstoßen, hatten sich die Sportgeräte und die Fäuste um die Ohren geschlagen und ihre leeren Ochsenhirne mit Träumen von großen Siegen und prallen Weibern ausgestopft. Schnell füllte sich der Saal mit einem scharf-säuerlichen Geruchsgemisch von Pubertät, Arschfaltenschweiß und dutzenden Geschlechtern, die nur darauf warteten, aus ihren feuchtwarmen Höhlen auszubrechen.

Und dann entdeckten sie uns. Sahen mich mit heruntergezogener Hose und mit der fest in meinem Arsch verbissenen Tinka im Schlepptau auf dem Boden herumkriechen. Sie sahen ihren weißen Hintern in die Höhe ragen und ihre Brüste wie Sandsäcke wild hin und her baumeln. Und sie sahen, wie mein Schwanz gemeinsam mit meinem Stolz zu einem Nichts zusammenschrumpfte.

Ich wollte in die Bodenritzen hineinkriechen und für immer zwischen den schweißgetränkten Dielen verschwinden. Aber jetzt war ich nun einmal da, ein halbnackter Wurm, angebissen von der läufigen Tinka und umkreist von dreißig pubertierenden Halbaffen.

Ich starrte hoch in den Kreis der leuchtenden Pickelköpfe. Wie durch einen Schleier erkannte ich das blöde Erstaunen in ihren Gesichtern, das sich in diesem Moment schon zu wandeln anfing: zuerst in ein ungläubiges Grinsen, dann in ein bösartiges Feixen und schließlich in ein haltloses Hohngelächter. Ein Sturmgewitter von Verachtung, Spott und Boshaftigkeit brach über uns herein. Die Kerle bogen sich vor Lachen, klatschten sich auf die Schenkel und droschen sich gegenseitig auf die Schultern, dass der Pickelsaft nur so spritzte. Mir wurde ein wenig schwarz vor Augen. Schwindlig. Und auf einmal merkte ich, wie sich der Boden unter mir öffnete. Ein schwarzes Loch klaffte auf, begann sich zu drehen und riss mich in einem immer schneller werdenden Strudel in die Tiefe.

Doch schon in der nächsten Sekunde wurde ich wieder nach oben zurückgeschleudert, vom Turnhallenboden ausgespuckt wie ein Knorpelstückchen, und alles war wieder da: Mein rasendes Herz, die grelle Deckenleuchte, die schreienden Pickelköpfe, und irgendwo dahinter Sportlehrer Wolareks grinsender Quadratschädel.

Hinter mir saß Tinka auf ihrem nackten Hintern und versuchte irgendwie ihre Titten in den Armen unterzubringen. Ich zog meine Hose hoch, rappelte mich auf und stolperte aus der Halle und ins matte Nachmittagslicht hinaus.

Eine Weile lief ich ziellos durch die Straßen, bis ich schließlich an einer menschenleeren Kreuzung stehen blieb. In der Mitte hing eine Ampel mit dunklen Lampenlöchern. Offensichtlich hatte hier vor vielen Jahren jemand mit Verkehr gerechnet. Aber es gab keinen. Die Häuser waren grau und leer, vernagelte Eingänge, verstaubte Fensterscheiben, dazwischen eine Brache, ein eingetretener Zaun, Schutthaufen, spröde Baggerspuren, Gebüsch, dahinter eine windschiefe Bretterhütte, morsche Balken, Dreck, Abfall, Unkraut. Mitten auf dem Gehweg lag eine tote Taube. Der rechte Flügel schien gebrochen und ragte in einem unnatürlichen Winkel vom Körper ab. Der Hals war aufgeplatzt, zwischen den Federn klaffte ein schwarzrotes Loch. Die Augen waren erloschen und stumpf wie die Ampellichter. Eine einzelne Feder zitterte im leichten Wind.

Mir war immer noch schwindlig. In meinem Magen rumorte es leise. Mein Hals und meine Augen brannten. Ich blinzelte in den Himmel hoch. Trotz der dichten Bewölkung war es unangenehm heiß. Eine bewegungslose, schwüle Hitze.

Plötzlich schüttelte es mich. Ein eisiger Schauder durchfuhr meinen Körper, und ein haltloses Zittern setzte ein. Dann wieder ein Schütteln. Noch eines. Und noch eines. Ich ließ mich mit dem Rücken gegen die Wand fallen, rutschte daran herunter, kippte zur Seite und krümmte mich zusammen. Sofort begann ich zu kotzen. Es schoss einfach aus mir heraus. Gleichzeitig öffneten sich auch die hinteren Schleusen. Ich presste die Oberschenkel aneinander und beide Hände gegen den verkrampften Bauch. Ich wollte es zurückzuhalten, aber der Schüttelfrost ließ mir keine Chance. Alles löste sich, und in einem einzigen gewaltigen Schwall schiss ich mir in die Hose.

Irgendwann war es vorbei, und ich lag da. Ein durchgerütteltes Bündel Mensch in seinem eigenen Dreck. Mühsam rappelte ich mich hoch. Der Himmel war mittlerweile komplett zugezogen. An der Häuserwand tanzte ein kleiner Staubwirbel entlang. Ich versuchte einen Schritt. Dann den nächsten. Langsam und wacklig, aber es ging. Irgendwie geht es ja immer.

Man muss nicht immer gleich heulen

Die nächsten Tage verbrachte ich im Bett. Eine Fieberwelle nach der anderen rollte über mich hinweg. Dazwischen schlotterte ich vor Kälte. Vater brachte mir warme Decken, heißen Tee und kalte Umschläge und schmierte mir selbst gepanschte Kräuterpasten auf Rücken, Stirn und Füße. Im Zimmer stank es nach Krankheit, Kamille und faulem Laub.

Es hatte zu regnen begonnen, seit Tagen goss es wie aus Kübeln. Nachts wurde der Kirschbaum vom Wind durchgeschüttelt, dass es nur so rauschte. Blätter flogen waagrecht durch die Luft oder wurden zu einer rasend tanzenden Krone hochgewirbelt.

Eines Nachts wurde ich von einem gewaltigen Lärm geweckt. Ein lautes Ächzen, dann ein ohrenbetäubendes Knallen und Splittern. Ein dicker Ast war im Gewittersturm abgekracht und durchs Fenster geschossen. Dunkel, schwer und nass ragte er jetzt ins Zimmer. Eine weitere heftige Windböe drückte das restliche Glas aus dem Fensterrahmen und trug die Kälte und den Regen bis ins Bett. Im selben Moment ging die Tür auf, und Vater kam hereingestolpert. Sofort stemmte er sich gegen das Geäst. Ich kroch mit fiebrigen Gliedern aus dem Bett, um ihm zu helfen. Schon nach wenigen Sekunden waren wir völlig durchnässt. Das Frottee unserer Pyjamas schien die ganze Gewitternässe auf einmal aufzusaugen. Das Holz ächzte laut, und unter unseren Hausschuhen knirschten die Glassplitter. Vater rief mir irgendetwas zu, aber ich verstand ihn nicht, hörte nur den Wind heulen und mein eigenes Pulshämmern hinter der Stirn. Plötzlich gab der Ast nach und rutschte mit einem hässlichen Geräusch ins Freie. Vater stand vor dem offenen Fenster und schaute in die Dunkelheit hinaus. Seine Haare flatterten im Wind, leicht wie zarte Federchen.

Den Rest der Nacht verbrachte ich mit von Fieberträumen zerwühltem Hirn unten auf dem Sofa. Ich sah leuchtende Punkte durch die Dunkelheit flitzen, die immer öfter aneinander hängen blieben, bis sie zu einem großen, giftig fluoreszierenden Ball verschmolzen, der schließlich mit einem leisen Summen und leicht zitternd in einer Zimmerecke hocken blieb. Ich sah, wie Figuren aus den Tapetenmustern herauskrabbelten, dürre Männer und Frauen mit großen, schlaffen Geschlechtern, die sofort übereinander herfielen, sich in das Fleisch der anderen verbissen und große Brocken herausrissen. Ich wollte die Bilder verdrängen, sie in die hintersten Ecken meines Bewusstseins scheuchen, doch ich hatte keine Macht mehr über meine Vorstellungskraft. Die Dinge in mir und um mich herum verselbständigten sich, und ich war nur noch ein Besucher, ein entsetzter Gast in ihrer schrecklichen Welt.

Mit den Gewittertagen verzog sich allmählich auch das Fieber. Ich konnte wieder klare Gedanken fassen, feste Nahrung zu mir nehmen, bald auch halbwegs aufrecht im Bett sitzen und ein paar Seiten lesen. Immer noch war mir hundeelend. Im Kopf wummerte es dumpf, die Nase war zugeschwollen und wundgerotzt, die Gelenke fühlten sich an wie von innen zerstochen. Mehrmals täglich schlurfte ich schwankend zur Toilette, nur um dann ein paar verlorene, dunkelgelbe Tropfen zu pissen.

Immerhin ging es aufwärts. Draußen klarte es auf, die letzten Regenwolken verzogen sich, im Baum stritten sich wieder die Vögel. Die Splitter des abgebrochenen Aststumpfes ragten wie spitze Finger in die Höhe. Ich dachte wieder an die Schule, an Frau Gorac, an Tschechow und die anderen. Vor allem dachte ich an Lotte. Meine Möwe.

Und eines frühen Morgens wachte ich auf, schlüpfte aus dem Pyjama, sprang splitternackt aus dem Bett, lief die Treppe hinunter und in den Garten hinaus. Die Sonne war noch nicht vollständig aufgegangen, der Himmel war wie aus Bleikristall, es roch nach Frühling. Ich breitete die Arme aus und ließ mich nach hinten fallen. Das Gras war kühl und feucht vom frischen Tau, die Halme kitzelten zwischen den Beinen. Ein letztes Mal rumorte es leise in meinem Bauch. Dann war es vorbei.

Die Geschichte mit Tinka hatte meinem Ruf als Sonderling mit Hang zur Geistesstörung weitere Nahrung gegeben. Mehr noch als vorher betrachteten mich die Leute entweder mit unverhohlener Verachtung oder mit einer Art scheuer Bewunderung. Ich war der mutterlose Friseursohn, der wahrscheinlich Hermann Conradi umgebracht hatte. Der freiwillig mit einem Haufen Weibern und ein paar anderen Hirnkranken in den Theaterkurs ging und in dessen weißen Arsch sich kleine dicke Mädchen verbissen.

Man sprach über mich, aber kaum mit mir. Ich war

ein Outlaw, ein Unberührbarer. Doch irgendwie war mir das auch ganz recht. So hatte ich meine Ruhe. Die wollten nichts von mir, und ich wollte nichts von ihnen. Das Einzige, was ich wollte, war Lottes helles Knie an meiner Wange.

Schrilles Klingeln. Zehnuhrpause. Die Schule atmet aus. Lärm. Geschrei. Tumult. Die Schüler springen auf, laufen, stolpern, stürzen aus den Klassenzimmern, hinaus in die Freiheit, ans Licht. Die Lehrer sacken in sich zusammen, fassen in ihre Jackentaschen, tasten mit zittrigen Fingern nach ihren Zigarettenpackungen und schlurfen, hasten oder rennen zum Lehrerzimmer. Ein, zwei, vielleicht sogar drei Zigaretten, bevor es wieder weitergeht, die nächste Stunde, die nächste Klasse, der nächste Stoff, der abgearbeitet, durchgekaut und den blöden, kleinen Kalbshirnen eingebläut werden muss, weiter, weiter, immer weiter, dem ersehnten Vorruhestand entgegen.

Zurück bleiben verschobene Tische, umgekippte Stühle, verschmierte Kreideformeln an der Tafel. Und ich. Es sind Augenblicke der Ruhe. Das Schulhofgebrüll dringt nur gedämpft herein. Eine Fliege verausgabt sich an einer Fensterscheibe. An der Wand daneben steht in den grauen Mauerlack eingraviert: *Fickt Eure Eltern!* Ich stehe auf, strecke mich, kicke eine Schultasche aus dem Weg und schlendere aus dem Klassenzimmer. Im Gang ist es kühl und düster. Aus dem Spalt unter der Tür zum Lehrerzimmer quellen bläuliche Rauchfähnchen hervor. Der Geruch von Kaffee, Schweiß und alten Hosen. Dann die Treppen hinunter. Das blendend helle Viereck der Hoftür. Die Hitze ist wie eine Wand. Flecken mit leuchtenden Rändern tauchen auf, wabernde Amöben, die schnell größer werden, ineinander verschwimmen und das Gesichtsfeld verdecken. Ein kleiner Schwindel. Stehen bleiben. Die Augen schließen. Zusehen, wie sich die Amöben langsam verflöckeln. Blinzeln. Das Licht. Der Hof. Die Bank. Und auf der Bank: Max.

Ich hatte ihn nicht vergessen. Ich hatte nur eine Weile nicht an ihn gedacht. Vor fast genau sieben Wochen hatte es ihn in der Geometriestunde vom Stuhl geschmissen, ein zuckendes Bündel mit einem brodelnden Vulkangesicht. Seitdem war viel passiert. Verdammt viel.

Nun war er also wieder da, saß auf unserer Bank, als wäre er nie weg gewesen. Aber irgendetwas stimmte nicht. Irgendetwas war anders. Ich kniff die Augen zusammen. Sie gewöhnten sich nur schwer an die Helligkeit hier draußen. Doch dann sah ich es: Max hatte sich verändert. Und zwar vollkommen und grundlegend.

Er war schön geworden.

Sein Körperbau war immer noch derselbe, klein und gedrungen. Wenn er gewachsen sein sollte, dann höchstens ein paar Millimeter. Die Haare standen struppig und blond vom Kopf ab, die Augen waren immer noch rund und strahlend blau, der Mund unverändert klein, die Nase kartoffelig wie eh und je. Und doch hatte sich diese Nase verändert, schien ein wenig schlanker, ein bisschen länger, eine Spur gerader geworden zu sein. Irgendwie sah diese Nase plötzlich gut aus. Eine schöne Kartoffel, wenn es so etwas überhaupt gab.

Und auf einmal war mir alles klar: Diese Nase war nicht länger, schlanker oder gerader geworden. Diese Nase war glatt. Blank wie ein Kinderarsch. Keine Auswüchse, Krater, Eiterbeulen, Pickel oder Mitesser, nicht das geringste Fleckchen, nicht das kleinste Pünktchen, nichts, einfach nur schöne, glatte, weiße Haut. Und nicht nur die Nase. Auch die Stirn, die Wangen, das Kinn, das ganze Gesicht war glatt und ebenmäßig wie Marmor.

Oh Scheiße, sah Max gut aus!

Offenbar hatte irgendein paradoxer Heilungsprozess stattgefunden. Die Windpocken hatten die Akne neutralisiert, ein Entzündungsprozess den anderen überlagert, ein Feuer das andere gelöscht. Max war als pickelzerfressener Freak in die Hölle gestolpert und nach sieben Wochen als sauber ausgeglühter Jüngling wieder daraus hervorgegangen.

Er stand auf und ging einen zögerlichen Schritt auf mich zu. Für ein paar Augenblicke standen wir einfach so da. Schließlich brach ich das Schweigen.

»Siehst scheiße aus!«, sagte ich.

Max nickte. Seine Augen glänzten.

»Es ist ein Wunder, oder?«, sagte er leise. Da war sie wieder, seine Stimme. Eigentümlich tief und rau.

»Weiß nicht«, murmelte ich und zuckte mit den Schultern. Plötzlich fing Max an zu grinsen. Ein breites, unverschämt freundliches Grinsen. Dann breitete er seine Arme aus, ging auf mich zu und drückte mich an sich. Ich spürte seinen Herzschlag an meiner Brust und hätte heulen können.

Aber ich tat es nicht.

Der Schlüssel zum Paradies

Der Tag der Premiere rückte näher. Über die Monate hatten wir uns durch das Stück gekämpft, waren unsere Wege auf den Gymnastikmatten immer und immer wieder abgelaufen, hatten unsere Texte so oft gelesen, zerlegt, wiedergekäut, aufgesagt oder uns um die Ohren gebrüllt, bis wir nachts davon träumten. Unsere zerschlissenen und manchmal vor Wut zerfetzten Kostüme hatte Frau Gorac in nächtlicher Heimarbeit immer wieder geflickt, gestopft oder sonst irgendwie neu zusammengeschneidert, bis sie uns auf merkwürdige Weise anfingen zu passen. Nicht im körperlichen Sinne. Die Kostüme passten jetzt zu unseren Rollen. Besser gesagt zu unseren Rolleninterpretationen.

Zum Beispiel war der Stoff an Oscars Hose schon so durchgescheuert, dass seine Knie wie kleine weiße Gesichter hinter zwei Fenstern hervorschimmerten. Aus unerklärlichen Gründen hatte er es sich nämlich zur Angewohnheit gemacht, sich während des Stückes mehrmals laut aufheulend auf die Knie fallen zu lassen, um dann darauf minutenlang durch die Szene zu rutschen.

Mein Hemd hatte über die Zeit grünliche Flecken unter den Achseln bekommen, die sich nicht mehr auswaschen ließen. Das lag daran, dass ich, sobald ich die Gymnastikmatten betrat, anfing zu schwitzen. Die Hitze in der Turnhalle machte mir zu schaffen. Die Blicke der anderen auf meinem Gesicht. Die Angst vor Texthängern. Und die Angst vor Tinka.

Wir hatten seit der Geschichte mit dem Arschbiss nicht

mehr miteinander gesprochen. Kein einziges Wort. Wir wichen uns aus, grüßten uns nicht, sahen uns nicht an. Nur während unserer Szenen gab es kein Entkommen. Wir stellten uns hin, sagten unsere Texte auf und gingen wieder ab. Für diese kurze Zeit waren wir ja nicht mehr wir selbst. Wir waren Mascha und Medwedenko. Trotzdem rann mir der Saft aus allen Poren.

Nach jeder Probe sammelte Frau Gorac die feuchten Klamotten ein, ließ sie in einem Plastiksack verschwinden und trug sie nach Hause. Beim nächsten Mal lagen die Sachen gewaschen und auch sonst einigermaßen wiederhergestellt in Reih und Glied nebeneinander auf dem Turnhallenboden.

Irgendwie hatte Frau Gorac es geschafft, unseren Respekt zu gewinnen. Der kleine Hocker unter ihrem Hintern hatte sich im Laufe der Zeit tatsächlich zum Regiestuhl ausgewachsen. Da saß sie und beobachtete das Geschehen. Ihr Textheftchen war mittlerweile aus dem Leim gegangen und lag völlig zerfleddert auf ihren Knien. Sie kannte das Stück sowieso auswendig. Manchmal sagte sie etwas. Soufflierte Sätze, korrigierte falsche Betonungen, dämmte das Pathos, schickte jemanden von da nach da. Meistens jedoch schwieg sie. Schaute einfach nur zu und ließ uns machen. Trotz unseres Unvermögens und der an Irrsinn grenzenden Vorgänge während der Szenen strahlte sie eine stille, durch nichts und niemanden erschütterbare Zuversicht aus.

Die Premiere fand am Tag der Jubiläumsfeier statt. Hundert Jahre Hermann-Conradi-Gesamtschule. Die Schüler strömten in den Turnsaal und verteilten sich auf die langen Stuhlreihen, die wir morgens aufgestellt hatten. Um die hintersten Plätze gab es das größte Gerangel, niemand wollte vorne sitzen und somit als Streber, Schwuchtel oder Theaterliebhaber gelten.

Aber alle waren gekommen. Die Vorstellung war von Direktor Priem zur Pflichtveranstaltung ausgerufen worden, und außerdem sollte es nachher eine Premierenfeier geben. In den Jackentaschen der Jungs konnte man schon die Bierflaschen klingeln hören.

Wir hatten ein Seil gespannt und ein paar alte Leintücher als Vorhang aufgehängt. Ich stellte mich dahinter und lugte durch einen Spalt in den Zuschauerraum hinaus. Die Halle füllte sich schnell. Die vordersten Reihen waren für die Erwachsenen reserviert. Ganz in der Mitte saß mit hoch erhobenem Kopf Direktor Priem. Und der Zufall wollte es, dass ausgerechnet meinem Vater der Platz neben ihm zugewiesen wurde. Er hatte sich in seinen schwarzen Anzug gezwängt, derselbe Anzug, den er auch bei Mutters Beerdigung getragen hatte. Ich sah, wie er sich mit zwei Fingern eine dünne Haarsträhne quer über den Kopf legte, sich linkisch die Krawatte zurechtzupfte, dann mit einem ein bisschen zu groß geratenen Schritt an den Direktor herantrat und ihm lächelnd die Hand entgegenhielt.

Vaters Hände waren klein und zart, seine Fingernägel hatten immer einen rosigen Schimmer. Er schrubbte sie täglich mit einer kleinen Bürste, wenn nötig mehrmals am Tag.

»Die Hände sind das Kapital des Friseurs!«, pflegte er zu sagen. »Scheren kann man schleifen. Hände nicht!«

Direktor Priem nahm Vaters Hand nicht. Er stand nicht einmal auf. Er nickte kurz, drehte sich weg und tat, als ob er in der Hallenecke irgendetwas Interessantes entdeckt hätte. Vater zog seine Hand zurück, legte sie mit der anderen auf den Rücken und verschränkte die Finger ineinander. Ganz genau sah ich, wie seine Finger verlegen miteinander spielten.

Vater hatte nie viel vom Theater gehalten. Er verstand nichts davon. Er wollte nichts davon verstehen. Er mochte es nicht. Zu seiner Schulzeit waren die seltenen Theaterabende eine Folter, schlimmer noch als Zirkeltraining oder Matheprüfungen. In seinem Verständnis war das Theater einerseits ein Ort der ausufernden Hysterie und eitlen Selbstdarstellung und andererseits das Land der tödlichen Langeweile. Eine lebensfeindliche Wüste, die es schaffte, den Zuschauern binnen zwei Stunden auch noch das letzte Tröpfchen Lebenssaft zu entziehen.

Das Einzige, was ihn für kurze Zeit im Theater zu fesseln vermochte, waren die Perücken der Darsteller. Gewöhnlich brauchte er nur ein paar Minuten, um sie für sich im Stillen zu studieren und als entweder einigermaßen gelungen oder völlig missraten abzubuchen. Bei Shakespeare, Schiller und anderen alten Herren konnte es vielleicht sogar den ganzen ersten Akt dauern, bis er alle Frisuren durchhatte. Danach aber: tödliche Langeweile.

Doch heute war er gekommen. Er hatte die Mottenlöcher an den Ärmeln seines Anzugs gestopft, hatte sich ein bisschen Gel in die Haare geschmiert, sie korrekt nach hinten frisiert und sich auf den Weg zur Schule gemacht. Und jetzt stand er da, die Hände auf dem Rücken verschränkt, ein wenig schief und mit leicht gesenktem Kopf. Immer noch lächelte er. Aber jetzt war es ein trauriges Lächeln. Und dann war auch das weg.

Durch den Vorhangspalt sah ich, wie er sich setzte, die Bundfalten seiner Hose umständlich zurechtzupfte, seine Hände in den Schoß legte und auf den Boden hinunterblickte, genau auf die Stelle, wo sich eine rote und eine gelbe Spielfeldlinie trafen. So blieb er sitzen und rührte sich nicht mehr.

Plötzlich legte sich eine Hand auf meine Schulter. Frau Gorac stand hinter mir.

»Es geht los!«, flüsterte sie mir ins Ohr.

Wir gingen nach hinten in die Garderobe, wo sich alle schon vor der Spindwand versammelt hatten. Da standen wir nun, in unseren Kostümen, mit unseren Taschen, Hüten, Hauben, Blumen, Gehstöcken und den ganzen anderen Requisiten. Alle waren käseweiß. Heiner Heinz saß gekrümmt und zitternd wie ein todkranker Mann auf der Garderobenbank, Slavina stand leicht schwankend da und stierte auf das Spindblech vor ihr, Friedhelm Usterlitz' Knie schlotterten, dass die Hose nur so flatterte, und von Pauls zart bibbernder Unterlippe tropfte der Saft. Wir waren am Ende, bevor es überhaupt angefangen hatte.

Frau Gorac hielt eine kleine Rede. Die Proben waren schön gewesen. Alles gut gelaufen. Sehr gut sogar. Jetzt kann eigentlich gar nichts mehr schiefgehen. Keine Angst. Nicht das Atmen vergessen. Nicht den Text vergessen. Und wenn doch: In der kleinen Nische hinter dem Packpapierbühnenhintergrund wird sie sitzen. Ein Blick von uns, und der Text würde sofort eingesagt. Die Abläufe sind klar, die Kostüme passen, alles wunderbar. Anton Pawlowitsch Tschechow hätte seine Freude gehabt!

Wir spuckten uns alle dreimal über die linke Schulter. Dabei fielen wir uns in die Arme, als ginge es auf eine Reise ohne Wiederkehr. Und in gewissem Sinne ging es das ja auch.

Ich drückte Lotte an mich. Sie duftete wie eine Blume. Ihre Hand lag an meiner Hüfte. Aber ihr Blick war in eine weite Ferne gerichtet. Ihr Gesicht schien von innen heraus zu glühen. Sie war die Möwe.

»Toi, toi, toi!«, hauchte sie knapp an meinem Ohr vorbei. Kaum zu hören. Kaum zu verstehen. Aber etwas von diesem Windhauch war doch in meine Gehörgänge gedrungen und wehte nun durch meinen Kopf, strich durch die Gehirnwindungen, säuselte hinter den Augen vorbei, verwirbelte sich in den Nebenhöhlen, wurde heftiger, fegte durch den Hals, durchbrauste den Brustkorb und tobte schließlich als kleiner wilder Sturm in meinem Bauch herum.

Oh, Scheiße, war ich verknallt!

In meiner Hosentasche klickerte es leise. Es war das Perlenkettchen, das ich mir vor ein paar Tagen bei dem pakistanischen Laden in der Nähe des städtischen Busbahnhofs ausgekuckt hatte. Über dem Eingang hingen bunt blinkende Plastiklichterketten. Aus einem alten Kassettenrekorder dudelte eine fremdartige, ohrenbetäubend laute Musik. Der Pakistani ließ das schimmernde Kettchen auf den Tresen gleiten und erzählte irgendetwas von todbringenden Tauchgängen, geheimnisvollen Austernbänken und dem silbrigen Mond über der Tiefsee. Ich kaufte die Kette. Das Taschengeld für einen ganzen Monat und ein Batzen aus Vaters Trinkgeldkasse im Salon mussten dran glauben. Doch ich bereute nichts. Diese Kette hatte ich für Lotte gekauft. Sie war der leise klickernde Schlüssel zu ihrem Herzen. Die Eintrittskarte zum Paradies.

Aber noch nicht jetzt. Erst nach der Premiere wollte ich ihr die Kette geben, ganz ruhig, ganz gelöst. Ich würde an sie herantreten, das aufgefädelte Tiefseegeheimnis in der Hosentasche, ein stolzer und zugleich bescheidener junger Mann. Ich würde sie bitten, ihre Hand in meine zu legen, einen Moment lang würde ich sie halten, einfach so, ein stiller Moment, danach würde ich das Kettchen hervorfischen und es in diese kleine helle Hand gleiten lassen. Natürlich würde Lotte ein paar Augenblicke brauchen, würde das Wunder in ihren Fingern betrachten, würde sich selbst gespiegelt sehen in den glänzenden Perlen. Dann würde sie ihren Blick heben und gerührt auf mich richten. Und so weiter.

Im Turnsaal wurde es plötzlich still. Der Schulwart schlurfte zum Schaltkasten, betätigte nacheinander alle zwanzig Schalter, und das Licht ging aus. In ihrer Nische drückte Frau Gorac den Knopf der kleinen Stereoanlage. Eine idiotische Musik ging los, pathetisch und blechern, aber angeblich russisch. Die Musik erhob sich zum Lärm, wurde darauf plötzlich leiser und klang aus. Dann gingen die Leintücher auf und die Scheinwerfer an.

Ich sah, wie neben mir Tinkas Brust bebte. Wir schauten uns an, atmeten tief durch und betraten die Gymnastikmatten.

»Warum gehen Sie eigentlich immer in Schwarz?«, sagte ich.

»Aus Trauer um mein Leben«, sagte Tinka. »Ich bin unglücklich.«

Ein helles Rauschen

Und auf einmal geschah etwas Merkwürdiges: Am Horizont meiner Blödheit stieg die Sonne auf und erhellte die Welt mit einem strahlenden Licht von Einsicht und Inspiration. Es war wie das Erwachen nach einem langen, dumpfen, narkoseartigen Schlaf.

Zum ersten Mal verstand ich die Dinge, die wir da besprachen. Zum ersten Mal kapierte ich den Sinn, der sich so lange hinter den Worten verborgen hatte. Plötzlich waren die Sätze mehr als hohles Geblöke. Sie bedeuteten etwas. Und sie erzählten etwas. Über die Leute, die sie sagten. Und über die anderen, die zuhörten. Sie erzählten etwas über die Figuren, über Tschechows gebeutelte Seelen, die auf diesem russischen Gutshof umeinander herumschlichen, übereinander herfielen oder miteinander ihr Leben verhandelten. Und ich war einer von ihnen. Ich war Medwedenko, der Lehrer. In diesem Moment wurde mir klar: Das hier war kein Spiel mehr.

Das hier war Theater.

Ich weiß nicht, ob dieses Licht auch den Geist der anderen erhellt hatte. Vielleicht war es einfach nur das Adrenalin, das uns mit dem Aufziehen des Vorhangs durch alle Poren schoss. Jedenfalls spielten wir wie die Verrückten. Wir litten und kämpften mit unseren Rollen. Wüteten.

Weinten, heulten und brüllten. Wir ließen uns alle paar Sekunden fallen, wälzten uns auf den Gymnastikmatten, erklommen die Sprossenwand, fuchtelten mit den Armen, ließen uns wieder fallen. Oscar rutschte praktisch in jeder Szene händeringend auf seinen aufgeschürften Knien umher. Herta zertrampelte in einem fast epileptischen Anfall ihren Hut zu einem unförmigen Häufchen. Selbst Slavina ging so sehr in ihrer Rolle auf, dass sie immer öfter in ihre Muttersprache verfiel, bis sie schließlich ihren kompletten Text in einem merkwürdigen, tiefen und guttural verhackten Singsang vortrug. Wir verstanden sie trotzdem.

Und natürlich Lotte. Sie war Nina. Die Möwe. Sie gurrte, hauchte, tirilierte die Worte und den Raum zwischen diesen Worten. Sie schwebte über dem Mattenboden, über unseren Köpfen, über dem ganzen Stück. Ein ätherisches Wesen, zu schön, zu leicht und zu zart für die fette russische Erde.

Wir anderen gaben richtig Gas. Insgesamt spielten wir ungefähr doppelt so schnell wie während der Proben. Wir rasten ungebremst durch das Stück. Frau Gorac' hilflose Versuche, von ihrer Packpapiernische aus Einfluss auf das Geschehen zu nehmen, blieben ungehört. Der soufflierte Text sowieso. Wer nicht weiterwusste, begann zu heulen und zu schreien oder ging einfach ab. Die anderen schmissen sich mit umso mehr Elan ins Geschehen.

Schließlich näherte sich das Stück dem Ende, der Schuss fiel. Ein paar Minuten lang mühte sich Oscar hinter der Bühne ab, um die Schreckschusspistole wieder in Gang zu bringen, die irgendein Idiot namens Friedrich Usterlitz mit Kaugummi verklebt hatte. Währenddessen hielten wir das Stück mit interessanten Improvisationen am Laufen. Doch dann knallte es. Alle taten erschrocken und entsetzt. Der pickelige Kurt ging nach hinten, kam jedoch nur zwei Sekunden später wieder und verkündete:

»Die Sache ist die: Konstantin Gawrilowitsch hat sich erschossen …«

Das Stück war aus. Frau Gorac kroch mit knacksenden Knien aus ihrer Nische, machte die Scheinwerfer aus und zog den Vorhang zu.

Es war still in der Turnhalle. In der plötzlichen Dunkelheit konnte ich kaum meine eigene Hand erkennen. Ich hörte nur den abgehetzten Atem der anderen und tastete mich an ihren schweißnassen Körpern vorbei in Richtung Lotte. Ich erkannte sie am Geruch. Sogar ihr Schweiß duftete. Ich fasste sie an der Hand. Sie war glitschig und heiß und pochte in meinen Fingern. Immer noch war es still. Jemand räusperte sich. Jemand kicherte. Endlich klatschte jemand in die Hände. Einmal. Zweimal. Wahrscheinlich einer der Lehrer. Vielleicht Priem. Ein anderer setzte ein. Noch einer. Und auf einmal ging es los. Ein helles Rauschen in der Halle.

Die Leute applaudierten.

Das Licht ging an, Frau Gorac zog den Vorhang auf, und der Applaus traf mich wie eine warme Welle. Er war fast körperlich zu spüren. Ich blinzelte ins Publikum. Sah die Gesichter als helle Flecken herumtanzen. Direktor Priems rosiger Schädel. Daneben mein Vater. Die Lehrer. Die Mädchen. Jemand schrie Bravo. Gummibänder, Papierknäuel und Bleistifte flogen. Sogar einen Turnschuh sah ich in Richtung Bühne zischen. In der zweiten Reihe saß Max. Er sah mit leuchtendem Kopf zu uns hoch und klatschte wie ein Verrückter. Wir verbeugten uns. Immer noch lag Lottes pochende Hand in meiner. Ich schloss die Augen, hob ab und segelte auf der Welle davon.

Nachdem der Vorhang zugegangen war, standen wir etwas verlegen da und sahen uns erstaunt an. Etwas Ungeheuerliches war passiert. Eine Art Traum war Wirklichkeit geworden. Aber es war ein Traum, den wir nie gewagt hatten zu träumen, von dem wir bislang keine Ahnung gehabt hatten, dass er überhaupt in uns existierte.

Ich verzog mich auf die Toilette. Eine Weile blieb ich in der angenehmen Scheißhausstille sitzen. In den Wänden gluckerte es leise. Eine seltsame Leere machte sich in mir breit. Ich stand auf und wusch mir die Hände. Der Typ im Spiegel sah mir ähnlich. Und doch war er mir irgendwie fremd. In meiner Tasche klickerte leise das Kettchen.

Die Feier fand gleich in der Turnhalle statt. Neben der Bühne hatte man in Windeseile eine lange Tischreihe mit Fressereien aufgebaut. Würste, Buletten, Schweinehaxen, Salat, Kuchen und so weiter. Dazu gab es Cola und Säfte für die Schüler und – streng bewacht von Sportlehrer Wolarek – Bier und die harten Sachen für Lehrer und Eltern. Ich mischte mich unter die Leute. Die Reaktionen waren unterschiedlich. Die Schauspielereltern fanden alles wunderbar, insbesondere ihr eigenes Kind, das die Kollegen mit seiner Bühnenpräsenz praktisch an die Wand geklatscht und zu dümmlichen Komparsen degradiert hatte. Unbeteiligtere Zuschauer klopften uns auf die Schultern und fanden, dass ja alles gar nicht so schlimm war.

Manche wollten sogar das Stück erkannt haben. Andere wiederum lobten den Willen zur Abstraktion. Die meisten aber sagten gar nichts und schlugen sich stumm den Bauch voll.

Vater kam auf mich zu. Er lächelte und gab mir wortlos die Hand. Eine Weile hielt er sie und sah mich gerührt an. Darauf steckte er mir unauffällig einen zerknitterten Geldschein zu und ging nach Hause.

Direktor Priem hielt eine Rede. Es ging um die Schule, um das Andenken Hermann Conradis, um den Geist Tschechows, um den lieben Gott und so weiter. Ein paar der jüngeren, karrieregeilen Lehrer hörten wirklich zu.

Der kleine Oscar und Heiner Heinz waren umringt von hysterisch kichernden Mädchen. Oscar fanden sie süß, Heiner bewunderten sie wegen seiner animalischen Ausstrahlung.

Ich sah mich nach Lotte um. Aus den Lautsprechern unter der Decke drang blecherne Musik. Zwei dicke Mädchen lagen sich in den Armen und tanzten dazu. Am Buffet kämpften die Leute mit hassverzerrten Gesichtern um die letzten Schweinskrusten. Ein Vater brüllte einem anderen Vater ins Gesicht. Am Ausschank versuchte Wolarek seine Getränke gegen den Ansturm zu verteidigen. Die ersten abgefüllten Oberstufenschüler lagen auf den Gymnastikmatten und stierten zur Decke hoch. Auf einer Turnbank saßen aufgereiht wie Vögelchen ein paar gähnende Grundschüler. Ein paar Meter weiter hockten Herta und Tinka in enger Umarmung auf dem Boden und heulten.

Lotte war verschwunden.

Ich ging nach hinten in die Garderobe. Auf der niedrigen Bank, zwischen ein paar vergessenen Turnbeuteln, saß völlig regungslos Frau Gorac.

»Haben Sie Lotte gesehen?«, fragte ich. Sie schüttelte nur den Kopf. Die Wimperntusche unter ihren Augen war verschmiert. Ihre Arme hingen schlaff herunter.

»Ist doch alles gut gelaufen!«, sagte ich.

»Meinst du?«, fragte sie leise.

»Klar!«

Frau Gorac sah mich an. Über ihr Gesicht huschten ein paar Flecken. Kleine, rosige Wolken. Ich konnte ihren Atem hören. Ein ganz leises Schnaufen.

»Ich hätte gerne Theater gemacht«, sagte sie. »Richtiges Theater, verstehst du?«

Ich nickte schüchtern.

»Ich muss jetzt weiter«, sagte ich. »Sie haben Lotte sicher nicht gesehen?«

Sie schüttelte den Kopf und ließ ihn dann langsam sinken.

Ich durchstreifte alle Garderoben, probierte es in der Sportgerätekammer, lief durch den schmalen Flur hinüber ins Schulgebäude, schaute in die Toiletten, ins Putzkämmerchen, in jedes einzelne Klassenzimmer. Nichts.

Das Treppenhaus lag in der Dunkelheit wie ein Höhleneingang. Die Tür zum Schulhof stand offen. Ich lief ins Freie und atmete tief ein. Es roch nach Sommer, feucht, würzig und voll.

Und plötzlich sah ich sie. Lotte und Max.

Sie saßen eng umschlungen auf der Bank und küssten sich. Lottes Pferdeschwanz wackelte, während ihre Finger durch Max' blonden Haarschopf fuhren. Ich hörte sein unterdrücktes Schniefen. Seine Hand lag auf ihrem Oberschenkel und wanderte daran hinunter, bald würde sie den kleinen Halbmond verdunkeln.

In diesem Moment riss etwas in mir. Es begann in der Herzgegend und breitete sich aus wie ein Haarriss in einer Windschutzscheibe. Ich konnte genau fühlen, wie sich mein Körper in immer kleinere Teile zerlegte, jeden Moment würde ich in einer gläsernen Staubwolke verpuffen. Meine Eingeweide knirschten schon.

Vielleicht hatten die beiden dieses Knirschen gehört. Vielleicht hatten sie aber einfach nur meine Anwesenheit gespürt. Jedenfalls drehten sich beide gleichzeitig zu mir. Ohne voneinander abzulassen. Wange an Wange.

Eigentlich war es ein schönes Bild: Die leuchtenden Gesichter meiner beiden liebsten Menschen ganz nah beieinander. Doch es brachte mich fast um. Ich spürte, wie das Kettchen in meiner Hosentasche immer schwerer wurde. Wie sich die Perlen in Pflastersteine verwandelten.

»He, Alter!«, sagte Max mit einem glücklich dämlichen Gesichtsausdruck. Lotte sah mich offen und freundlich an. Ihre Wange bildete an der Stelle, wo sie sich an Max' Gesicht schmiegte, eine weiche Falte.

»Hallo!«, stammelte ich. »Schön hier draußen, was?«

»Ja!«, sagte Max.

»Die frische Luft und so weiter.«

»Genau.«

Lotte räkelte sich an seiner Seite wie eine satte Katze. Ich hatte nichts mehr verloren auf diesem Schulhof. Auf dieser Welt.

»Ich geh dann mal wieder!«, sagte ich.

»Okay. Machs gut, Alter!«, erwiderte Max.

Ich drehte mich um und ging in das kühle Gebäude zurück. Aus den Augenwinkeln konnte ich gerade noch erkennen, wie Lotte die Augen schloss und ihre Stirn an Max' Brust lehnte.

Die blaue Stunde

In der Turnhalle war immer noch einiges los. Ich steuerte direkt auf Wolareks Ausschank zu. Viel gab es nicht mehr. Die beiden großen Bierfässer waren geleert, vom Wein waren nur noch ein paar lauwarme Tropfen übrig, und die harten Getränke hatten sowieso reißenden Absatz gefunden. Nur noch eine einzige volle Flasche stand da und glänzte in einem giftigen Blau. Ein Likör, wahrscheinlich so süß und klebrig wie die Träume seiner ältlichen Spenderin. Ich griff zu und rannte los. Nach einem kurzen Moment der Überraschung sprang mir Wolarek hinterher. Es war ein gewaltiger Satz. Drei, vier Meter, einfach so aus dem Stand. Man konnte seine Sehnen förmlich schnalzen hören. Und wäre er nicht direkt auf dem schmächtigen Rücken von Milchbübchen Oscar gelandet, der genau in diesem Moment zufällig seine Sprungbahn kreuzte, hätte er mich wohl erwischt. So aber hörte ich Oscars weinerliches Wehgeschrei, durchmischt von Wolareks wütendem Gebrüll, noch leise hinter mir verklingen, als ich schon längst aus der Turnhalle ins Freie gestürzt war.

Ich rannte um ein paar Ecken, bis ich einen gehörigen Sicherheitsabstand erreicht hatte. Dann drosselte ich mein Tempo und lief einfach ziellos weiter. Ich wollte nur weg von der Schule. Weg von Lotte und Max. Weg von allem.

In der blauen Flasche gluckerte es leise. Ich schraubte den Verschluss ab und nahm einen tiefen Schluck. Es schmeckte klebrig wie ein abgelutschtes Bonbon. Zugleich zuckersüß und bitter wie Gift. Eine widerliche, heiße Welle schwappte durch meinen Körper. Irgendwie schaffte ich es, die Brühe in mir zu behalten. Der zweite Schluck schmeckte etwas besser. Das Zeug verklebte den Rachen und kroch zäh wie dickes Öl die Kehle hinunter, doch der bittere Geschmack war weg. Ich nahm den nächsten Schluck. In meinem Magen knarrte es wie morsches Holz. Aber es ging. Ich würde es schaffen, dachte ich mit einer völlig unerwarteten Entschlossenheit und hielt die Flasche gegen das Licht einer Straßenlaterne. Das Blau schwappte und glitzerte wie die Südsee bei Nacht.

Mit dem nächsten Schluck kam die Wut. Unangemeldet und heftig. Vor einer Plakatwand mit einem blöde grinsenden Zahnpastamädchen blieb ich stehen. Ich bog meinen Oberkörper so weit wie möglich zurück, schnellte dann nach vorne und rammte meinen Kopf gegen ihr Kinn. Sofort taumelte ich nach hinten weg und ein paar Meter über die Fahrbahn. Die Stirnschmerzen spülte ich schnell mit einem weiteren Mundvoll weg und machte mich wieder auf den Weg. Es war nichts los auf den Straßen. In den Stadtrandvierteln ist nie viel los. Doch heute kam mir alles noch trostloser vor als sonst.

Die Flasche war ungefähr halbleer, als ich Lotte zum

ersten Mal sah. Sie saß hinter einem Fenster im zweiten Stock und sah zu mir hinunter. Ihr Gesicht war merkwürdig fleckig und blass, fast weiß. Ich winkte zu ihr hoch, rief ihr irgendetwas zu. Keine Reaktion. Sie saß einfach nur da und rührte sich nicht. Plötzlich tauchte jemand hinter ihr auf. Es war Max. Aber er hatte ein altes Gesicht. Uralt und faltendurchfurcht. Ich sah, wie er Lotte von hinten umarmte, besser gesagt, wie er seine Hände um ihren makellosen, hellblau schimmernden Porzellanhals legte. Und auf einmal geschah etwas Fürchterliches: Er riss ihr den Kopf ab, schnupperte daran, zupfte ein paar Blütenblätter aus ihrem Gesicht und trug ihn nach hinten weg.

Zur Beruhigung trank ich stoßweise ein paar kleinere Schlucke. Als sich danach im Fenster dort oben nichts mehr tat, lief ich weiter. Ab jetzt tauchten die beiden immer wieder auf. Ich registrierte ihre Köpfe hinter der Windschutzscheibe eines vorbeifahrenden Kleinwagens, entdeckte ihre Profile im dreckverschmierten Putz einer Häuserwand oder erkannte ihre ineinander verkeilten Körper hinter dem Wasserschleier eines leise zischelnden Rasensprengers.

Mit den nächsten Schlucken begann sich die Welt zu verändern. Die Farbe des Himmels verwandelte sich allmählich vom stumpfen Nachtschwarz in ein strahlendes Likörblau.

Vor mir machte die Straße plötzlich einen Buckel, fiel gleich darauf steil ab und führte immer tiefer in einen unergründlichen Abgrund. Rechts und links verbogen sich die Laternen, beugten sich zu mir herunter und grinsten mir mit ihren idiotischen Lichtköpfen ins Gesicht. Die

Straße wand sich jetzt wie ein Geschenkband. Ich kam ins Trudeln. Ins haltlose Schleudern. Ich stürzte, stand wieder auf, fiel wieder hin, kam wieder hoch, torkelte weiter.

Der letzte Schluck war der widerlichste. Doch ich hatte es geschafft. Schleuderte die Flasche von mir. Hörte, wie sie in unendlich weiter Ferne zersplitterte.

Plötzlich musste ich an Vater denken. Ich sah ihn vor mir sitzen, mit gesenktem Blick, und sich umständlich die Bundfalten zurechtzupfen. Zum ersten Mal in meinem Leben bemerkte ich, wie spitz und dünn Vaters Knie waren. Wie zerbrechlich. Eine unsagbare Traurigkeit stieg in mir hoch. Mir schossen Tränen in die Augen. Aber gleich im nächsten Moment musste ich lachen. Es war idiotisch, doch ich schmiss den Kopf in den Nacken und brüllte los vor Lachen. Dabei breitete ich die Arme aus und fing an, mich zu drehen. Oder drehte sich die Umgebung um mich? Der Himmel verengte sich zu einem rasenden, likörblauen Wirbel, der sich über mir senkte und mich mitriss. Ich verlor das Gleichgewicht und taumelte zu Boden. Wumm! Ein heller Blitz. Ein scharfer Schmerz im Hinterkopf. Ein grellweißes, alles durchdringendes Licht. Plötzlich Dunkelheit. Absolute Finsternis. Aus.

Es dauerte nur einen Augenblick, und ich war wieder da. Ich wälzte mich zur Seite, hob den Kopf und versuchte mich zu orientieren. Ich lag direkt an einem eingetretenen Zaun, dahinter eine Brache, Schutthaufen, Baggerspuren, eine rostige Schubkarre, Dreck, Abfall und eine windschiefe Bretterhütte. Irgendwie kam mir das alles bekannt vor. Und dann fiel es mir wieder ein: Hierher hatte ich mich nach Tinkas Überfall in der Turnhalle geflüchtet.

Damals hatte hier noch eine Taube mit einem klaffenden Loch im Hals gelegen. Jetzt lag ich hier.

In meinem Bauch grollte es dumpf. Ein neuer Schwindel erfasste mich. Gleichzeitig wurde mir eiskalt, und ich begann am ganzen Körper zu zittern. Ich sah mich um. Der Zaun war an einer Stelle in Bodennähe aufgebogen. Aus irgendeinem Grund kam mir diese Lücke wie meine Rettung vor, der einzig mögliche Ausweg. Ich robbte unter dem Maschendraht durch und spürte undeutlich, wie sich mein Hemd im Draht verfing und wie die Spitzen tiefe Furchen in meinen Rücken ritzten. Aber ich kam durch, rappelte mich hoch und wankte zur Bretterhütte hinüber. Die Tür hing schief in den Angeln und knirschte laut, als ich sie aufstieß. Drinnen war es stockdunkel. Langsam und blind schob ich mich voran, stieß plötzlich mit dem Fuß an etwas Großes, Weiches und erstarrte. Vorsichtig bückte ich mich und tastete das Ding mit den Fingern ab. Eine Matratze.

Ich ließ mich einfach nach vorne fallen. Die Matratze war kühl und feucht, außerdem stank sie nach Fäulnis und Urin. Vielleicht war es auch nur mein eigener Gestank, der mir in die Nase stieg. Es machte keinen Unterschied mehr. Ich lag da. Alleine und in Sicherheit. Unter mir war es weich, um mich herum dunkel. Ich schloss die Augen. Einen Moment lang hatte ich das Gefühl, die Matratze würde sich bewegen, vom Boden abheben, zu schlingern und zu schaukeln beginnen. Es war eine Täuschung.

Ein Haufen alter Fetzen

Ein Geräusch. Ein leises Trippeln. Ein Zucken. Ein winziger Blitz auf der Netzhaut. Wieder das Trippeln. Und irgendwoher ein leises Stöhnen. Ein heiseres Röcheln. Grauenhafte, viehische Laute. Ein Schauder durchläuft den Körper. Es ist mein Körper. Mein Stöhnen. Mein Röcheln. Es sind meine Schmerzen.

Nur ganz langsam tröpfelte die Erinnerung in mein aufgeweichtes Hirn zurück. Die Premiere. Lotte und Max. Die blaue Flasche. Mein Ertrinken darin.

Ich blinzelte. Versuchte mich zu orientieren. Eine Schmerzwelle schoss mir in den Kopf, ebbte wieder ab, kam wieder. Gleichzeitig war mir kotzübel, und der eigene Pulsschlag dröhnte mir in den Ohren. Dazu ein weiterer, stechender Schmerz am Hinterkopf. Vorsichtig fasste ich nach hinten, ertastete eine verklebte, blutige Wunde. Plötzlich wieder dieses Geräusch. Ein leises Trippeln. Direkt über mir. Eine Taube. Ihre tote Kollegin fiel mir wieder ein. Die zarte Bewegung der Feder im Wind. Die Brache. Der Zaun. Die Hütte.

Und auf einmal wusste ich wieder, wo ich war.

Ich nahm meine ganze Kraft zusammen und setzte mich auf. Ich saß auf einer schmierigen Matratze. Sie war feucht, und die Ecken sahen irgendwie angebissen aus. Über die grünlichen Flecken wollte ich gar nicht weiter nachdenken. Sie lag genau in der Mitte der Hütte. Durch die Ritzen zwischen den Wandbrettern und im Dach fiel das Sonnenlicht, der ganze Raum war durchzogen von schmalen, staubflirrenden Lichtstreifen. Der Boden bestand einfach nur aus flach getrampelter Erde, übersät von undefinierbarem Unrat. Von der Decke baumelten verschiedene Behälter: Dosen, Plastikeimer, Blechnäpfe, Kochtöpfe und so weiter. Das Zeug hing da oben wie ein riesiges Mobile. In einer Ecke stand ein schiefer Einkaufswagen, bis obenhin gefüllt mit leeren Flaschen. Im Halbdunkel einer anderen Ecke lag ein aufgetürmter Haufen alter Fetzen. Es stank fürchterlich. Ein Gemisch aus feuchter Erde, Pisse und Bier. Offensichtlich war ich im Suff genau dahin gekommen, wo ich hingehörte.

In dem Moment erstarrte ich: Der Haufen in der Hüttenecke fing an sich zu bewegen! Zuerst war es nur eine kleine Bewegung, kaum zu sehen. Ein Luftzug, der sich in einem der Fetzen verfangen hatte. Aber plötzlich kam der ganze Haufen in Bewegung, schien sich auszudehnen und auf seltsame Weise zu recken und zu strecken. Dazu gab er Töne von sich. Unmenschliche Geräusche. Heiseres Husten. Keuchen. Schnaufen. Ich versuchte aufzuspringen, rutschte aus, plumpste auf die Matratze zurück. Das Ding in der Ecke schmatzte, knurrte und gähnte. Dann schüttelte es ein paar seiner Fetzen ab und brach aus dem Haufen heraus.

Gliedmaßen kamen zum Vorschein, in dreckige Tücher gewickelte Hände, Arme, Beine, Füße. Erst ganz zum Schluss erkannte ich einen Kopf. Im Grunde genommen war es nur ein verfilzter Haarbusch mit einer winzigen Gesichtslichtung, aus der zwei glänzend schwarze Augen herausblinzelten.

Der Mann sah mich an, nickte, kam einen Schritt auf

mich zu. Dabei verschwand seine rechte Hand in den Fetzen an seinem Körper und schien etwas zu suchen. Alles in mir spannte sich an. Ich konnte mich kaum rühren, saß wie festgeklebt da und krallte meine Finger in den feuchten Stoff.

Die Hand kam mit einer kleinen Schnapsflasche wieder zum Vorschein. Er trank einen Schluck, ließ sie wieder verschwinden und blinzelte auf die Matratze hinunter.

»'n gutes Bett, was?«

Seine Stimme klang wie das Knarren eines morschen Baumes, jedes Wort war ein weiterer Riss im saftlosen Holz.

»'n Paar heiße Tage, und es ist auch wieder trocken!«

Langsam bewegte er sich weiter auf mich zu. Seine Schritte waren klein, vorsichtig, tastend. Mitten im Raum blieb er wieder stehen. Ich konnte seinen leise röchelnden Atem hören. Und das Trippeln der Taube über uns.

Plötzlich schleuderte er blitzschnell seine Fetzen von den Füßen und schlüpfte mit einer fast katzenhaften Behändigkeit aus seinen Lumpen. Der Alte stand splitternackt da.

Ich sah, wie sich die Haut um seine Augen in tiefe Falten legte. Sein ganzes Gesicht schien aufzubrechen wie ein trockener Acker.

Auf einmal hob er den Arm, griff sich einen der Blecheimer, die von der Decke hingen, und kippte ihn genüsslich über seinem Kopf aus. Das Wasser musste saukalt sein, aber offensichtlich war er daran gewöhnt. Prustend, schnaubend und gurgelnd ließ er es sich über das Gesicht laufen. Die Haare hingen in langen, grauen Strähnen über den knochigen Schultern. Der Dreck lief in dünnen Rinnsalen an ihm hinab, die verfilzten Brusthaare lösten sich, von seinem Sack purzelten dunkelbraune Tropfen.

Dann der nächste Eimer. Diesmal kippte er sich das Wasser in einem einzigen Schwall über. Ein Schauder durchfuhr seinen Körper, überall stellten sich die Härchen auf, kleine, silbrige Stoppeln. Als Nächstes war ein verbeulter, leicht angerosteter Topf dran. Der Alte prustete und kicherte vor Vergnügen. Ein Schwall nach dem anderen ergoss sich über den ausgemergelten Körper. Den Inhalt der letzten Blechdose schüttete er sich direkt in den Mund, legte den Kopf in den Nacken, gurgelte laut und spuckte einen hohen Strahl gegen die Bretterwand, dass es nur so klatschte.

Triefend stand der Alte da. Ein Sonnenstrahl aus einer der Bretterritzen fiel genau auf sein Gesicht. Er hatte die Augen geschlossen. Unter seinen Lidern bewegten sich die Augäpfel wie flinke Käferchen. Sein dürrer Brustkorb hob und senkte sich immer langsamer, sein Atem wurde ruhiger und tiefer.

Plötzlich öffnete er die Augen, setzte sich in Bewegung, lief gebückt durch die Hütte, sammelte seine Lumpen ein und zog sie an, ohne sich abzutrocknen.

Schnell rappelte ich mich hoch. Ich wollte die Gelegenheit nutzen, um möglichst unauffällig abzuhauen. Sofort war er bei mir.

»Du bleibst doch noch, oder?«, fragte er. Seine Augen glänzten wie schwarze Metallknöpfe. Ich nickte zögerlich.

»Hab nicht viel Gesellschaft hier. Manchmal 'n paar Ratten. Aber die zählen nicht.«

Mit einem schlürfenden Geräusch zog er seinen Speichel zusammen und spuckte verächtlich auf den Fußboden. Darauf trat er einen Schritt auf mich zu und legte mir seine Hand auf die Schulter. Er stank nach feuchten Fetzen und Schnaps. Aus seinen Nasenlöchern ragten lange, graue Haare, die leicht zitterten, wie dürre Ästchen im Herbstwind.

»Wie alt bist du?«, fragte er.

»Sechzehn!«, antwortete ich.

Ich spürte, wie seine Hand schwerer wurde. Es fühlte sich an, als ob jemand ein Sechs-Kilo-Steak auf meiner Schulter abgelegt hätte.

»Sechzehn …«, wiederholte er leise.

Eine Weile geschah nichts. Aber dann ging alles schnell, viel zu schnell für mich. Er riss mir mit einer blitzschnellen Bewegung das Hemd auf, beugte sich zu mir, legte sein Gesicht an meine Brust und sog mit einem tiefen Schnaufen meinen Geruch in sich ein.

Ich stand da und konnte mich nicht rühren, hörte nur das Schnaufen und spürte die widerlichen, nassen Barthaare an meiner Haut. Plötzlich wich er wieder zurück und stand für einen Augenblick leicht schwankend da. Und auf einmal sah ich, wie ihm eine einzelne Träne aus dem Auge quoll. Langsam lief sie die Wange hinunter, verfing sich kurz in einer der Runzeln, rollte weiter und verschwand im Bartgestrüpp. Er nahm seine Hand von meiner Schulter und schlurfte in die Ecke zurück, aus der er vorhin auferstanden war. Dort kauerte er sich zusammen, holte sein Schnapsfläschchen hervor und trank. Auf dem Dach trippelte jetzt wieder die Taube.

Ich öffnete die Tür und trat ins grelle Mittagslicht. Die Luft war stickig und heiß, die Erde trocken wie frische Asche.

In meiner Hosentasche klickerte etwas. Die Perlenkette. Ich fischte sie heraus und hielt sie gegen die Sonne. Die Perlen schimmerten milchig. Jede einzelne hatte einen winzigen, kaum sichtbaren Punkt an der Oberfläche. Ich steckte eine der Kugeln in den Mund und biss ganz leicht zu. Sie zersprang sofort. Ich schleuderte die Kette von mir, sah, wie sie durch die Luft sauste und irgendwo hinter einem Schotterhaufen verschwand.

Zwei Golems im Acker

Die letzten Schultage des Jahres durchlief ich wie ein Statist in einer aufwändigen, aber unglaublich öden Filmproduktion. Ich war irgendwie am Rande dabei, hatte jedoch mit der eigentlichen Sache nichts zu tun.

In der Garderobe hinter der Turnhalle ließ ich Sportlehrer Wolareks Gebrüll über mich ergehen. Ich sah, wie sein Gesicht feuerrot anlief und einen wunderschönen Kontrast zu seinem blitzblauen Trainingsanzug bildete. Ich sah, wie die Wutadern aus seinem Hals quollen und seine Spucketröpfchen wie glitzernde Kometen durch die Luft zischten. Für den Likör bezahlte ich einen Wucherpreis, legte großzügig noch ein paar Münzen dazu und lief zu meinem nächsten Termin hoch ins Direktorenzimmer.

Direktor Priem saß wie immer hinter seinem Schreibtisch. Mittlerweile war ich zu groß für körperliche Züchtigungen, also versuchte er es auf die psychologische Tour. Der Alkohol sei des Teufels Gallenflüssigkeit, zischte er mit flackerndem Blick, und er sei von Gottes gefallenem Sohn nur zu einem einzigen Zweck auf die Erde gespien worden: uns Menschen zu gefügigen Kreaturen der Hölle abzurichten! Der Alkohol umspüle Hirne und Herzen leicht verführbarer Christenkinder, er weiche sie auf, durchtränke und zersetze sie, bis sie sich schließlich endgültig auflösten in einem stinkenden Sumpf von Sünde, Dummheit und Unzucht. Säufer und Schnapsbrenner seien nichts weiter als der durchseuchte Sud am Boden unserer Gesellschaft, raunte er verschwörerisch, das verbinde sie im Übrigen mit den Huren und Zuhältern, den Sozialisten und Muslimen, den Tierschützern und Diskothekenbesitzern und vor allem mit den Vertretern der sogenannten »Freien Pädagogik«. Die Vertreter der sogenannten »Freien Pädagogik«, meinte Direktor Priem und fuchtelte dazu mit einem abgekauten Bleistift in der Luft herum, hätten nämlich nichts Geringeres im Sinn, als das Schulsystem im Besonderen, das komplette Bildungssystem im Allgemeinen und darüber hinaus überhaupt alle vom Menschen erdachten und unter Fleiß, Mühe und Andacht errichteten Systeme zu infiltrieren, von innen her auszuhöhlen und zum endgültigen Einsturz zu bringen.

»Satan ist freier Pädagoge!«, schrie Direktor Priem mit sich überschlagender Stimme. »Und in Satans Adern fließt Schnaps!«

Sein Blick flirrte eine Weile durch den Raum, ehe er an dem kleinen Holzkreuz an der Wand hängen blieb. Priem sah zu Jesus hoch, Jesus sah zu Priem hinab. Irgendwie schienen sich die beiden zu mögen.

Nachdem ich das Zimmer unbemerkt verlassen und die Tür hinter mir zugezogen hatte, hörte ich sie noch eine ganze Weile leise miteinander plaudern.

Ich erwischte Max auf der Toilette. Seit Tagen hatte ich erfolglos versucht, ihn abzupassen, doch jetzt war es so weit. Wir gaben uns nicht die Hand. Wir sahen uns nicht an. Wir redeten aneinander vorbei, aber wir verstanden uns trotzdem. Wir würden uns auf dem Acker treffen. Am letzten Schultag, gleich nach der Zeugnisverteilung, um zwei Uhr nachmittags. Keine Waffen. Keine Weiber. Keine Zeugen.

Nachdem Max gegangen war, packte ich aus und ließ meinen Strahl hoch über dem Pissbecken gegen die verschmierten Kacheln plätschern. So hoch wie nie zuvor.

Der letzte Schultag war kühl und grau. Die Wolkendecke hing tief über der Stadt, nur hin und wieder löste sich ein kurzer Schauer und fegte die Straßen leer.

Die Grundschüler hatte man in elterlicher Feinarbeit zurechtgemacht und aufgeputzt. Überall rannten sie jetzt herum in ihren schwarzen Anzügen, den rosaroten Kleidchen und mit ihren akkurat frisierten Köpfen, aufgeregt durcheinanderzwitschernd wie zwergenhafte Erwachsene auf ihrer ersten Betriebsfeier. Die Größeren gaben sich entspannt und sahen aus wie immer. Die Lehrer stolzierten vor den Tafeln hin und her und hielten salbungsvolle Ansprachen, bevor sie endlich mit den Zeugnissen herausrückten.

Mit dem ersten Klingelton der Schulglocke begann die Massenflucht. Die Türen flogen auf, und mit einem einzigen, lang gezogenen Rülpser entleerte sich die Schule und spuckte ihren kopflosen Inhalt aufs Trottoir. Die Kleinen wurden von den Eltern empfangen, in die Autos verfrachtet und sofort in irgendwelche Urlaubsidyllen abtransportiert. Die Älteren bildeten aufgeregt schwatzende Grüppchen, die sich aber bald wieder auflösten. Einer nach dem anderen machte sich auf den Nachhauseweg. Vereinzelt konnte man in den umliegenden Straßen noch ein dumpfes Grölen oder ein spitzes Kreischen hören.

Ich stand alleine da, im Rücken das leise ächzende Schulgebäude und vor mir das Leben, mit dem ich noch nichts anzufangen wusste.

Ich ging einfach drauflos, schlenderte ziellos durch die Straßen. In der Hinterntasche knisterte mein Zeugnis, die amtliche Bescheinigung meiner Durchschnittlichkeit. Eine einzige Note tanzte aus der Reihe. *Soziale Kompetenz: mangelhaft* stand da fett und blau gedruckt.

Ich ging in einen kleinen Laden und kaufte mir ein Eis. Vielleicht sollte mich der Geschmack von Vanille an irgendwelche glückliche Zeiten erinnern. Zeiten, in denen ich noch in einer Ecke des Friseursalons gesessen hatte und Mädchen noch keine Rolle gespielt hatten.

Tat er aber nicht.

Um Punkt vierzehn Uhr betrat ich den Acker. Der Acker war im Grunde genommen gar kein Acker, sondern einfach nur eine weite, brachliegende Fläche hinter dem

Stadtrand. Flach, unfruchtbar und staubig. Vor vielen Jahren wollte man hier einen Flugplatz errichten. Damals stolperten haufenweise Investoren, Stadtväter und andere wichtige Leute über die Felder, gestikulierten wild, schrien durcheinander, breiteten riesige Pläne aus, vermaßen den leeren Raum, kauften den einsichtigen Bauern ihre Grundstücke ab und enteigneten die uneinsichtigen. Es war eine Zeit der Hoffnung und des Aufschwungs.

Bald aber kamen die ersten Zweifel. Außer der alten Bürstenfabrik und dem privat betriebenen Trompetenmuseum hatte unsere Stadt weder Industrie noch nennenswerte Fremdenverkehrsattraktionen aufzuweisen. Sie lag am räumlichen und geistigen Rande des Landes, fern von allen Verkehrsknotenpunkten, Entwicklungsflächen oder Naturschutzgebieten. Überregionale Politiker, die sich aus irgendwelchen Gründen in unsere Gegend verirrt hatten, mussten während ihrer Ansprachen vor dem Rathaus immer wieder auf Spickzettel schielen, um sich des Namens unserer Stadt zu entsinnen.

Eines Tages während der Rathausversammlung platzte es schließlich aus einem mutigen, weil schon ziemlich angeheiterten, Gemeinderatsmitglied heraus: »Wer zum Teufel braucht eigentlich einen beschissenen Flugplatz?«

Für einen Moment war es still in der Versammlung. Das mutige Mitglied stand leicht schwankend da, sah etwas beschämt in die Runde und setzte sich wieder.

Dann räusperte sich jemand, und mit einem Mal brach der Sturm los. Jeder versuchte die anderen zu überbrüllen. Man wollte wissen, wer denn eigentlich auf diese hirnverbrannte Flugplatzidee gekommen war. Wer denn diese ganze Geschichte zu verantworten hätte. Und vor allem, wo denn die vielen Investoren abgeblieben waren, die sich noch vor Kurzem in der Stadt und auf den umliegenden Feldern herumgetrieben hatten und denen man die Taschen und die Ärsche mit Steuergeldern vollgestopft hatte?

Niemand wusste eine Antwort. Also wurde ein Gemeindebediensteter angewiesen, Brötchen, Salzstangen, Wurst und Hühnerbeine in ausreichender Menge zu besorgen, vier Kisten Wein und zwei Flaschen Birnenbrand aus dem Keller hochzuschleppen, das Rathaus abzuriegeln und die Telefone abzustellen. Nun ging die Diskussion los.

Niemand wusste etwas, niemand wollte etwas gewusst haben, und schon gar niemand konnte etwas gewusst haben, da das Luftverkehrswesen im Allgemeinen und Flugplätze im Besonderen ja auch nicht in irgendjemandes Zuständigkeitsbereich gehörten. Niemand war zuständig. Niemand war verantwortlich. Da die Faktenlage also recht ungeklärt blieb, wurde es gemein. Vorwürfe wurden auf den Tisch geschaufelt, bissige Bemerkungen, durchsetzt mit persönlichen Beleidigungen, wurden hinterhergeschoben. Bösartigkeit machte sich breit.

Ein junges Bürschchen mit ehrgeizigem Blick und flaumigem Bart schlug vor, dass die alten Herren in der Runde vielleicht endlich mal ihre Gemeinderatssitze räumen und stattdessen die freien Plätze an den städtischen Rentnerstammtischen einnehmen sollten, woraufhin sich einige Grauköpfe anboten, der vorlauten Jugend gleich einmal den zarten Hintern mürbe zu prügeln.

Der schüchtern vorgetragene Vorschlag eines dürren Sozialisten, man möge aus Gründen der politischen und persönlichen Harmonie gemeinsam ein Lied anstimmen, die Landeshymne vielleicht oder die Stadthymne oder zur Not auch eine x-beliebige Schlagermelodie, ging im donnernden Hohngelächter unter.

Als der Bürgermeister seinen mächtigen Körper hochhievte und dem neben ihm sitzenden zweiten Kassenwart mit dröhnender Stimme empfahl, doch lieber seine blöde Fresse zu halten, da er sie ihm ansonsten höchstpersönlich mit ein paar Hühnerbeinen stopfen werde, blieb dieser relativ gelassen und erwiderte, dass es für den Herrn Bürgermeister vielleicht bitteschön ganz angebracht sei, auf seinem breiten Arsch sitzen zu bleiben, wo schließlich der ganzen Stadt, insbesondere aber der Frau Bürgermeister bekannt sein dürfe, dass ihr Gatte gar nicht mehr in der körperlichen Verfassung sei, irgendetwas zu stopfen.

Wütendes Geschrei.

Jemand machte sich, angefeuert von seiner Fraktion, auf den Weg in den Keller, um Nachschub zu besorgen.

Der dürre Sozialist hatte sich mittlerweile am Tischende aufgestellt und fing nun an, mit etwas öligem Timbre ein Kampflied zu singen.

Plötzlich ging alles schnell. Ein erhobener Arm. Eine rasche Bewegung. Etwas Dunkelrotes zischte glitzernd und gluckernd durch die Luft und zerplatzte an der Schläfe des Sozialisten. Eine Sauerei aus Glassplittern, Rotwein und Sozialistenblut. Gegenseitige Beschuldigungen. Halbherzige Beschwichtigungsversuche. Hasserfüllte Anfeindungen. Erste Handgreiflichkeiten.

Unter großem Beifallsgejohle kam der Nachschub. Zwei weitere Kisten Rotwein, vier weitere Schnapsflaschen, zweimal Birne, je einmal Pflaume und Marille.

Der Rest der Sitzung ist Legende, die Liste der daraus resultierenden Folgen lang und aufschlussreich: eine Anzeige wegen Beleidigung, drei Anzeigen wegen Körperverletzung, ein versauter Perserteppich, ein angeknackstes Tischbein, ein angeknacktes Jochbein, vier blutige Nasen, zwölf Krankenstandsmeldungen, eine Scheidung, zwei wechselseitige Parteiübertritte, drei Anträge auf vorgezogene Kommunalwahlen (abgelehnt), ein Antrag auf Aufstockung der Kellervorräte (genehmigt).

Die Sache mit dem Flugplatz wurde vertagt. Oder vergessen. Oder von anderen, dringlicheren tagespolitischen Themen verdrängt. Jedenfalls wurde nie wieder darüber gesprochen.

Und hinter der Stadt breitete sich wie eh und je der Acker aus, weit, flach, unfruchtbar und staubig.

Max war bereits da. Wie eine Vogelscheuche stand er mitten in der Ebene, schon von Weitem hatte ich seine blonden Haare im Wind flattern sehen und war auf ihn zugesteuert.

Wir standen uns ganz nah gegenüber und sagten nichts. Max schloss kurz die Augen. Öffnete sie wieder. Blinzelte. Zum ersten Mal fiel mir auf, wie lang seine Wimpern waren. Lang, in einem Bogen nach oben geschwungen und hellblond, fast durchsichtig.

Es begann wieder leicht zu nieseln. Der Boden unter unseren Füßen war weich und schmatzte bei jeder kleinsten Gewichtsverlagerung. In weiter Entfernung donnerte es leise. Max' Wimpern zitterten.

Ich schlug zu.

Meine Faust landete mit voller Wucht über seiner Schläfe. Sein Kopf wurde nach hinten gerissen, der ganze Oberkörper geriet ins Pendeln. Doch er hatte sich schnell wieder im Griff. Und jetzt war er dran. Er traf mich genau am Ohr. Ein stechender Schmerz. Ein heller, sirrender Ton. Ich wechselte den Arm und landete einen ungeschickten, aber kräftigen Hieb an seinem Nacken. Seine Antwort knallte mir direkt vor die Stirn.

Und so ging es weiter. Wir teilten einen Hieb nach dem anderen aus. Schlag auf Schlag. Keiner sagte etwas. Kein Wort. Kaum ein Ton. Wortlos und stumm prügelten wir aufeinander ein.

Plötzlich brach mit ungeheurem Getöse der Himmel auf. Es war, als ob alle Wolken auf einmal aufplatzten und ihren Inhalt über uns entleerten. Der Regen prasselte auf uns herab und spülte uns das frische Blut in schmalen Rinnsalen aus den verschwollenen Gesichtern. Der Donner polterte und krachte über uns hinweg. Es war stockdunkel, nur hin und wieder erhellte ein Blitz die weite Ebene, auf der wir als einzige Lebewesen standen und uns die heißen Köpfe einschlugen.

Keiner gab nach. Ein harter Hieb, ein schwerer Treffer nach dem anderen. Unsere Köpfe pendelten wie Punchingbälle hin und her. Mittlerweile waren wir knietief im Matsch eingesunken. Die Kleider klebten wie nasse Lappen an unseren Körpern. Oben spritzte das Blut, unten der Dreck, bis zum Kragen waren wir mit einer glibbe-

144

rigen Schlammschicht überzogen. Wir sahen fürchterlich aus. Wir waren fürchterlich. Ohne es zu merken hatten wir uns in grauenhafte Kreaturen verwandelt, urtümliche Geschöpfe aus den Tiefen der Erde, die nun zum ersten Male ans Licht gekrochen waren, Zwillinge der Dunkelheit, schlammgeborene Golems.

Allmählich ließen Präzision und Härte unserer Schläge nach, die Abstände dazwischen wurden immer länger. Und schließlich war es vorbei. Wir fielen gleichzeitig um, blieben nebeneinander auf dem Rücken liegen und sahen in den Himmel hoch. Schwarze Wolken rasten dort oben vorüber. Der Regen prasselte in unsere Gesichter. Die Wasserschnüre über uns schienen direkt in die Unendlichkeit des Weltalls hinauszuführen. Plötzlich spürte ich etwas an meiner Seite. Es war seine Hand. Sie kroch zu mir, schien mich zu suchen. Ich nahm sie.

Wir lagen da, hörten den Regen rauschen und den Himmel krachen. Wir spürten die aufgeweichte Erde unter unseren Hintern und die warmen Finger des anderen. Wir schlossen die Augen und ließen uns davontreiben, zwei Jungs mit geschwollenen Köpfen, auf dem Rücken und Hand in Hand in einem Meer aus Schlamm.

Die leichten Köpfe der Untoten

Vater war in den letzten Jahren ein bisschen wunderlich geworden. Kein Sonderling, kein Eigenbrötler, keiner dieser traurigen, halb vergammelten Freaks, in die sich manche Männer nach dem Tod ihrer Frauen verwandeln, aber eben doch ein wenig seltsam. Die Köpfe seiner Kunden betreute er nach wie vor mit der ihm eigenen, liebevollen, geradezu pedantischen Akkuratesse. Und er war ruhig, freundlich und zuvorkommend wie eh und je. In den Leerzeiten, die praktisch den Großteil des Tages ausmachten, saß er dagegen oft völlig regungslos auf einem kleinen Höckerchen und starrte zum Waschbecken, zum ehemaligen Arbeitsplatz meiner Mutter hinüber. Manchmal durchlief ein kurzer Schauder, ein kaum merkbares Zittern seinen Körper, dann setzte er sich in Bewegung und fing an, sich um seine Blumen und Pflanzen zu kümmern. Seit Mutters Tod hatte sich der Salon nach und nach in ein kleines Gewächshaus verwandelt. Überall standen oder hingen Vasen, Töpfe und Tiegel mit grünen oder bunten Auswüchsen. Auf dem Zeitungstischchen standen stets frische Schnittblumen aus dem Garten, neben den Spiegeln ragten farbenprächtige Orchideen aus hohen Vasen, auf dem Schrank mit den Haarpflegemitteln gediehen duftende Kräuter, und an den Wänden rankten sich Kletterpflanzen mit winzigen Blättern hoch. Sogar an der Decke verästelten sich die dünnen Ärmchen einer lindgrünen Pflanze. Es roch wie im Wald nach einem Sommerregen. An manchen Tagen dampfte es wie in einem Treibhaus, und an der Innenseite der Auslagenscheiben lief das Kondenswasser in schmalen Bächlein hinunter.

Die wenigen Kunden, die dem Salon treu geblieben waren, schien das nicht zu stören. Vielleicht tat die Feuchtigkeit ihren altersbrüchigen Bronchien gut. Ihr leises Rasseln und Röcheln, die ewige Melodie zu Vaters rhythmischem Scherengeklapper, war jedenfalls kaum noch zu hören.

Es war ein träger Sommertag, trocken und heiß. In unserer Gegend tat sich nicht viel. Die Leute, die es sich leisten konnten, hatten sich in ihre kleinen Autos gezwängt und in eine der unzähligen Staureihen eingeordnet, die als endlose, bunte Blechketten in allen Richtungen von der Stadt abstrahlten. Die Ärmeren oder Klügeren waren geblieben und lagen entweder daheim auf ihren Sofas oder am Grasufer des städtischen Rinnsals auf ihren Badetüchern. Im Schatten der Bäume hockten die Pensionäre wie müde Vögel, dösten vor sich hin und träumten von den guten Zeiten, die sie nie erlebt hatten.

Ich war den ganzen Tag unterwegs gewesen, hatte mich herumgetrieben und müde gelaufen, mich anschließend in die Straßenbahn gesetzt und war mehrmals die ganze Strecke abgezuckelt, von Endstation zu Endstation und wieder zurück. Ich hatte versucht, die Zeit zu dehnen. Aber jetzt war es so weit.

Die Glasstückchen am Kristalllüster klingelten leise, als ich eintrat. Vater saß auf einem Höckerchen und blätterte in einem seiner Friseurjournale. Freche Sommerfrisuren für jedes Alter, Bubikopf ist wieder im Kommen, rotblonde Strähnen für den Herrn, etwas mehr Mut bei Dauerwellen und so weiter.

»Ich gehe nicht mehr in die Schule!«, sagte ich.

Er hob den Kopf und sah mich an.

»Wie bitte?«

»Ich gehe nicht mehr in die Schule!«, wiederholte ich und verschränkte die Arme vor der Brust.

Doch plötzlich kam ich mir dämlich, ungeschickt und irgendwie kindlich vor, wie ich so dastand, mit meinen dünnen Armen vor der schmächtigen Brust.

Vater nickte ruhig, legte die Zeitschrift auf das Tischchen zurück und fing an, mit zärtlichen Fingern welke Blätter aus den Blumenköpfen in der Vase vor ihm zu zupfen.

»Und was willst du machen?«, fragte er.

»Weiß nicht«, sagte ich.

Er hielt die fein gewellten, hauchdünnen Blättchen gegen das Licht und sah sie sich eine Weile an. Eines nach dem anderen. Dann ließ er sie in seiner Schürzentasche verschwinden, zog stattdessen einen kleinen Kamm heraus und fuhr sich damit durch die wenigen verbliebenen Haare.

»Du kannst hier anfangen«, sagte er. »Das weißt du, oder?«

Ich nickte.

»Du kriegst ein volles Lehrlingsgehalt.« Er steckte den Kamm zu den Blüten in seiner Schürzentasche zurück. »Und ich bringe dir das Handwerk bei!«

Fast gleichzeitig wurden unsere Blicke abgelenkt. Auf dem Boden zu unseren Füßen bewegte sich ein kleines Haarknäuel in federleichten Hopsern Richtung Eingangstür. Wir sahen, wie es an der Fußmatte kurz hängen blieb, sich wieder löste und weiterhopste, bis es schließlich endgültig in der Ecke des Türrahmens Halt machte und leicht zitternd sitzen blieb.

»Was ist ein volles Lehrlingsgehalt?«, wollte ich wissen.

Er sagte es mir, ich nickte zögerlich, er legte noch einen Zehner drauf, ich nickte weniger zögerlich, wir gaben uns die Hand, und am nächsten Tag fing ich mit der Lehre an.

Die Aufgaben der ersten Monate waren überschaubar. Den Boden fegen, Spiegel, Kronleuchter und Auslagenscheiben putzen, die Pflanzen abstauben und wässern, vor den Kunden die Tür öffnen, hinter ihnen wieder schließen, Guten Tag, Wie geht es Ihnen, Auf Wiedersehen, Kaffee kochen, Kekse anbieten, mit einer kleinen Rosshaarbürste die Härchen von Blusen und Hemden entfernen, zur Bank rennen, um Wechselgeld zu holen, und so weiter. Es war erbärmlich, aber leicht. Und schon bald erklomm ich die nächste Sprosse auf der Karriereleiter. Ich begann mit dem Haarewaschen.

Es genügt nicht, die Haare einfach nur zu waschen. Die Haarwäsche ist ein ritueller Akt. Die Abläufe müssen genau passen, die einzelnen Arbeitsschritte und Handgriffe müssen fließend ineinander übergehen.

Leise plätschert der lauwarme Strahl. Mit einem schweren Ächzen lassen sich die Damen und Herren nach hinten kippen und ruckeln ihre grauen Köpfe im Waschbecken zurecht. Jetzt das Handtuch unter den Nacken, leicht anfeuchten, das lauwarme Wasser vorsichtig mit zarten Fingern auf dem Kopf verteilen, die Haare nach hinten legen, sie führen, streicheln, nicht ziehen, nicht reißen, kein Kneifen, kein Ziepen. Ruhige Bewegungen, zart und geschmeidig. Nun das Shampoo. Zur Auswahl stehen rosa oder grünlich, Pfirsich oder Apfel. In den Händen liegen die knöchernen Schädel, leicht wie hohles Holz. Die Finger durchwühlen ihre grauen Federn, verteilen das Shampoo, schäumen es auf, massieren es ein. Kreisende Bewegungen mit den Fingerkuppen. Immer die Kopfhaut mitbewegen, nie nur darauf herumreiben. Haaransatz vorne, Oberkopf, Schläfen, an den Ohren kurz verweilen, die Ohrläppchen kneten, zart, aber nicht zu zart, und weiter: Hinterkopf, Haaransatz hinten, absetzen, einatmen und gleich alles noch einmal von vorne. Die Alten stöhnen, murmeln, seufzen oder schnarchen. Man kann in Ruhe ihre Gesichter betrachten, die faltigen Truthahnhälse, die labbrigen Wangen, die fleckigen Stirnen, die Runzeln um die Augen, die bläulichen Adern an den Schläfen, die krummen Härchen an den Backenknochen, die winzigen Hautfetzchen, die sich von den Ohren lösen und in den Strudel des Waschbeckens fallen.

Jetzt wieder der lauwarme Strahl. Warm genug? Nicht zu heiß? Nicht zu kalt? Angenehm? Die dünnen Bächlein im Nacken und an der Stirn müssen mit zwei kleinen Handtüchern aufgefangen werden. Ein wenig trockenreiben. Nicht zu leicht. Nicht zu fest. Reiben, nicht rubbeln. So ist es gut. So ist es schön. Da lächeln sie, mit knirschenden Gebissen, während die Augäpfel unter den mürben Lidern hin- und herflutschen. Noch einmal Ächzen, Stöhnen, Seufzen. Dann ist es vorbei.

Benommen und wie in Zeitlupe rappeln sie sich hoch, schauen ein wenig glasig ins Leere und schlurfen mit knacksenden Gelenken und einem sachte wankenden Handtuchturm auf dem Kopf zu Vater hinüber.

Ein göttliches Luder, Shakespeare
und der Heilige Ernst

Nach der Arbeit kamen manchmal Max und Lotte vorbei. Wir trieben uns in der Gegend herum, gingen Eis essen, besuchten die heruntergekommene Einkaufspassage in der Stadtmitte oder setzten uns einfach auf einen Kinderspielplatz ganz in der Nähe des Salons und quatschten. Beziehungsweise: Die beiden redeten, und ich hörte zu. Meistens ging es um die Zukunft und die damit verbundenen Aussichten. Es war eine rosige Zukunft. Und glänzende Aussichten. Max schwadronierte begeistert vom Abitur, das er mit geringstmöglicher Kraftanstrengung bestehen wollte, von ausufernden Schulabschlussfeiern, unüberschaubaren Alkoholmengen und riesigen Haufen, die man Direktor Priem auf seinen Schreibtisch scheißen würde beziehungsweise mit denen man vielleicht sogar die ganze Schule zuscheißen würde, und zwar mitsamt komplettem Inventar, Hausmeister und Lehrermaterial. Bei solchen Vorstellungen konnte Max derartig in Fahrt geraten, dass ihm der Saft auf der Unterlippe perlte und er sich mit der flachen Hand die Schenkel grün und blau schlug vor Begeisterung.

Lotte tat entrüstet, kicherte aber mit. Ihre Vorstellungen von der Zukunft waren ein wenig weitsichtiger. Es ging um Reisen, gemeinsame Studien in fernen Ländern, Karrieresprünge, Villen, Swimmingpools und Himmelbetten, einen tennisplatzgroßen Esstisch und um eine vielköpfige Kinderschar mit offenen Mündchen und glänzenden Kulleraugen.

Jetzt kicherte Max.

Manchmal nahm Lotte ihre Brille ab, legte sie vorsichtig auf die Bank, lief zur Schaukel hinüber, setzte sich auf das morsche Holzbrettchen und begann wie wild auf- und abzuschwingen. Max und ich blieben sitzen und starrten zu ihr hinüber. Sahen, wie sie höher und höher flog. Der Rock flatterte mit dem Pferdeschwanz um die Wette. Die hellbraunen Beine glänzten in der Sonne. Eine Sandale löste sich und sauste durch die Luft, und die Chevrolet-Zehennägel leuchteten in der Sonne. Am höchsten Punkt jedes Vorwärtsschwunges juchzte sie. Ein kurzer, heller Ton in den Himmel hinaufgejubelt, danach ging es wieder abwärts. Neben mir hörte ich Max leise schniefen.

»Schau dir dieses kleine Luder an!«, sagte er. »Dieses göttliche kleine Luder!«

»Ja«, sagte ich und lehnte mich möglichst souverän und entspannt zurück. Nur dieser merkwürdige Krampf in meiner linken Hand wollte sich nicht lösen, und meine Finger krallten sich in den Oberschenkel, bis der Hosenstoff knirschte.

Die Weinstube Zum Heiligen Ernst hatte ihre besten Zeiten lange schon hinter sich gelassen. Im Grunde genommen war sie nur noch ein versifftes Loch mit Theke. Sie lag an einer maroden Ecke direkt neben der Straßenbahnendhaltestelle. Im Gehsteig vor dem Eingang klaffte seit Jahren ein ausgespültes Schlagloch, in dem sich regelmäßig die Besoffenen auf ihrem Heimweg Knöchel, Knie und Hüften brachen. Doch niemand kam auf die Idee, das Loch zu stopfen. Es gehörte irgendwie dazu.

Die Eingangstür klemmte und ließ sich nur mit ziemlicher Gewalt öffnen. Drinnen war die Luft gesättigt von Rauch und Alkoholdünsten aller Art, dazu mischte sich an manchen Abenden der heiße, würzige Dampf einer dicken Bohnensuppe, die gleichzeitig das einzige Speiseangebot und die Spezialität des Hauses darstellte. Der Raum war klein und düster. Da die Fenster schwarz überstrichen und zudem auch noch von außen mit Brettern vernagelt waren, drang kaum Tageslicht ins Innere. Von der Decke hing eine blecherne Industrielampe mit verstaubter Glühbirne. An den niedrigen Wänden klebten bis unter die Decke uralte Filmplakate und vergilbte Zeitungsausschnitte. Die dunklen, fast schwarzen Bodendielen waren im Laufe der Zeit weich geworden wie ein alter Teppich und schienen die Geräusche der Schritte einfach zu schlucken. Ein paar Tische. Ein paar Stühle. Ein schiefer Garderobenständer. Alte Flaschen, in denen schiefe Kerzen steckten. Eine ungeheure Menge an Aschenbechern. Und die Theke.

Die Theke war das Prunkstück des Lokals. Ein riesiges Ungetüm, schwarz, speckig und abgegriffen. Eine Steilwand, oft bestiegen aber nie bezwungen, ein dunkler Fels, an dessen Fuß sich die abgestürzten Alkoholleichen schon zu hohen Haufen stapeln würden, hätte man sie nicht nach jeder Sperrstunde aufs Neue entsorgt.

Der Wächter dieses Massivs war der Heilige Ernst persönlich. Wie ein ausgedörrter, ziemlich verwachsener Baum ragte er hinter seiner Theke hervor und überblickte die Geschehnisse. Niemand hatte ihn diesen Platz jemals verlassen sehen.

Ich hatte die Weinstube nur zufällig entdeckt. Als ich bei einem meiner Spaziergänge nach Feierabend daran vorbeischlenderte, ging plötzlich die Tür auf, und ein verdorrtes Mütterchen torkelte ans Sonnenlicht. Sie machte ein röchelndes Geräusch, spuckte in das Schlagloch zu ihren Füßen und ging weiter. Wie ein vom Wind getriebenes Blatt segelte sie die Straße hinunter und verschwand hinter der nächsten Ecke.

Die Tür hatte sich nur kurz geöffnet, aber ich hatte einen schnellen Blick hineinwerfen können. Es war, als hätte sich ein Spalt in Raum und Zeit aufgetan, eine Luke in die Unterwelt, ein geheimer Eingang ins düstere Unterbewusstsein der Stadt.

Ich holte tief Luft und trat ein. Meine Augen brauchten einen Augenblick, um sich an die Dunkelheit im Raum zu gewöhnen. Ich bestellte einen Pfefferminztee und setzte mich damit an einen kleinen Tisch in der hintersten Ecke. Außer mir waren noch drei oder vier andere Gestalten da. Jeder saß alleine an einem Tisch und starrte entweder in sein Glas oder in die Kerzenflamme vor ihm. Es herrschte konzentrierte Ruhe, nur unterbrochen von gelegentlichem Räuspern, Schluckgeräuschen und dem Klickern von Feuerzeugen. Ich lehnte mich zurück und atmete aus. Wir waren Brüder im dunklen Mutterleib, trieben dahin in stiller Gemeinschaft, und doch jeder ganz für sich, im Schein seines eigenen Kerzenlichts.

Von diesem Tag an kam ich fünfmal die Woche. Jeden Tag zur gleichen Uhrzeit, nämlich abends um halb sieben, öffnete ich die Tür, trat ein, bestellte Pfefferminztee und setzte mich an meinen Tisch in der Ecke. Und jedes Mal hatte ich ein oder zwei kleine gelbe Heftchen bei mir. Jeden Tag ein oder zwei neue Theaterstücke.

Ich begann mit Tschechow. *Onkel Wanja. Drei Schwestern. Der Kirschgarten. Der Bär* und *Der Heiratsantrag.* In allen Stücken ging es irgendwie um Langeweile, Hoffnungslosigkeit, Stumpfsinn, Trägheit, Blödheit, unglückliche Ehen, noch unglücklichere Affären, um Verbitterung, Schulden, Suff und Schüsse aus untauglichen Pistolen. In der kalten Weite der russischen Steppe verdorrten die Leute wie trockengelegte Sumpfblumen. Es war eine einzige deprimierende Hölle.

Andererseits war alles lustig. Zum Schreien komisch. Zum Totlachen. In ihrer immerwährenden Verzweiflung sprühten Tschechows Figuren geradezu vor Witz. Wie Clowns über ihre viel zu großen Latschen stolperten diese Leute über ihre eigene Lebensunfähigkeit und gingen mit einem letzten Quietschen unter.

Danach nahm ich mir die anderen Russen vor: Gogol, Bulgakow, Ostrowskij, Gorki. Es war immer dasselbe: Suff, Leid, Tod, Verderben – und über allem ein wildes, raues Lachen wie ein winterliches Gewittergrollen.

Ich sprang über den großen Teich: O'Neill, Williams, Miller und so weiter. Die Amerikaner waren genauso versoffen, liebeskrank und todeslustig wie die Russen. Dafür war es meistens wärmer. Man trug kurze Hosen, spielte Baseball, und das Eis klirrte im Whiskeyglas und nicht unter den Füßen.

Dann die Skandinavier: Menschen auf der Suche. Zittrige Seelen in der schneebedeckten Einöde, explodierende Triebe in der Mittsommernacht. Strindberg war offensichtlich so etwas wie ein voyeuristischer Seelenklempner. Ibsen ein kompletter Spinner. Aber interessant.

Nach einem Ausflug zu den Schweizern (akkurat, unbestechlich, etwas moralisierend) und den Österreichern (durchgedreht, witzig, hasszerfressen) landete ich bei den alten Griechen.

Bei denen ging es richtig zur Sache. Da wurde nicht lange geredet, man schlug sich lieber gleich die Köpfe ein. Frauen wurden entführt, Städte erobert und abgefackelt, Mütter wurden beschlafen, Väter, Kinder und andere Verwandte umgebracht, man stieg in den Hades hinunter oder in den Olymp hinauf, pausenlos wurde gefeiert, gesoffen und herumgehurt. Atemlos saß ich in meiner verstunkenen Ecke und stolperte diesen verrückten Griechen hinterher, jeder Absatz eine neue Wendung, jede Seite ein neues Abenteuer, jedes Büchlein eine neue Welt.

Jetzt kam Goethe. Starker Dichter, doch vom Theater hatte er offenbar nicht so viel Ahnung. *Faust I* hatte ja noch Substanz. Doktor, Teufel, Gretchen und so weiter. Aber schon die Fortsetzung, *Faust II*, war nur noch ein wildes Durcheinanderwürfeln von allen möglichen Figuren. Jeder traf jeden zu den verschiedensten Zeiten und Anlässen, und dazwischen rannten die beiden Helden herum.

Goethes Kumpel Schiller hatte die Geschehnisse insgesamt besser im Griff. Alles sehr deutsch. Große Liebe. Große Helden. Großes Geschrei. Große Bürokratie.

Ich blieb noch eine Weile in Deutschland: Büchner, Lessing, Hauptmann, Kleist. Und vor allem Brecht. Dieser Brecht versuchte erst gar nicht, auf die Tränendrüse zu drücken oder die Leute mit moralinsaurem Geschwafel bei der Stange zu halten. Er erzählte einfach klipp und klar, was Sache war, und aus. Hätte er sich auch noch die ganzen Lieder gespart, wären die Stücke ziemlich perfekt gewesen.

Ein paar Italiener, Spanier, einige Engländer, zwei, drei Franzosen, ein verrückter Rumäne und so weiter. Stück für Stück, Seite für Seite, Schicht für Schicht blätterte sich die komplette Theatergeschichte vor mir auf. Es gab Chilenen, Portugiesen, Araber, einen Afrikaner, zwei Türken, drei Israelis, haufenweise Iren; es gab witzige Schweizer, verträumte Deutsche und Österreicher, die gar nicht österreichisch schrieben. Es gab alles. Die ganze Welt in ihrem bunten Irrsinn tummelte sich zwischen den Seiten dieser kleinen gelben Heftchen.

Eines Tages griff ich zu meinem ersten Shakespeare. Aus irgendwelchen Gründen hatte ich mir den alten Engländer bislang aufgespart. Aber jetzt war er dran.

Es war Montag, weit nach Mitternacht. Die Stimmung unter den Stammgästen im Heiligen Ernst war still und konzentriert. Eine Menge Alkohol war geflossen, eine Menge würde noch fließen. Ich hatte mir eben den dritten Pfefferminztee geholt, und eine angenehme Müdigkeit machte sich in mir breit. An der Theke rutschte einer der besoffenen Schweiger von seinem Hocker, plumpste hart auf den Dielen auf, murmelte eine unverständliche Entschuldigung, kroch wieder hoch und trank still weiter.

Ich holte *Was ihr wollt* hervor und begann zu lesen. Und schon nach etwa fünf Seiten war alles klar. Dieser Shakespeare war der Beste. Besser als Tschechow oder

Brecht. Besser sogar noch als die alten Griechen. Besser als alle anderen. Ich holte ein letztes Mal tief Luft, dann ließ ich mich fallen und tauchte ein in Illyriens verrückte Welt. Ich schlüpfte in jede einzelne Rolle. Ich wurde zum liebeskranken Herzog, machte mich als Haushofmeister zum Idioten, stolperte als versoffener Narr umher, kämpfte für das Glück meiner Schwester und gab mein Leben für das meines Bruders. Der Strudel riss mich mit, es gab kein Entkommen, keine Umkehr, kein Halten mehr. Es war ein Rausch.

Erst als ich die letzte Seite zugeschlagen hatte, atmete ich wieder aus. Meine Augen brannten. In meinem Kopf schwirrte es. Der Gastraum hatte sich ein wenig geleert. Der Schweiger saß einigermaßen sicher auf seinem Hocker. Zwei Männer hatten ihre Köpfe zusammengesteckt und brabbelten miteinander in müdem Flüsterton. An einem Tisch an der Wand hockte eine ältere Frau mit einer verfilzten Pelzmütze auf dem Kopf und starrte in ihr Likörglas.

Ich griff zum nächsten Stück: *Macbeth*. Wieder derselbe Strudel, derselbe Rausch, dasselbe Verlangen, es möchte nie aufhören, die Gier nach dem nächsten Absatz, der nächsten Seite, der nächsten Wendung. Ein rasender, taumelnder, atemloser Flug über die blutgetränkte schottische Hochebene, über deren Horizont am Ende der abgeschlagene Kopf Macbeths wie eine dunkle Sonne unterging.

Ich war erledigt. Fix und fertig. Fühlte mich wie durchgewalkt und ausgequetscht. Und großartig.

Am nächsten Tag war ich wieder da. Und am Übernächsten. Und am Tag darauf. *Romeo und Julia, Maß für*

Maß, Julius Cäsar, Coriolanus, Hamlet, König Lear, Der Sturm, und so weiter. Kaum klappte ich ein Heftchen zu, machte ich mich über das nächste her. Das letzte Stück war *Antonius und Cleopatra*. Die größte, traurigste und unerhörteste Liebesgeschichte der Welt. Als ich damit fertig war, klappte ich das Heftchen zu, legte meinen Kopf auf den biergetränkten Tisch und weinte zehn Minuten lang. Danach stand ich auf, tappte ein wenig benommen zur Theke, bezahlte vier Pfefferminztees und ging.

Draußen wurde es langsam hell. An der Haltestelle stand die erste Straßenbahn zur Abfahrt bereit. Hinter den Scheiben waren ein paar gesenkte Köpfe zu erkennen. Ganz vorne stand der Fahrer. Er hatte die Mütze hoch aus der Stirn geschoben, beide Hände in den Hosentaschen, und blickte müde seinem Zigarettenqualm hinterher. Ich machte mich auf den Nachhauseweg. Bald würden die Rollläden knattern und die Lüsterkristalle klirren. Es war Freitag. Der Tag meines ersten Haarschnitts.

Schnee, Staub, Blut und Bier

In den letzten Monaten hatte ich fleißig geübt. Nicht wie Vater an alten Ziegenfellen, sondern gleich an einem mit verschiedenen taiwanesischen Echthaarperücken bestückten Styroporkopf. Ich war weder begabt noch sonderlich interessiert, aber Vaters Begeisterung trieb die Sache voran. Unter seinen Anweisungen hatte ich mir Kammführung und Schnitttechniken antrainiert, hatte Lockenwickler angesteckt, Dauerwellen geformt, Strähnchen gefärbt, getönt, gepinselt, geklebt und geföhnt. Schließlich war ich bereit.

Vater hatte alles eingefädelt und vorbereitet. Frau Pawlik war die mit Abstand älteste Stammkundin des Salons. Jeden letzten Freitag im Monat kam sie pünktlich um acht Uhr morgens in ihrem klapprigen Rollstuhl angewackelt. Vater empfing sie für gewöhnlich schon vor der Eingangstür und schob sie an ihren Stammplatz direkt bei der Auslagenscheibe. Sie sprach nie. Kein einziges Wort. Trotzdem war alles klar: Schneiden, legen, föhnen, ohne waschen. Immer dieselbe Länge. Immer dieselbe Façon. Es war eine Abmachung, die Vater und sie vor Jahrzehnten ein für alle Mal getroffen hatten. Kaum saß die Alte vor dem Spiegel, schlief sie ein. Ihr Kopf kippte nach vorne, und sie fing an, leise im Schlaf zu ächzen.

Genau hier setzte der Plan ein. Das Risiko war gering. In all den Jahren war Frau Pawlik noch nie während des Haareschneidens aufgewacht, immer brauchte es ein paar Klapse auf den frisch ondulierten Hinterkopf, um sie zu wecken. Das würde heute nicht anders laufen.

Vater setzte sich auf den Nachbarstuhl, verschränkte seine Arme vor der Brust und nickte mir zu. Ich legte mir Frau Pawliks Kopf zurecht und glättete vorsichtig die dünnen, silbrigen Haare. Ein paar winzige, gelbe Pflanzenpollen hatten sich darin verfangen. Ich zupfte sie heraus und sah, wie sie gemächlich zu Boden trudelten.

Dann legte ich los. Es war keine Kunst. Oft genug hatte ich am Styroporkopf gesessen und Altweiberfrisuren eingeübt. Und genauso oft hatte ich meinem Vater bei der

Arbeit zugesehen. Die weißen Köpfe unserer Kundinnen waren außerdem keine Felder für Experimente. Hier war solide Arbeit gefragt. Frisuren, die keine Überraschungen boten, mit denen sich ihre Trägerinnen auskannten und die notfalls auch noch im Grab einigermaßen sitzen würden.

Ich begann die Spitzen zu kürzen. Langsam arbeitete ich mich voran, an der Stirn beginnend, über die Schläfen und weiter nach hinten zum Nackenansatz. Danach nochmals von vorne, noch ein paar Millimeter kürzer, lieber zu wenig als zu viel, nur kein Risiko eingehen.

Es lief problemlos. Fast langweilig.

Im Raum war es warm und still. Scherenklappern, Frau Pawliks leise ächzende Schlafgeräusche, hin und wieder ein unterdrücktes Gähnen meines Vaters und über allem das kaum hörbare Summen unzähliger, winziger Lebewesen im Dschungel der Salonpflanzen.

Aus den Augenwinkeln sah ich, wie sich Vaters Kopf schräg nach hinten neigte, wie er noch ein-, zweimal hochzuckte, bis er schließlich endgültig nachgab und mit leicht gequetschter Wange an der Kopfstütze liegen blieb.

Jetzt hatte ich meine Ruhe. Leicht wie eine ausgehöhlte Kokosnuss lag Frau Pawliks Kopf in meinen Händen. Darauf sausten Kamm und Schere kreuz und quer umher und ließen silbrige Haarspitzen zu Boden rieseln wie Schneeflöckchen im Dämmerlicht. Schön sah das aus. Ich musste an Shakespeares *Wintermärchen* denken. Für einen Moment sah ich Böhmens König über die verschneiten Ebenen seines Reiches stapfen. Gefolgt von einer Handvoll dumpfer Schäfer. Eine völlig idiotische Handlung im

Grunde genommen, aber mitreißend. Mit unerfüllter Liebe, Eifersucht, Verrat, mit Seestürmen vor Böhmens Küste, mit der Zeit, die persönlich auftritt und einfach sechzehn Jahre überspringt, einem versoffenen Landstreicher, einem menschenfressenden Bären und einem Haufen problematischer Königskinder.

Frau Pawlik begann sich zu rühren, entließ ein krächzendes Stöhnen, gefolgt von einem lang gezogenen, fast melodiösen Ächzen, ruckelte ein paar Sekunden lang ihren Oberkörper zurecht, sank noch etwas tiefer in sich zusammen und schlief weiter. Grau, klein, schief und bucklig. Und in diesem Moment erkannte ich ihn: König Richard der Dritte! Da saß er vor mir, der bucklige, lahme Bastard, die entstellte Frühgeburt, dieses traurige Kind von Gemeinheit und Verzweiflung.

Direkt vor meiner Schere erhob sich eine Haarsträhne, spitz und glänzend wie der Zacken einer Königskrone. Ich säbelte sie ab. Die kleine Unregelmäßigkeit, die dadurch entstand, glich ich aus, indem ich auch die Strähnen rundherum abschnitt.

Nebenan fuhr Vaters Kopf ruckartig in die Höhe. Ich sah, wie die Finger seiner linken Hand zuckten, wie er blinzelte und den Mund halb öffnete, scheinbar um etwas zu sagen.

Tat er jedoch nicht. Die Augen gingen zu, der Mund blieb offen, der Kopf senkte sich wieder. Er schlief.

Ich schnitt weiter an König Richards Haupt herum. Beziehungsweise meine Hände schnitten. Es war, als ob sich meine Hände, von einer geheimen Lust gepackt, selbständig gemacht hätten. Sie schienen mit mir nichts mehr zu tun zu haben, verfolgten ihren eigenen Weg. Und ich ließ sie laufen. Ich schloss die Augen. Ein schwerer, süßlicher Geruch lag in der Luft. Die Orchideen trieben aus. Von draußen drangen gedämpfte Kinderstimmen herein. Die Schule hatte wieder begonnen. Ich lachte halblaut auf. Das war vorbei! Ein für alle Mal. Die Stimmen zogen am Salon vorbei, wurden leiser, verschwanden.

Auf einmal merkte ich, dass sich das Scherengeklapper verändert hatte. Es klang jetzt heller. Schärfer. Lauter. Die Klingen schliffen nicht mehr weich aneinander vorbei, sondern schlugen hart und kraftvoll aufeinander ein. Und jetzt hörte ich das Keuchen der Männer, ihr unterdrücktes Fluchen, das Knirschen ihrer Lederhandschuhe an den um die Degengriffe verkrampften Fäusten, die Schritte ihrer Stiefel in Veronas heißem Straßenstaub. Es waren Mercutio und Tybalt. Romeos verrückter Kumpel und Julias rauflustiger Cousin.

Der Kampf war unerbittlich. Tybalt war stärker, Mercutio war schneller. Es war, als ob ein Affe um einen Bullen hopst. Die Haarsträhnen klebten auf den schweißnassen Stirnen, die sonnengegerbten Nacken glänzten, die Degen zischten mit einem singenden Geräusch durch die Luft. Funken sprühten. Staub wirbelte hoch. Aus den Fenstern der umliegenden Häuser hingen die Köpfe der Gaffer. Männer brüllten, Frauen kreischten, Kinder quietschten. Alles auf Italienisch natürlich.

Mercutio hatte sich einen Vorteil erarbeitet, hatte seinen Gegner leichtfüßig ausgetanzt und ein paar Mal böse erwischt. Tybalt schien die Luft auszugehen, schwerfällig stand er da, den Kopf zwischen die gewaltigen Schultern gepackt, die niedrige Stirn gesenkt wie ein Stier vor dem Todesstoß, und versuchte Mercutios Finten wenigstens mit dem Blick zu folgen.

Mit einer wendigen Körpertäuschung brachte Mercutio sich in Position und stach zu. Die Klinge fuhr durch das Oberschenkelfleisch wie durch Butter. Tybalt röhrte auf, knickte ein und knallte dumpf mit beiden Knien auf den Boden.

Der Kampf war aus. Ein einziger Schlag, eine gezielter Nackenhieb, ein letzter gerader Stich würde die Sache endgültig beenden. Es war still auf dem Platz. Die Leute schienen den Atem anzuhalten. Nur Tybalts raues, gebrochenes Keuchen war zu hören. Mercutios Blick flackerte. Der Degengriff unter seinen Fingerknöcheln knarrte leise. Tybalt schloss die Augen und senkte den Kopf. Da geschah etwas Merkwürdiges. Vielleicht war es die Eitelkeit, die Mercutio dazu trieb. Vielleicht aber auch einfach nur die Dummheit der Sieger. Jedenfalls drehte er sich um. Er wendete sich seinem Publikum zu, reckte die Brust nach vorne, streckte beide Arme in die Höhe und strahlte übers ganze Gesicht. Der Kerl wusste, wie man das Publikum bediente!

Prompt applaudierten die Leute. Wie die Verrückten klatschten, pfiffen und jubelten sie ihrem Helden zu.

Plötzlich kreischte jemand auf. Ein durchdringender Ton, der dieses ganze Jubelgeschrei durchbrach und für einen Augenblick über dem Platz zu schweben schien, wie der Warnschrei eines Tieres.

Doch er kam zu spät. Als Mercutio sich umdrehte, traf ihn der Hieb genau zwischen die Augen. Es gab ein hässliches Geräusch, ähnlich dem Knacken von morschem Holz. Sofort schoss Blut aus der Wunde, ein dünner, kräftiger Strahl. Er taumelte zurück, versuchte mit einer Hand sein Gesicht zu schützen und mit der anderen um sich zu schlagen. Aber er konnte nichts mehr sehen. Der Degen zischte sinnlos durch die Luft. Tybalt hinkte in einem weiten Bogen um ihn herum. Er war langsam, sein Blick war stumpf vor Schmerzen und Anstrengung, in seinem Schenkel klaffte ein tiefes Loch.

Doch schließlich war er da. Mit beiden Händen holte er aus und schlug zu. Es war ein verheerender Hieb. Das Leder über Mercutios Rücken platzte auf wie eine Wurstpelle. Darunter kam das dunkelrot glänzende Fleisch zum Vorschein. Mercutio sackte ein, kippte nach vorne und schlug hart mit dem Gesicht aufs Pflaster.

Die Leute tobten, ein paar Männer kamen auf den Platz gerannt, um Tybalt die Waffe zu entreißen, andere begannen wie wild aufeinander einzuschlagen, Frauen drückten ihre heulenden Kinder zwischen die Rockfalten, in den umliegenden Gassen näherte sich das Geklapper von Pferdehufen, Kommandos wurden gebrüllt, Degen gezogen, eine Wut, ein Geschrei, ein Lärm, ein unglaubliches Chaos in Veronas Straßen.

Mercutio öffnete den Mund.

»Was ist passiert?«, fragte er ganz leise, während ein dünnes Blutbächlein über sein Kinn lief. »Was ist mit meinem Kopf passiert?«

Seine Stimme klang ziemlich merkwürdig. Dünn, zittrig, gebrochen. Wie die Stimme einer alten Frau. Einer sehr, sehr alten Frau.

Es war Frau Pawlik.

Verona mitsamt seinen Geschehnissen verpuffte. Vor mir im Sessel saß die Alte und starrte in den Spiegel. In ihrem Gesicht wechselten in rasender Geschwindigkeit die Ausdrücke ungläubigen Erstaunens und starren Entsetzens. Sie sah fürchterlich aus. Ihr Kopf erinnerte mich an ein schlampig gerupftes Huhn. An ein von Heuschrecken zerfressenes Kornfeld. An das Hinterteil eines hautkranken Straßenköters.

»Was ist passiert?«, fragte sie noch einmal.

Ich begann zu stottern, erklärte, dass es nicht den geringsten Grund zur Besorgnis gäbe, dass das alles schon seine Richtigkeit habe. Ich erzählte etwas über neue Schnitttechniken, von Modewellen, die kommen und gehen, von Mut zu neuen Formen und so weiter. Doch nichts von alldem schien Frau Pawlik beruhigen zu können. Im Gegenteil. Ihr sonst eher gelbliches Gesicht lief scharlachrot an, und dann legte sie los.

Von einem gottverdammten Hundsfott war die Rede. Von einem grenzdebilen Halbaffen, dem man sein nussgroßes Hirn in einer wochenlangen Prozedur aus dem Schädel prügeln sollte, und zwar mit seinen eigenen Haarbürsten. Von einem Stück Dreck auf Beinen. Von einem psychopathischen Schwerverbrecher, den man kopfüber in einen Fleischwolf stecken und das Gehackte gleich hernach an die Kanalratten verfüttern sollte. Und so weiter.

Plötzlich stand Vater da. Mit einer Hand packte er mich am Kragen und zog mich einfach vom Stuhl weg. Die andere Hand legte er beruhigend auf Frau Pawliks zerrütteten Hinterkopf. Er sah mich nicht an. Er sagte nichts. Kein Wort. Stattdessen fing er an zu arbeiten. Stumm und konzentriert beackerte er das zerstörte Feld.

Ich zog meinen Kittel aus und hängte ihn an die Garderobe neben der Tür. Einer der Ärmel pendelte noch ein paar Augenblicke aus, als wolle er mir zum Abschied nachwinken.

Ich öffnete die Tür und schlich ins Freie. Die Sonne schien. Ein paar Kinder rannten mit wild schlenkernden Schultaschen auf dem Rücken vorbei. Ich ging um den Salon herum und öffnete das Hintertürchen zum Garten. Das Gras war dunkelgrün und saftig. Die Kräuter unter dem Baum und das Grünzeug in den Beeten wucherten. Ich ging quer über den Rasen zur Hecke hinüber, schob die dicht beblätterten Zweige auseinander und kroch hinein. Meine Kuhle war mir über die Jahre viel zu klein geworden. Kaum vorstellbar, dass ich hier noch vor gar nicht allzu langer Zeit gemütlich meinen Hintern zurechtruckeln hatte können. Jetzt hockte ich hier wie ein Truthahn im Spatzennest. Aber es war ruhig und ich war allein. Ich rollte mich so eng wie möglich zusammen, schloss die Augen und hörte dem zarten Rascheln der Blätter zu.

Gegen Abend wurde es kühl. Das Kreuz tat mir weh, die Beine, der ganze Körper. Ich kroch aus der Hecke und ging ins Haus. In der Küche saß Vater beim Abendessen. Der Tisch war für zwei gedeckt. Ich setzte mich zu ihm und begann meine Suppe zu löffeln. Sie war dick, heiß und würzig. Auf der Oberfläche schwammen winzige Kräuterschnipsel wie grüne Inseln in einem dampfenden Meer. Vater stand auf und holte zwei Biere aus dem Kühlschrank. Er knackte sie ein wenig umständlich auf und stellte sie auf den Tisch.

Es war das erste Mal. Und es veränderte alles. Plötzlich waren da zwei Männer. Saßen sich gegenüber. Tranken Bier. Schluckten mit hüpfenden Kehlköpfen. Stellten die eiskalten Flaschen mit einem harten Geräusch auf den Tisch zurück. Beugten sich wieder über die dampfenden Teller. Vater und Sohn.

Mein Herz klopfte wie wild. Der Stolz und eine seltsame Scham wühlten gleichzeitig in mir herum. Ich tippte die letzten Kräuterinselchen mit den Fingerspitzen auf und schob sie mir in den Mund. Vater legte seinen Löffel weg. Räusperte sich ausgiebig. Trank. Räusperte sich noch einmal.

»Du bist jetzt fast erwachsen …«, fing er an.

Ich nickte ernst und nahm einen tiefen Zug aus der Flasche.

»Bist eben kein kleines Kind mehr …«

Ich sah, wie seine Finger nervös am Flaschenetikett zupften. Die kleinen, feuchten Streifen knetete er zusammen und schnipste sie hinter sich auf den Küchenboden.

»Bist kein Kind mehr … und das heißt … du bist eben jetzt groß … oder zumindest schon größer …«

Er stockte. Ich spannte unwillkürlich die Nackenmuskeln an.

»Du weißt, wie sehr ich meinen Beruf liebe«, sagte er leise. »Ich bin Friseur. Und ich will nichts anderes sein. Ich werde als Friseur aus den Latschen kippen. Auf meinem Grabstein wünsche ich mir eine goldene Schere …«

Sein Blick senkte sich. Die kleine Ader an seiner Schläfe pochte.

»War nicht immer einfach …«, sagte er stockend, »seitdem deine Mutter …«

Er brach ab. Stille. Schlucken. Räuspern. Seine Finger an der Flasche. Die kleinen Papierfetzen unter seinen Nägeln. Die Kügelchen, die auf den Boden fielen und unter den Küchenschrank kullerten. Plötzlich gab er sich einen Ruck, lehnte sich zurück, verschränkte die Arme vor der Brust und sah mir direkt in die Augen.

»Lass uns die Dinge beim Namen nennen!«, sagte er forsch. »Du bist kein Friseur. Du wirst nie einer werden. Niemals!«

Ich sah ihn überrascht an. Damit hatte ich nicht gerechnet. Es lag weder Ärger noch Bitterkeit oder Enttäuschung in seinem Tonfall. Er schien klar und ruhig.

»Der Salon gibt sowieso nicht mehr viel her. Jedenfalls nicht genug für zwei. Die Frage ist nur …« Er machte eine kleine Pause, holte tief Luft, legte seine Hände auf den Tisch und beugte sich wieder nach vorne. »Die Frage ist: Was zum Teufel willst du machen?«

Ich spürte, wie mir das Blut ins Gesicht schoss. Die Stirn wurde heiß, die Ohren brannten. Das alles kam überraschend und schnell. Sehr schnell. Aber vielleicht war dies der entscheidende Wendepunkt. Die letzte Abfahrt auf der öden Autobahn meines Lebens. Ich durfte sie nur nicht verpassen. Ich versuchte, dem Blick meines Vaters standzuhalten.

»Ich will Schauspieler werden!«, sagte ich.

Eine Weile geschah nichts. Man konnte die Anspannung

im Raum spüren. Ein unsichtbares, fragiles Netz, das jedes einzelne Atom in der Küche mit allen anderen Atomen verband. Eine falsche Bewegung, und die Luft würde platzen und in winzigen Staubsplittern zu Boden rieseln.

Ich hörte, wie Vater durch die Nase ausatmete, ein lang gezogenes, leises Schnauben. Gleichzeitig fing er an langsam in sich zusammenzusacken. Gelenk für Gelenk. Wirbel für Wirbel. Muskel für Muskel. Jede Faser meines Vaters schien sich einzeln zu lösen und Richtung Boden zu sinken. Bis er wie ein nasser Sack im Stuhl hing.

»Scheiße«, murmelte er kraftlos.

»Ja«, sagte ich, »aber so ist es nun mal!«

Vater hatte mit dem Theater noch nie etwas anfangen können. Genauso wenig wie mit Oper, Tanz, Malerei oder anderen kulturellen Angelegenheiten. Er las Friseurzeitschriften oder Pflanzenlehrbücher, guckte sich hie und da einen Liebesfilm oder eine Volksmusiksendung an und ließ im Salon Stammkunden zuliebe die Schlagerhitparade laufen. Und jetzt das. Er kämpfte mit sich, versuchte sich einigermaßen aufrecht zu halten, die Fassung zu bewahren. Dabei konnte man förmlich zusehen, wie die Gedanken aufgeschreckt hinter seiner Stirn herumhuschten.

Ich saß geduckt da und stocherte mit dem Finger im leeren Teller. Ziemlich lange geschah nichts. Doch plötzlich stand er auf, ging zum Küchenschrank, holte eine verbeulte Mehldose aus dem obersten Fach und kippte sie über dem Tisch aus. Kleine Mehlwolken stiegen hoch, als er mit den Fingern in dem Häufchen herumwühlte. Zum Vorschein kamen ein paar zusammengerollte und sorgfältig in Plastikfolie eingewickelte Geldscheine.

»Ist nicht viel …«, sagte er mit einem verlegenen Lächeln, »aber für den Anfang wird es reichen«.

Er legte die Röllchen vor mich hin, setzte sich und zupfte wieder an seiner Flasche herum.

Ich saß da, dumm und gerührt, und konnte nichts sagen. Eine Weile starrten wir schweigend auf die Tischplatte. Schließlich nahm ich das Geld, steckte es ein und stand auf. Vater auch. Ich machte einen Schritt auf ihn zu und umarmte ihn ungeschickt. Ich spürte seine kleinen Hände auf meinem Rücken. Er roch nach Shampoo und Düngemittel. Wir klopften uns kräftig auf die Schultern, nickten uns zu, tranken unsere Biere aus, steckten die Hände in die Hosentaschen, sahen auf den Boden hinunter und gingen.

In meinem Zimmer hörte ich, wie er noch einmal leise in die Küche zurückschlich und mit seinem kleinen Handbesen das Mehl vom Tisch fegte.

Als die Leute fast etwas kapiert hätten

Kunst und Kultur hatten in unserer Stadt keinen hohen Stellenwert. Im Grunde genommen spielten sie in den Köpfen der Stadtobersten überhaupt keine Rolle. Nach der ganzen Aufregung um den Flugplatz hatte man sich wieder in die ledergepolsterten Gemeinderatssessel zurückgelehnt und sich der Tagespolitik gewidmet. So wie meistens in den letzten Jahrzehnten wurde über die Ausbesserung von Schlaglöchern diskutiert, über die ewig fällige Renovierung der Hermann-Conradi-Gesamtschule, die Verlängerung der Straßenbahnlinie um zwei Stationen bis vor die Haustür des stellvertretenden Bürgermeisters und die damit verbundene Errichtung eines beleuchteten Haltestellenhäuschens, über die von den Pensionärsdackeln von vorne bis hinten vollgeschissenen Parkanlagen, über Lärmschutzmauern rund um die städtischen Kindergärten und über Mittelkürzungen für das Altenheim bei gleichzeitiger räumlicher Erweiterung des städtischen Friedhofes. Manchmal wurde ein neuer Dienstwagen für den Bürgermeister genehmigt, oft eine einmalige Aufstockung der Kellervorräte und praktisch immer eine allgemeine Erhöhung der Diäten und Zulagen. Im Frühjahr debattierte man über Beschaffung und Aufstellung des Maibaumes, im Winter über die des Weihnachtsbaumes. Vor den Wahlen trieb man sich gerne draußen herum, durchschnitt bunte Bänder vor neu errichteten Ampelanlagen, hielt bewegende Reden an den Gräbern von Ehrenbürgern, verteilte Bonbons und Blumen in der Fußgängerzone, schüttelte alle greifbaren Hände und lächelte, bis die Wangen schmerzten. Nach den Wahlen wiederum war man damit beschäftigt, die Bürger von der ganz plötzlich gekippten Haushaltslage und der damit leider unmöglich gewordenen Umsetzung aller Wahlversprechen in Kenntnis zu setzen.

Man hatte also genug zu tun, da brauchte man sich die politische Laune nicht auch noch mit kulturellen Überflüssigkeiten zu verderben. »Kunst und Kultur sind die Hofnarren der Gesellschaft!«, pflegte der Bürgermeister bei allen möglichen Gelegenheiten mit schelmischem Unterton anzubringen. »Die Frage ist nur: Will man ein paar überbezahlte Clowns oder eine funktionierende Müllabfuhr?«

Diese Argumentation zog immer. Und der gerade eben noch euphorisch eingebrachte Antrag eines jüngeren Gemeinderatsmitgliedes auf Einrichtung einer Stadtgalerie, eines Literaturhauses oder eines Konzertsaales wurde einstimmig in die Mülltonne getreten, und man hatte wieder seine Ruhe.

Im Übrigen war die Stadt ja nicht völlig kulturlos. Ein paar Hofnarren hüpften noch. Zum Beispiel gab es das jährliche Sommerfest, ein politisch legitimiertes Massenbesäufnis mit bunten Volksmusikgruppen und glitzernden Schlagersängern auf der Freilichtbühne vor dem Rathaus. Außerdem gab es noch das Seniorentanzfestival, das allerdings darunter litt, dass jedes Jahr mindestens einer der Teilnehmer mit Herzinfarkt oder Schlaganfall aufs Parkett kippte. Und zur Adventszeit lud die Bürgermeistergattin zu ihrem legendären Punschempfang in den großen Rathaussaal, wo die Kinderblasmusikkapelle, der Kirchenchor und der pensionierte, angeblich einst in gewissen regionalen Radiosendungen recht bekannte und beliebte Sprecher und Rezitator Harald Tietze ein festlich-besinnliches Programm boten.

Hin und wieder leistete man sich ein öffentliches Kunstwerk, das unter lautstarkem Protestgeschrei an irgendeiner Ecke aufgestellt, und ein paar Wochen und einige Beschwerdebriefe später unter noch lautstärkerem Jubelgeschrei wieder abmontiert und beseitigt wurde.

Für das Theater blieb da nicht allzu viel Terrain übrig.

Die Volkshochschule mit ihrem Kasperltheater war praktisch das Flaggschiff der darstellenden Künste. Zudem gab es den Theaterverein der ehemaligen Straßenbahnfahrer (ThStrb e. V.), in dessen nunmehr fast fünfzigjähriger Geschichte es allerdings bislang zu keiner einzigen Aufführung gekommen war, da die Proben regelmäßig in weinselige Erinnerungsarbeit ausarteten. Die wackligen Herren saßen mit ihren vergilbten Uniformmützen auf den Köpfen in der ehemaligen Straßenbahnremise und sinnierten heftig trinkend über das Rattern, Klingeln und Quietschen ihrer längst verschrotteten Bahnen. Mit dem Theater wollte man sich beim nächsten Mal auseinandersetzen. Dazu kam es aber nie.

Und schließlich war da noch das Theater im Kellerloch.

Das Theater im Kellerloch lag in einer winzigen Seitenstraße gleich hinter dem Rathaus. Die Gasse war kurz, eng und dunkel. Links und rechts standen ein paar schiefe Laternen, von denen nur mehr eine einzige ihren schwächlichen Lichtkegel auf das Kopfsteinpflaster fallen ließ. Die Häuser waren abgewrackt und nur noch teilweise bewohnt. Hin und wieder saß eine rauchende Gestalt an einem der Fenster. Manchmal goss jemand seine Kakteen. Oft hörte man unartikuliertes Gebrüll aus einer der Wohnungen ins Freie dringen. Und nachts konnte man die Ratten zwischen den Mülltonnen herumhuschen sehen.

Das Theater lag in einem der ältesten Häuser. Man musste einen kurzen, funzelig beleuchteten Gang durchqueren und gelangte auf den Hinterhof. Über einer niedrigen Tür hing ein großes, buntes Schild: THEATER IM KELLERLOCH. Jeder Buchstabe war in einer anderen Farbe und mit ein paar schlampigen Strichen hingepinselt worden. Neben der Tür war ein kleiner, beleuchteter Guckkasten mit dem Monatsprogramm angebracht. Ganz oben stand in kritzeliger Füllfederschrift: *Auf die Bretter! Ins Licht! An die Rampe! Für Euch! Die Intendanz, Janos und Irina Podgacek.*

Das Ehepaar Podgacek war vor fünfundzwanzig Jahren in die Stadt gekommen. An einem verregneten Aprilvormittag tauchten sie plötzlich am Horizont auf, stapften quer über den Acker und betraten mit ihren löchrigen Drecklatschen das saubere Vorstadtpflaster. Janos zog einen hoch beladenen Handwagen hinter sich her, sein Körper war klein, gedrungen und kräftig, der Rücken gewölbt und breit wie das Heck eines Schiffes, der Kopf braungebrannt, runzlig und völlig kahl. Irina trug einen riesigen Rucksack auf dem Rücken, sie war ein gutes Stück kleiner als ihr Mann, aber fast ebenso kräftig. Auf ihrem Kopf wucherte das kurze, schwarze Haar nach allen Richtungen, an den Ohren baumelten riesige goldene Ringe.

Die beiden folgten einfach den Straßenbahnschienen und gelangten so direkt in die Innenstadt. Sie gingen ins Rathaus, grüßten freundlich den Pförtner und marschierten ohne Weiteres ins Büro des Bürgermeisters. Sie stellten sich mit einem etwas befremdlichen Akzent, doch deutlich verständlich, vor und wollten wissen, ob es denn in der Stadt schon ein Theater gebe. Wenn es nämlich noch kein Theater gebe, erklärte Janos, seien sie, das

Ehepaar Podgacek, bereit, eines zu eröffnen. Ein Theater stehe der Stadt zweifelsohne gut an, erst das Theater mache eine Stadt überhaupt zu einer Stadt, erst das Theater mache die Menschen überhaupt zu Menschen!

Ehe der Bürgermeister Luft holen konnte, um etwas zu entgegnen oder laut um Hilfe zu schreien, redete Janos schon mit ungebremster Energie weiter. Das Ganze lasse sich im Übrigen realisieren, erklärte er, ohne der Stadt ans Säckel zu gehen. Das heiße: keine Starthilfe, keine Subventionen, keine Haushaltsbelastungen. Das Einzige, was nämlich neben einem wachen Geist und einem offenen Herzen für ein ordentliches Theater benötigt werde, sei ein passender Ort. Genauer gesagt ein überdachter Raum für Bühne, Garderobe, Kostümschneiderei, Kulissenwerkstatt, Toiletten und fünfzehn Stuhlreihen, also für ungefähr hundert Zuschauer. Wenn die Stadt sich dazu hinreißen lasse, einen solchen Raum zur Verfügung zu stellen, so Janos, würden er und seine Frau Irina höchstpersönlich und eigenverantwortlich für dessen Ausgestaltung und Umwandlung in ein veritables Theater Sorge tragen, dafür garantiere er mit seinem guten Namen und, wenn es unbedingt sein müsse, auch mit seinem Arsch!

Der Bürgermeister schluckte. Doch in seinem schlauen Konservativenhirn sausten die Gedanken herum wie Flipperkugeln. Diese beiden Zigeuner in ihren dreckigen Schuhen waren ganz offensichtlich verrückt. Aber das waren in der heutigen Zeit sowieso alle, nur beanspruchten die meisten auch noch Geld dafür. Die hier nicht. Keine Starthilfe. Keine Subventionen. Keine Haushaltsbelastungen. Und ein derartiger Raum ließe sich bei den vielen leer stehenden Bruchbuden in der Stadt mit Leichtigkeit auftreiben und mietfrei zur Verfügung stellen. Wenn dabei schlussendlich vielleicht sogar eine kostenlose Sanierung herauskäme: warum nicht? Hundert Zuschauer bedeuteten immerhin hundert potenzielle Wähler. Und zur Not könnte man die beiden ja mit polizeilicher Gewalt und asylpolitischer Absicherung wieder dahin treiben, wo sie hergekommen waren. Im Kopf des Bürgermeisters machte es leise Bling!, und sein Gesicht strahlte plötzlich wie eine Jackpot-Lampe.

Und so wurden nur wenige Tage später den Podgaceks die Räumlichkeiten eines ehemaligen Kartoffellagers im Hinterhof dieser kleinen, dunklen Seitengasse gleich hinter dem Rathaus zugewiesen.

Die beiden begannen sofort mit der Arbeit. Sie rissen die alten Böden auf, setzten Dielen ein, kratzten den Dreck von den Wänden, verputzten kleine Risse, vermauerten große Löcher, flickten Rohre, verlegten Kabel, Fliesen und Teppiche. Ständig hörte man den Handwagen durch die Straßen holpern, beladen mit Ziegeln, Brettern, Toilettenschüsseln, Fensterrahmen, alten Fetzen, zerschlissenen Kleidern, verstaubten Vorhangstoffen und insgesamt über einhundert Stühlen in allen möglichen Größen, Formen und Zuständen.

Eines sonnigen Nachmittags stieg Janos auf seine kleine Leiter und nagelte das große, von Irina bunt beschriebene Schild über die Eingangstür. Dann stieg er runter, legte den Hammer in eine Ecke, spuckte die Nägel, die in seinem Mundwinkel hingen, aus, nahm seine Frau an den Händen und begann mit ihr zu tanzen. Es war ein wilder Tanz, den die beiden da hinlegten, beobachtet von ein paar gardinengeschützten Nachbarsblicken. Ein rasendes Umeinanderwirbeln, mit schlenkernden Armen und fliegenden Beinen, ohne Musik, nur begleitet vom aufgeregten Gurren der Hinterhoftauben und den spitzen Jubelschreien Irinas.

Und bereits am selben Abend fand die Eröffnungsfeier statt.

Alles, was wichtig war oder sich zumindest wichtig vorkam, strömte an diesem Tag in das neue Theater. Man nahm die von Irina auf einem Tablett angebotenen scharfen Schnäpse und Kümmelkekse entgegen und sah sich erstaunt um. Der ehemalige Kartoffelkeller hatte sich vollkommen verwandelt. Es gab einen Zuschauerraum für ungefähr hundert Leute, eine Bühne mit Vorhang und allem Drum und Dran, dahinter Garderoben, Fundus, Werkstatt und Schneiderei. Vieles schien noch ein wenig improvisiert; manches, wie zum Beispiel die Elektrik und die Warmwasserzufuhr, war überhaupt noch nicht fertig. Aber Warmwasser brauchte an diesem Abend sowieso kein Mensch, und das Licht der vielen Kerzen, die überall standen, verbreitete eine angenehme und sogar etwas geheimnisvolle Stimmung im Raum. Da außerdem der Schnaps auf Irinas Tablett glücklicherweise nie auszugehen schien, wurde die Veranstaltung ein voller Erfolg. Der Bürgermeister hielt eine Rede. Der Vizebürgermeister auch. Alle applaudierten, und danach gab es eine Führung. Die Leute stolperten aufgeregt durcheinanderplappernd in die Theaterschummrigkeit hinein, und Janos erklärte ihnen die Technik, die zwar zu diesem Zeitpunkt nur aus ein paar kalten Scheinwerfern und einem knarrenden Seilzug bestand, aber laut Janos schon bald das Wunder großer Illusionen zu vollbringen imstande sein werde.

Plötzlich stand Irina auf der Bühne. In ihren schwarzen Haaren flackerte das Kerzenlicht. Sie schloss die Augen und hob ganz leicht ihre Hände, die Handflächen nach oben geöffnet. Dann begann sie zu singen. Es war ein ganz leiser, tiefer Ton, nicht mehr als ein dunkles Zittern in der Luft. Doch der Ton wurde schnell lauter, schwoll an, breitete sich aus, verformte und verfärbte sich. Und jetzt waren es mehrere Töne, die gleichzeitig aus Irinas Mund kamen und sich wie ein Insektenschwarm überall im Raum ausbreiteten. Ein seltsames Summen, ein schwebender Singsang, unterbrochen von dunkel gurrenden Kehllauten. Sie fing an, sich zu bewegen. Ein leichtes Wippen auf den Zehenspitzen. Eine wiegende Bewegung mit den Händen. Ein Zucken der Schultern. Eine schnelle Drehung wie aus dem Nichts. Und noch eine. Und noch eine. Wie ein Kreisel begann Irina um die eigene Achse zu rotieren, immer schneller, immer wilder. Der Rock hob sich in die Waagrechte wie eine bunte runde Scheibe. Darunter kamen kurze feste Beine zum Vorschein. Trippelnd. Hopsend. Stampfend. Die Arme kreisten wie Schwunghebel, immer noch waren die Handflächen geöffnet. Der Kopf wurde in wilden Schleifen durch die Luft geschleudert und schien nur an ein paar losen Fäden am Rumpf zu hängen Die Augen waren geschlossen, der Mund weit geöffnet. Die Zunge glänzte rosig und Speicheltröpfchen zischten durchs Kerzenlicht. Immer schneller wurden die Drehungen. Gleichzeitig schwoll der Gesang an. Aber das war jetzt kein Gesang mehr. Es war ein Summen, Murren, Zischen, Grölen. Und dazwischen immer wieder kurze, spitze Schreie, wie die Rufe eines Raubvogels. Dann ein Heulen, eine Art trillerndes Wehklagen, begleitet von einem Stampfen, dass die Bretter nur so staubten, eine letzte, schnelle Drehung und aus.

Es war still im Raum. Alle standen mit offenen Mündern da und starrten auf die Bühne. Es war, als ob sich für die Leute für ein paar kurze Augenblicke eine Tür geöffnet hätte, eine Pforte in ein fremdes Land. In eine Welt ohne Fraktionszwänge, Schinkenhäppchen und Bundfaltenhosen. Für ein paar kurze Augenblicke schienen die Leute etwas kapiert zu haben. Etwas, das sie jetzt gerne behalten wollten, das ihnen jedoch schon wieder zu entgleiten begann. Und als schließlich gemeinsam mit den Mündern auch die Pforte wieder zuklappte, war alles vorbei. Auf der Bühne stand Irina mit hängenden Armen und gesenktem Kopf und keuchte. Applaus brandete auf. Man nickte sich gegenseitig die Anerkennung für diese seltsame Frau zu. Aber im Grunde genommen war man ganz froh, bei sich geblieben zu sein. Mit beiden Beinen im eigenen Land.

Die Feier ging bald darauf zu Ende. Die Leute stiegen die Theatertreppen hoch, legten die schnapsschweren Köpfe in die Nacken, sahen im Hinterhofviereck über sich den Ausschnitt einer sternenklaren Nacht und tröpfelten einzeln oder in kleinen Grüppchen auf die Straße hinaus.

Glockenläuten

Fünfundzwanzig Jahre später hing das Schild immer noch über dem Eingang. Ausgeblichen und an den Rändern schon etwas zerschlissen, aber immer noch bunt und leserlich. Es war heiß und stickig im Hof, auf einem Sims hoch über mir gurrten ein paar Tauben. Ich trat nahe an den kleinen Guckkasten neben dem Eingang heran und las das Monatsprogramm. Gespielt wurde jeden Tag, außer Montag. Vormittags gab es Kindertheater. Im wöchentlichen Wechsel liefen die Stücke *Roter Stiefel*, *Goldener Schuh* sowie *Frau Maus auf dem Weg zum Mond*. Abends gab es Theater für Erwachsene. Diesen Monat lief *Die Geschwüre des Sigmund Freud*. Das klang nicht uninteressant.

Im Glas des Guckkästchens konnte ich mein Spiegelbild sehen. Ich hatte mich in den alten schwarzen Anzug meines Vaters gezwängt, über die Jahre war der Stoff noch fadenscheiniger geworden, noch etwas speckiger am Kragen und ausgefranster an den Säumen, zudem verbreitete er einen stechenden Geruch nach Mottenkugeln und war an Ärmeln und Hosenbeinen deutlich zu kurz. Doch gerade deswegen schien mir dieser Anzug das dem heutigen Anlass genau angemessene Kleidungsstück zu sein. Er gab meinem Aussehen etwas Künstlerisches. Ich war ein Mann, der sich nicht um Mode schert, der überhaupt auf Äußerlichkeiten keinen Wert legt, sondern der sich einzig und alleine für die Strebungen der Seele interessiert. Um in dieser Sache einen weiteren Akzent zu setzen, war ich zuvor heimlich in den Salon geschlichen und hatte mehrmals tief in die große Brillantinedose gegriffen. Jetzt glänzte mein Kopf wie eine Weihnachtskugel, aber ich fühlte mich gut.

Über ein paar steile Treppen gelangte ich hinunter ins Foyer. Vier Tischchen mit Stühlen, eine winzige Theke, dahinter ein hoher Spiegel, an dessen Rändern unzählige Fotos und Glückwunschkarten steckten, an den Wänden ein paar elektrische Kerzenleuchter, in einer Nische eine lange Garderobenstange, das war alles. Es war schummrig und still. Ein dicker Teppich schluckte die Geräusche meiner Schritte. Es roch nach Staub und alten Kleidern. Auf einem der Tischchen lag ein verbeulter Hut, daneben ein riesiger, schwarzer Revolver. Vorsichtig nahm ich die Waffe hoch. Sie lag seltsam leicht in meiner Hand, viel zu leicht für ihre Größe. Ein Requisit, nichts weiter. Ich legte an, kniff ein Auge zu und zielte auf eines der Fotos im Spiegel. Es zeigte eine Ziege auf einem alten Holzkarren. Sie hatte eine breite Schärpe um den Hals, und in ihrem Fell waren Glöckchen und bunte Bänder eingeflochten. Ihr blöder Blick ging knapp an der Kamera vorbei und passte überhaupt nicht zu ihrem aufgetakelten Äußeren.

Ich krümmte den Zeigefinger und knallte sie ab.

Danach nahm ich mir die anderen Postkarten vor. Einem hoch aufragenden Alpengipfel pulverte ich die Schneekuppe von der Spitze, einem pechschwarzen Jazzmusiker pustete ich die Tuba aus den Händen, den beiden grinsenden Trachtenmädchen pfefferte ich ihre Mützen von den Köpfen. Ich spürte, wie mein Herz zu rasen begann. Immer erregter schoss ich in den Landschafts- und Gesichtsidyllen herum. Peng! Bumm! Peng!

Plötzlich stand dieser Mann da. Klein, kräftig und stumm. Janos. Mit einer einzigen schnellen Bewegung nahm er mir die Knarre aus der Hand und legte sie auf das Tischchen zurück.

»Was hast du hier zu suchen?«, fragte er leise und ruhig. Zum ersten Mal hörte ich diesen seltsamen Akzent, der wie eine dunkle Melodie unter seinen Worten lag. Ich hatte ihn nicht kommen hören, es schien, als wäre er aus dem Nichts aufgetaucht, völlig lautlos.

»Nichts!«, sagte ich.

»Dann hau ab!«

Sofort hatte ich den Impuls zu gehorchen. Einfach abhauen. Davonlaufen. Wegrennen. Nie wiederkommen. Aber auf einmal spürte ich etwas im Nacken. Knapp unter dem Haaransatz hatte sich plötzlich etwas festgesetzt und eingekrallt. Und das breitete sich jetzt aus. Weitete mir den Brustkorb, zog mir das Kreuz auseinander und quetschte meine Arschbacken zusammen, dass es nur so knackste im Steißbein. Das war die Sturheit.

»Nein!«, sagte ich. »Ich werde nicht abhauen!«

Janos hob die Augenbrauen. Seine Augen funkelten. Ein kurzes, überrschtes Aufleuchten.

»Ich will nämlich Schauspieler werden!«, fügte ich schnell hinzu.

Eine Stille breitete sich im Foyer aus, unendlich lange und bedrückend. Nur die Plastikknarre auf dem Tischchen knackste ganz leise.

»Gut«, sagte Janos. »Komm mit!« Er drehte sich um, ging zu der Garderobennische und öffnete eine unauffällige Tapetentür. Über einen kurzen, dunklen Gang gelangten wir in einen völlig schwarzen Raum, der hinten von ein paar bemalten Sperrholzplatten und vorne von einem schweren Vorhang begrenzt war. Hoch oben in der Dunkelheit unter der Decke waren schemenhaft Metallverstrebungen und die Umrisse von Scheinwerfern zu erkennen. Ein eigenartiger Geruch hing in der Luft. Staub. Holz. Farbe. Schweiß. Der Boden unter meinen Füßen knarrte. Ich musste an das schweißgetränkte Turnhallenparkett in der Schule denken. Obwohl es hart war, federte es doch die Schritte ab.

»Gibt's hier keinen Lichtschalter oder so?«, fragte ich und bemühte mich, möglichst viel Gelassenheit und vielleicht sogar noch eine Spur von ironischem Witz durchschimmern zu lassen. Aber meine Stimme hörte sich seltsam an. Ihr fehlte die Reichweite. Es war, als ob die Dunkelheit meine Worte einfach schluckte.

Außerdem antwortete niemand. Janos war weg. Genauso unvermittelt und geräuschlos, wie er vorhin aufgetaucht war, war er jetzt wieder verschwunden. Ich stand alleine in diesem schwarzen Loch.

Plötzlich ein Geräusch. Ein Surren. Ein Rascheln. Ein leises Rauschen. Der Geruch veränderte sich, das Raumklima kippte. Staub flirrte. Ein kühler Luftzug wehte mir ins Gesicht. Es war, als ob sich der ganze Raum öffnen würde.

Und das tat er auch. Ich kapierte, dass der Vorhang aufgegangen war. Nun war es wieder still. Ich blinzelte in den Zuschauerraum hinaus, konnte aber kaum etwas erkennen. Schemenhaft ragten die Stuhllehnen in die Dunkelheit. An einer Wand schimmerte ein kleines grünes Notausgangslicht, wie die Laterne eines unerreichbar weit entfernten Rettungsbootes mitten auf nachtschwarzer See. Ich machte einen zögerlichen Schritt nach vorne, das Knarren der Bretter hörte sich jetzt anders an. Überhaupt schienen jetzt alle Geräusche, die ich fabrizierte, kraftvoller zu klingen und weiter zu tragen, wie befreit.

Dann das Licht.

Es war, als ob die Sonne persönlich eine rechte Gerade ausgefahren hätte. Ein Volltreffer, genau zwischen die Augen. Ich taumelte ein paar Schritte in den Bühnenhintergrund zurück und kriegte nur mit Mühe die Augen wieder auf. In der ersten Reihe saß Janos. Er hatte die Hände hinter dem Nacken verschränkt, seine Beine auf den Bühnenrand gelegt und sah zu mir hoch.

»Fang an!«, sagte er.

»Mit was denn?«, fragte ich vorsichtig.

»Du willst Schauspieler werden – also spiel!«

Ich fühlte, wie sich alles in mir zusammenkrampfte und ich zu völliger Bewegungslosigkeit erstarrte.

»Was ist? Wir haben nicht ewig Zeit!«, sagte Janos. Seine Fußspitzen wippten ungeduldig auf der Bühnenkante.

Ich gab mir einen Ruck und stakste auf wackeligen Beinen wieder nach vorne. In der Mitte der Bühne blieb ich stehen, genau im Scheinwerferkegel.

»Ich könnte vielleicht ... den Lehrer ... aus der Möwe ... Tschechow ...«, stammelte ich.

»Fang an!«, knurrte Janos.

Ich kam mir idiotisch vor. Ein Trottel mit schweißnassem Rücken, erbärmlich und voller Angst. Aber ich fing an.

»Warum gehen Sie eigentlich immer in Schwarz?«, fragte ich schüchtern in die Leere des Raumes hinein.

»Lauter!«, brüllte Janos in der ersten Reihe.

»Entschuldigung«, sagte ich erschrocken und räusperte mich. Der Bühnenstaub machte mir zu schaffen.

»Warum gehen Sie eigentlich immer in Schwarz?«, sagte ich etwas lauter.

Keine Antwort. Natürlich nicht. Bis zu diesem Zeitpunkt hatte ich nie gedacht, dass ich Tinka eines Tages vermissen würde. Glücklicherweise kam mir der geistesgegenwärtige Gedanke, ihre Rolle einfach mit zu übernehmen. Also sprang ich einen Meter zur Seite und drehte mich um.

»Aus Trauer um mein Leben. Ich bin unglücklich«, sagte ich mit weinerlicher Fistelstimme und sprang wieder zurück.

»Warum?«, fragte ich als Lehrer. »Ich verstehe das nicht … Sie sind gesund, und Ihr Vater ist zwar nicht reich, aber doch nicht unvermögend. Da habe ich es um einiges schwerer als Sie. Ich bekomme alles in allem dreiundzwanzig Rubel im Monat, und davon geht noch etwas für die Altersversorgung weg, und trotzdem trage ich keine Trauer.«

Sprung hinüber.

»Um das Geld ist es mir nicht zu tun«, säuselte ich. »Auch ein Armer kann glücklich sein.«

Und wieder ein Hopser zurück. Und so weiter. Ich sagte die kompletten Dialoge zwischen Medwedenko und Mascha auf, indem ich zwischen den beiden Rollen möglichst schnell hin- und herhüpfte, um nur ja keine ungefüllten Pausen entstehen zu lassen.

Schließlich war ich fertig. Schwer atmend blieb ich stehen und sah erwartungsvoll in den Zuschauerraum. Janos saß eine Weile regungslos da und starrte mich an. Dann wippten seine Fußspitzen wieder.

»Dieser Lehrer«, fragte er, »was ist das für ein Kerl?«

»Weiß nicht«, sagte ich. »Irgendein Lehrer halt …«

»*Irgendein* Lehrer reicht nicht!«, schnauzte er mich an. »Du brauchst *einen* Lehrer, du brauchst *deinen* ganz speziellen Lehrer!«

Ich schaute hilflos auf den Boden hinunter. Das Holz war ausgetreten, zerkratzt und rissig, überall blätterte die schwarze Farbe ab. In der ersten Stuhlreihe hörte ich Janos ungeduldig seufzen.

»Was unterrichtet er?«, fragte er.

»Vielleicht … äh … Mathe …«, stammelte ich. In diesem Moment musste ich an unseren Mathematiklehrer Hahnbüttel denken, einen alten, aufgedunsenen Mooskopf mit Lungenproblemen und schlechtem Atem.

»Oder lieber doch Geometrie …«, schob ich schnell hinterher. »Oder nein … er ist Zeichenlehrer! Genau! Zeichnen, Malen, Töpfern und so!«

Janos nickte zufrieden.

»Gut, weiter!«

»Was weiter?«

»Er zeichnet also. Was zeichnet er? Hühner? Abstrakte Formen? Nackte Weiber? Wen unterrichtet er? Kinder von Großgrundbesitzern? Kinder von analphabetischen Bauern? Kleine Kinder? Große? Dicke? Behinderte? Wie weit ist es bis zur nächsten Schule? Muss er einen halben Tag über dreckige Felder latschen, um dorthin zu gelangen?

Man muss bedenken, wir sind in der russischen Einöde! Regen! Schnee! Sturm! Matsch! Im Winter eisige Kälte! Im Sommer Mücken! Eine Trilliarde Mücken auf jeden Eimer Luft! Ist sein Gesicht zerstochen? Hat er aufgekratzte Pusteln auf der Wange? Eiterbeulen im Nacken? Furunkel im Arsch? Sind seine Hände gichtig? Seine Füße erfroren? Hinkt er? Schielt er? Oder ist er einfach nur wunderschön? Gut gebaut und kerngesund?«

»Ich glaube, er hinkt ein wenig …«, sagte ich schüchtern.

»Gut. Aber wieso kann er sich keinen Arzt leisten? Keine Medikamente? Keinen russischen Schamanen, der ihm die Knochen wieder einrenkt und die Furunkel aus dem Hintern kratzt?«

»Weil er kein Geld hat?«

»Nein!«, schrie Janos. »Weil er nicht genug Geld zu haben glaubt! Selbstverständlich könnte sich der Kerl einen Arzt leisten, immerhin ist er in diesem gefrorenen Sumpf einer der wenigen mit Festanstellung und Rentenabsicherung! Aber er will nicht! Er sitzt auf seinen paar Rubeln wie die Henne auf ihren Eiern! Und warum?«

»Um irgendwann heiraten zu können?«

»Richtig!«, brüllte Janos und sprang erregt auf. »Er will heiraten! Und zwar wen?«

»Mascha?«, fragte ich hoffnungsvoll.

»Bravo! Unsere kleine Mascha! Aber warum ausgerechnet die? Warum ausgerechnet eine Dienstmagd, die den ganzen Tag den Stallmist umschichtet und in der dreckigen Wäsche ihrer Herrschaft herumwühlt? Was will er ausgerechnet von ihr? Will er mit ihr interessante Gespräche über die jüngsten Erlässe des russisch-orthodoxen Klerus führen? Will er mit ihr zeichnen und malen? Schlittenfahren? Oder will er einfach nur vögeln?«

»Wahrscheinlich von allem ein bisschen«, meinte ich.

»Er will vögeln!«, schrie Janos. »Bumsen! Nageln! Ficken! Alles andere ist Draufgabe oder Mittel zum Zweck! Aber die Frage ist: Hat er schon einmal gevögelt? Hat ihn schon einmal ein Mädchen rangelassen?«

Er sah mich erwartungsvoll an. Ich zuckte mutlos mit den Schultern.

»Wir wissen es nicht«, sagte Janos und ließ sich wieder auf seinen Stuhl zurückplumpsen. »Aber wir können es uns denken. Das hier ist Theater. Was wir uns denken, wird zur Wahrheit. Und wir denken uns natürlich: Dieser arme, kleine, furunkelgeplagte Zeichenlehrer hat noch nie gevögelt! Kein einziges Mal. Nicht einmal andeutungsweise. Wen auch? In der russischen Steppe gibt es kaum Menschen, also auch kaum Frauen. Die wenigen, die es doch gibt, sind vergeben, zu jung, zu alt, inzestgeschädigt oder für die Großgrundbesitzer reserviert. Wir denken uns also: Diese Mascha ist für Medwedenko weit und breit die einzige Möglichkeit, die einzige und vielleicht letzte Chance auf einen ordentlichen Fick mit eventuell anschließender Familienbildung, richtig?«

»Richtig!«, bestätigte ich mit einem heftigen Nicken.

»Die Not ist groß! Er *muss* sie überzeugen. Er *muss* sie für sich gewinnen. Mit allem, was er hat. Das ist allerdings nicht viel, oder?«

»Dreiundzwanzig Rubel im Monat plus Altersversorgung.«

»Und einen Haufen Furunkel im Arsch«, ergänzte Janos. »Das ist alles.«

Allmählich begriff ich, worauf er hinauswollte. Der Lehrer nahm vor meinem inneren Auge Gestalt an, ich begann ihn zu verstehen, konnte ihm nachfühlen. Und ich glaubte schon, ein leichtes Brennen im Hintern zu spüren.

»Jetzt zu Mascha!«, befahl Janos. »Wie sieht sie aus?«

Sofort tauchte Tinka vor mir auf.

»Klein, breit, Riesentitten!«

»Titten wie Einkaufstüten oder wie Kirchenglocken?«

»Vielleicht eher wie Glocken?«

»Dann lass sie für uns läuten! Stell dir diese Glocken vor. Gib ihnen eine Form. Gib ihnen einen Charakter. Gib ihnen von mir aus Namen. Spiel den Lehrer, mit allem, was er hat. Spiel ihn mit allem, was *du* hast. Sein Talent ist dein Talent. Seine Not ist deine Not. Seine Schmerzen sind deine Schmerzen. Seine Geilheit ist deine Geilheit. Wenn er vögeln will, willst du es auch, verstanden?«

Ja, ich hatte verstanden.

»Gut, also jetzt alles nochmal von vorne. Du gehst in die Seitengasse, schließt die Augen und lässt dir Zeit. Es ist kalt. Tiefster russischer Winter. Du kommst von der Schule. Sieben Kilometer durch knietiefen Schnee. Der gefrorene Rotz hängt dir aus der Nase. Schneeflocken bleiben an deinem Nacken hängen. Die Kälte rinnt an deinem Rückgrat hinunter. Alles tut dir weh. Die Gelenke. Die Finger. Die Zehen. Vor allem der Arsch. Aber heute ist dein Tag. Heute willst du es wissen. Du willst die Glocken läuten hören. Für dich und immer nur für dich. Und da ist sie: Mascha. Los jetzt!«

Ich ging zur Seite ab und verzog mich hinter eine der Sperrholzplatten. Die Dunkelheit tat mir gut. Ich schloss die Augen. Versuchte mir die Kälte vorzustellen. Den russischen Winter. Den beißenden Wind. Den bleifarbenen Himmel. Tinkas Bild drängte sich in den Vordergrund. Ich musste es mit Gewalt verscheuchen. Eine andere Mascha tauchte auf. Auch klein. Auch gut bestückt. Aber mit einem Paar großer, glänzend grüner Augen, zwei Fleckchen Sommer in dieser ganzen weißen Kälte. Ich schüttelte mich, atmete tief durch und trat auf.

Ich watete durch meterhohen Schnee. Gleichzeitig hinkte ich und kniff den schmerzenden Arsch zusammen. Dazu schlug ich im schnellen Rhythmus die Arme um den Oberkörper und klapperte laut mit den Zähnen. Ich bibberte und zitterte. Ich ächzte und stöhnte. Ich tat mir so leid, dass mir fast die Tränen kamen. Doch da war sie: Mascha. Meine Frau. Mein Sommer. Mein Leben. Sie trug schwarze Spitzen. Ich konnte es deutlich sehen. Eine schwarze Spitzenbluse, die die prallen Körperwölbungen umspannte und hie und da weiße Haut durchschimmern ließ. Seltsamerweise schien sie nicht zu frieren. Sie stand einfach nur da und sah mich an. Streng. Unerbittlich. Grausam.

»Warum gehen Sie eigentlich immer in Schwarz?«, fragte ich sie. Das war keine normale Frage. Es war der Ausdruck all meiner Verzweiflung, Sehnsucht und Liebe. Ich presste den Satz aus meinem Herzen, Wort für Wort, Tropfen für Tropfen. Vielleicht klang das Ganze etwas gequetscht, vielleicht auch ein wenig irre, vielleicht war es gar nicht richtig verständlich. Es war mir egal. Ich war Medwedenko der Lehrer, ich hatte vereiste Füße, aber Feuer im Herzen. Und im Hintern.

Ich ließ mich auf die Knie fallen. Warf mich auf den Bauch. Umfasste Maschas derbe Schuhe. Begann zu weinen. Zu schluchzen.

»Warum?!«, heulte ich. »Ich verstehe das nicht ... Sie sind gesund, und Ihr Vater ist zwar nicht reich, aber doch nicht unvermögend. Da habe ich es um einiges schwerer als Sie ...!«

Ich fing an mich zu ihren Füßen im Schnee hin und her zu wälzen. Dabei musste ich die Orientierung verloren haben. Ich stieß an etwas Hartes. Es knirschte laut. Etwas über mir wankte bedrohlich. Begann zu kippen.

»Vorsicht!«, hörte ich Janos schreien. Zu spät. Der ersten Sperrholzplatte konnte ich knapp ausweichen. Die zweite verdunkelte den Scheinwerferhimmel und begrub mich unter sich. Die dritte, vierte und fünfte konnte ich nur noch hören. Krach! Rumms! Krach!

Danach war es still. Eine Weile lag ich in der Dunkelheit auf dem Rücken und traute mich nicht, mich zu rühren. Es roch intensiv nach Farbe und Holz. Angenehm eigentlich. Am liebsten wäre ich einfach so liegen geblieben. Für immer. *Seine letzten Worte waren Tschechows Worte. Sein Grab war das Theater.*

Da hörte ich ein leises Räuspern aus dem Zuschauerraum und erinnerte mich, warum ich eigentlich hier war. Mit Händen und Knien stemmte ich mich gegen das Gewicht über mir und krabbelte darunter hervor. Ich befand mich irgendwo ganz hinten, die umgekrachten Platten bedeckten die kleine Bühne fast zur Gänze. Eine schien in der Mitte durchgebrochen zu sein, von einer anderen ragte ein sanft zitternder Leinwandfetzen ab.

Ich stand auf, klopfte mir ein bisschen Staub von der Hose, legte eine Hand über die Augen und sah in die erste Reihe hinunter. Janos saß bewegungslos da. Seine Füße hatte er vom Bühnenrand genommen.

»Soll ich weitermachen?«, fragte ich zaghaft. Er kratzte sich am Kinn, ganz deutlich konnte ich das rhythmische Geräusch seiner Fingerkuppen auf den Bartstoppeln hören.

»Du kannst nicht gehen. Du kannst nicht stehen. Du kannst nicht sprechen. Und du hast unser Bühnenbild ruiniert«, sagte er und seufzte. Es war ein tiefer, schwerer Seufzer.

»Aber du bist lustig!«, fügte er hinzu. »Sehr lustig.«

Sah ich da ein Lächeln in seinem Gesicht? Oder war es nur der Schatten seiner Nase? Ich fühlte mich jedenfalls überhaupt nicht lustig. Ich fühlte mich schmutzig. Ruiniert. Am Ende.

»Ich mache dir einen Vorschlag«, sagte Janos. »Wir könnten hier ein bisschen Hilfe gebrauchen. Putzen, schrubben, schrauben, Karten abreißen, kaputte Bühnenbilder reparieren und so weiter. Wenn du möchtest, kriegst du den Job. Die Bezahlung ist saumäßig, dafür bekommst du Unterricht. Schauspielunterricht. Du lernst das Theater von der Pieke auf kennen. Was sagst du dazu?«

Erst sagte ich nichts, stand nur da und nickte stumm. Dann stammelte ich etwas Unverständliches. Dann nickte ich noch einmal. Dann kamen mir ein paar Tränen. Ich sah, wie eine mir davon den Nasenrücken hinunterlief, kurz an der Nasenspitze hängen blieb, sich mit einem zarten Zittern löste, ein letztes Mal im Scheinwerferlicht aufglitzerte und schließlich auf die Sperrholzplatte unter mir klatschte.

Janos stand auf und streckte mir die Hand entgegen. Ich bückte mich, um sie zu nehmen. Sie war warm, aber hart und rau wie ein Stück Holz.

»Du fängst morgen an!«, sagte er. Und jetzt lächelte er wirklich. Ein breites, offenes Lächeln, mit einer Menge Gold in den Zähnen. Er drehte sich um und blickte hinter sich in den Zuschauerraum hinein. Ganz hinten, auf dem letzten Stuhl der letzten Reihe saß Irina. Im Halbdunkel schimmerten ihre Ohrringe wie Janos' Zahngold.

Ein dreckig braunes Spanien

Noch am selben Nachmittag machte ich mich auf die Suche nach einer eigenen Wohnung. Ich war nun ein Mann in Lohn und Brot, ein Selbstversorger, ein Alleinverdiener, ein angehender Theatermitarbeiter und Schauspielschüler, also konnte ich unmöglich weiter im Zimmer meiner verflogenen Kindheit hocken bleiben.

Auswahl gab es genug, das Angebot war weit größer als die Nachfrage. In den letzten Jahren hatte sich die Stadt geleert wie ein löchriger Eimer. Nur der Marienmond und die städtischen Friedhöfe erfreuten sich immer höherer Zuwachsraten. Man konnte die Anzeigen im sonntäglichen Gemeindeblatt studieren oder einfach durch die

Straßen schlendern und sich direkt eine der vielen leer stehenden Wohnungen aussuchen, die an den verstaubten Fensterscheiben und den vertrockneten Geranien leicht zu erkennen waren.

Ich entschied mich für ein möbliertes Zimmer gleich in der Nähe des Theaters. Der Umzug erledigte sich innerhalb eines halben Vormittags. Die wenigen Habseligkeiten, die ich von zu Hause mitbrachte, passten in drei mittelgroße Kartons. Zwei davon waren mit Büchern vollgestopft, im dritten befanden sich meine Kleidungsstücke, das Waschzeug und ein heimlich entwendetes Brillantinetöpfchen.

Der Abschied war kurz. Vater wischte sich die Hände an seiner Schürze ab und lächelte schief. Machs gut, viel Glück, auf Wiedersehen, Kopfnicken, Händedruck, verlegenes Räuspern. Als ich auf die Straße trat, hörte ich hinter mir die Glaskristalle des alten Kronleuchters leise klirren.

Die Wohnung war winzig. Ein Zimmer, Bad mit Dusche, Kochnische, Ofenheizung. Das Klo befand sich draußen auf dem Flur und musste laut Mietvertrag mit den anderen Bewohnern meiner Etage geteilt werden. Da ich aber offenbar der einzige Etagenbewohner war, störte mich das nicht weiter. Ich konnte unbelästigt scheißen oder lesen.

Die Einrichtung bestand aus einem Bett, einem Tisch mit Stuhl, einem Kleiderschrank, einem fadenscheinigen Fleckenteppich und einer riesigen, topfartigen Vase, aus der ein verstaubtes Blumenstraußimitat aus Plastik ragte. Meine Kleider stopfte ich in den Schrank, und die Bücher stapelte ich in hohen, wackeligen Türmen entlang einer Wand.

Der Vermieter war ein kleiner Mann in blauem Arbeitsoverall namens Heribert Mohapp. Bei unserem ersten Treffen hatte ich ihn für den Hausmeister gehalten. Wie sich herausstellte, war er der Hausbesitzer. Überhaupt gehörten ihm jede Menge Häuser und Grundstücke in dieser »taubenverschissenen Drecksgegend«, wie er sich ausdrückte. Ich fand die Wohnung gut, der Preis stimmte, wir waren uns einig.

»Dienstag kommt die Müllabfuhr«, sagte Herr Mohapp, nachdem wir den Vertrag unterschrieben hatten. »Machen Sie keine Schwierigkeiten, und putzen Sie regelmäßig den Taubendreck weg, sonst ätzt er noch die Fensterbretter durch!«

Er übergab mir die Schlüssel, verabschiedete sich mit einem traurigen Blick und schlurfte hinaus.

Ich wartete, bis seine Schritte auf dem Flur nicht mehr zu hören waren, stellte mich mit dem Rücken zum Bett, schloss die Augen und ließ mich nach hinten fallen. Mit einem unangenehmen Geräusch brach eine Latte unter mir. Das Bett schaukelte ein wenig, blieb aber einigermaßen stabil. Die Matratze war angenehm kühl und weich. An der Decke über mir befand sich ein großer, dreckig brauner Fleck. Wahrscheinlich die Folge eines längst behobenen Wasserschadens. Hoffentlich. Wenn ich die Weltkarte aus dem Geografieunterricht noch richtig im Kopf hatte, entsprach der Fleck ungefähr den Umrissen Spaniens. Das gefiel mir. Irgendwann würde ich nach Spanien reisen, dachte ich, oder nach Amerika, nach Chile und nach Weißrussland. Irgendwann würde ich überhaupt überall hinfahren. Doch jetzt war ich erst mal hier. Ein Mann in seiner Wohnung. Auf seinem Bett. Unter seinem Wasserfleck. Ich hatte einen Job, etwas Geld in der Tasche, einen Brillantinetopf im Schrank und Hunderte Bücher an den Wänden. Das Einzige, was mir jetzt noch fehlte, war ein Mädchen.

Ich dachte an Lotte. Die Mondsichel auf ihrem Knie. Die Ohrläppchen. Das Glänzen ihrer Schenkel. Ich wühlte in mir wie in einer Fotokiste nach alten Bildern, um vielleicht doch noch einen Schmerz daraus hervorzukramen. Aber da war keiner mehr. Im Grunde genommen gönnte ich Lotte und Max die Zweisamkeit, die mir verwehrt geblieben war. Oder erspart. Es hätte sowieso nicht gepasst. Meine Verliebtheit war ein Strohfeuer.

In einem wohligen Anfall bäumte ich meinen Oberkörper auf und ließ ihn wieder zurück auf die Matratze plumpsen. Vor meinem Fenster landete eine Taube, trippelte ein bisschen hin und her, gurrte, hob die Schwanzfedern, schiss einen weißen Strahl aufs Brett und flatterte wieder ab. Für einen Moment legte sich ein goldener Glanz auf die Regenrinne gegenüber. Irgendwo hinter den Dächern verschwand langsam die Sonne.

Das Wunder funktioniert

Jeden Tag um zehn Uhr vormittags hatte ich im Theater zu erscheinen. Auf keinen Fall vorher. Meistens saßen
Janos und Irina schon an einem der Tischchen im Foyer
und starrten schweigend in ihre Kaffeetassen. Tiefe Falten,
schwere Glieder, runde Rücken, Augenringe, so breit und
schwarz wie Autoreifen. Niemals, auf keinen Fall, unter
keinen Umständen durfte man die beiden jetzt anspre-
chen. Das tat ich auch nicht. Stattdessen nutzte ich diese morgendliche Übergangszeit zwischen Tod und Leben,
um das Theater zu erkunden. Den kleinen Gang hinter
der Garderobennische hatte ich ja schon kennengelernt.
Er führte direkt zu einer der beiden Seitengassen neben
der Bühne. Alles war schwarz: die grob verputzten Ziegel-
wände, die schrägen Seitenvorhänge, die Haken und Ver-
strebungen an der Decke, der weich gummierte Läufer
am Boden, der jedes Schrittgeräusch schluckte. An den
hinteren Enden der Gassen gelangte man über schwere
Metalltüren in die Garderobenräume. Frauen und Männer getrennt, jeweils drei Stühle vor hohen, mit kleinen
Glühbirnen umrahmten Schminkspiegeln. Überall lagen
und standen Pinselchen, Bürstchen, Tiegelchen, Tuben,
Dosen und Töpfe. In einer Ecke lagen ein paar geköpfte
Champagnerflaschen, daneben ein Haufen Dreckwäsche.
Von einem hohen Wandregal starrten etwa zwei Dutzend
perückenbestückter Holzköpfe in den Raum. Drei weitere Türen führten zur Bühnenwerkstatt, zur Schneiderei und zu einer Art Aufenthaltsraum, einem winzigen

Zimmerchen, dessen einziger Einrichtungsgegenstand ein knarrendes Sofa mit zerschlissener Wolldecke war. Fast im ganzen Theater herrschte ein unfassbares Durcheinander, und über allem lag dieser spezielle Geruch, ein Gemisch aus Holz, Farbe, Kleister, Stoff, Schweiß, Puder, Schminke, Geilheit und Angst.

Ungefähr um halb elf begannen Janos und Irina draußen im Foyer aus ihrer morgendlichen Halberstarrung zu erwachen. Die Augenringe lösten sich auf, die Gesichter bekamen Farbe, die Blicke lösten sich von den Kaffeetassen, die Köpfe hoben sich schwerfällig. Es war, als ob das Leben jeden Morgen aufs Neue in die beiden Körper zurückkehren müsste. Ein mühsamer und schmerzhafter Prozess.

Gearbeitet wurde tagtäglich außer sonntags. Nachmittags wurde geprobt, abends und vormittags wurde gespielt. Die Kindervorstellungen begannen um elf Uhr, Einlass war Viertel vor. Wir hatten also eine Viertelstunde, um alles vorzubereiten. Janos kümmerte sich um die Technik. Das heißt, er wanderte mit einer Leiter auf und ab und kontrollierte die Scheinwerfer unter der Decke. Danach verschwand er in den Seitengassen, um probeweise die Musikanlage und den Seilzug für den Vorhang zu betätigen. Er kroch in der Bühnendekoration herum, zog hie und da eine Schraube nach oder klopfte eine verrutschte Sperrholzplatte gerade. Zum Schluss legte er auf einem Tischchen sorgfältig die Requisiten zurecht. Währenddessen kümmerte sich Irina um Kostüme, Perücken und Masken. Leise summend saß sie in der Schneiderei, stopfte Löcher, bürstete Felle, färbte Strähnen oder kratzte die Dreckkrusten von den Schminkdosenrändern.

Meine Aufgabe bestand darin, die beiden Kaffeetassen zu waschen und anschließend in einem Schränkchen in der Garderobennische zu verstauen. Danach ging ich gebückt zwischen den Stuhlreihen im Zuschauerraum hin und her und stopfte den Mist des Vortages in einen Müllsack. Die Wertgegenstände, Zahnspangen, Brillen, Spielzeugautos, Gebisse und so weiter, sammelte ich in einem zweiten, etwas kleineren Sack. Manchmal kam jemand, um sein Zeug abzuholen. Meistens nicht.

Pünktlich um Viertel vor elf öffnete ich die Tür. Im Hof lärmte fast immer schon das Publikum. Vorschulkinder in Begleitung der Kindergartentanten. Stadtrandkinder, Arbeiterkinder, Arbeitslosenkinder, verrotzte Gesichter, wackelige Milchzähne, zu rosigen Klümpchen geballte Fäuste.

Die Kinder wurden von den resoluten Tanten zusammengetrieben, polternd ging es die Treppe hinunter, ein Geschrei, ein Geheule, ein Gequietsche, darauf weiter in den Zuschauerraum, jeder suchte sich einen Platz, nicht stoßen, nicht drängeln, nicht spucken, die Großen nach hinten, die Kleinen nach vorne, die ganz Kleinen ganz nach hinten zu den Tanten.

Ich gab das erste Zeichen.

Dazu musste man einen unauffälligen Knopf im Schaltkasten an der Seitengassenwand betätigen. Sofort ertönte überall im Theater ein ohrenbetäubendes Klingeln, und das helle Stimmengeschwirr im Publikum schwoll an. Schlagartig stieg die Aufregung. Janos und Irina erschienen auf der dunklen Bühne. Auf dem Spielplan stand das Stück *Frau Maus auf dem Weg zum Mond*. Janos war Frau Maus, Irina der Mond.

Dann das zweite Zeichen.

Jetzt waren die Kinder kaum noch zu beruhigen. Hin und wieder erschien eine kleine, feuchte Hand unter dem Vorhang, manchmal auch ein glühendes Gesicht. Janos verscheuchte es mit einem staubigen Aufstampfen.

Das dritte Zeichen.

Gleichzeitig dimmte ich das Licht im Zuschauerraum runter. Aufgeregtes Kichern. Ehrfürchtiges Zischeln. Hinter mir das Rascheln des Mäusefells und das Knirschen der riesigen Mond-Styroporkugel. Janos nickte mir zu, und ich zog den Vorhang auf. Für einen kurzen Augenblick blieb die Bühne dunkel. Schließlich machte ich die Musikanlage an und fuhr die Scheinwerfer hoch. Frau Maus trat an die Rampe und legte los.

Und spätestens jetzt geschah das Unglaubliche: Das Wunder funktionierte. Janos war keine Frau und schon gar keine Maus. Er war ein älterer Mann, der seinen Körper in einen zerschlissenen Fellfetzen gezwängt hatte. Und natürlich war Irina kein Mond. An ihrem Kostüm blätterte die Farbe ab, außerdem rieselten bei jeder Bewegung ein paar Styroporteilchen von der Mondoberfläche. Das Bühnenbild war ein Witz, ein paar schiefe Sperrholzplatten, wie von einem besoffenen Surrealisten mit groben Landschaftsfantasien bekleckert. In der Musikanlage eierten die Bänder, und die alten Boxen schienen von innen herauszustauben. Hin und wieder knallte ein Scheinwerfer durch, manchmal sogar mehrere. Schon im ersten Akt begann die Schminke in den Gesichtern zu zerrinnen, spätestens nach einer halben Stunde glichen sie zerlaufenen Kinderaquarellen. Alles knarrte, knirschte und wackelte. Das Theater glich einem alten Kahn, der notdürftig zusammengezimmert aus morschem Holz, brüchiger Leinwand und fadenscheinigem Stoff seinem sicheren Untergang entgegenschipperte. Aber er ging nicht unter. Niemals. Jeden Tag pünktlich zu Vorstellungsbeginn wurde aufs Neue der Anker gelichtet, und es ging weiter auf schwankenden Planken über die raue See der Dramatik.

Das Theater war ein einziger Beschiss. Eine Lüge. Aber die Leute wollten belogen werden. Sie zahlten sogar Eintritt dafür. Sie zahlten dafür, sich von ein paar kostümierten Wahnsinnigen in einem ehemaligen Kartoffelkeller etwas vorgaukeln zu lassen.

Und auch die Kinder spielten mit. Das Licht ging an, Janos betrat die Bühne und fing mit morgenrauer Stimme an, das *Lied von der traurigen Maus* zu singen. Und schon mit dem ersten Ton war er verschwunden. Einfach weg. Es gab keinen Janos, hatte nie einen gegeben. Es gab keinen schlurfenden Schauspieler mit seltsamem Akzent, es gab keine blechern sirrenden Scheinwerfer, keine eiernde Stereoanlage. Und das hier war kein Theater. Das hier war die blühende Heimatwiese einer traurigen Mäusefrau! Dass diese Maus sich irgendwann auf die Socken machte, um den Mond zu besuchen, war geradezu eine Selbstverständlichkeit. Und dass ihr dieser Mond zufällig direkt vor die Füße plumpste und die beiden anschließend gemeinsam singend, tanzend und verschiedene Abenteuer erlebend im Weltall herumschwirrten, war sowieso nur mehr die logische Fortsetzung der Handlung.

Die Kinder glaubten alles. Mit glänzenden Augen starrten sie auf die Geschehnisse, die sich vor ihnen abspielten. Manchmal schrien sie vor Erregung, lachten, heulten, feuerten die Maus an oder beschimpften den Mond. Leuchtende Gesichter. Offene Münder. Geballte Fäuste. Das Wunder war ein Beschiss. Aber es funktionierte.

Liebe. Sex. Krankheit. Tod.

Der Unterricht fand viermal die Woche am frühen Nachmittag statt. Am Anfang stand Körperarbeit mit Irina. Sie saß im Schneidersitz an der Rampe, während ich in der Bühnenmitte stand. Ich trug meinen alten, hellblauen Trainingsanzug aus der Schule und kam mir seltsam vor.

»Geh hin und her!«, befahl Irina.

»Einfach so?«

»Einfach so!«

Ich begann auf der Bühne auf und ab zu gehen.

»Was fällt dir auf?«, fragte Irina nach einer Weile.

»Nichts«, antwortete ich wahrheitsgemäß.

»Du gehst wie Brett!« Manchmal kam es vor, dass sie ein Wort wegließ, verschluckte oder einfach vergaß. Eine Schlampigkeit vielleicht oder ein Relikt ihrer Herkunft. Anfangs fand ich das lustig. Später nicht mehr.

»Wie sehr, sehr steifes Brett!«

Ich bemühte mich elastischer zu gehen, bog das Kreuz durch, schwang die Arme, machte die Hüfte und die Knie weich, schlenkerte mit den Beinen.

»Hör auf damit!«, sagte Irina erschrocken. »Geh einfach

normal weiter. Geh weiter, aber horch in dich hinein. Was sagt Körper?«

Ich ging weiter und versuchte, in mich hineinzuhorchen. Ich glaubte, ein leises Glucksen in der Magengegend zu hören. Vielleicht noch ein Knirschen im Beckenbereich. Ansonsten: Funkstille.

»Schneller!«, sagte Irina.

Ich beschleunigte meine Schritte.

»Noch schneller!«

Ich fing an zu traben, zu laufen, zu rennen.

»Noch schneller!«

Ich legte einen Zahn zu. Wie ein Irrer tigerte ich auf der kleinen Bühne hin und her. Jedes Mal knapp vor den Seitengassen schliff ich mich ein und machte kehrt. Die Sohlen quietschten auf den Brettern. Kleine Staubwölkchen stoben auf. Hinten begann das Bühnenbild zu wackeln. An der Decke schepperten die Scheinwerfer. Noch eine Wendung. Noch eine. Und noch eine.

»Stopp!«

Wie aus weiter Entfernung drang Irinas Stimme zu mir. Ich sackte einfach zusammen und plumpste auf die Bretter.

»Was sagt Körper jetzt?«

Ich horchte. Meine Lungen brannten, die Oberschenkel glühten, die Seiten stachen, das Herz polterte zwischen den Rippen herum. Mein Körper erzählte eindeutig die Geschichte seiner eigenen Katastrophe, das Drama seines Niedergangs.

»Er sagt, dass er Schmerzen hat und nach Hause will«, keuchte ich.

»Wunderbar!«, freute sich Irina gut gelaunt. »Aber warum musst du erst wie Idiot rennen, um Körper zu verstehen?«

Ich zuckte mit den Schultern.

»Du hast zwei Möglichkeiten: Du kannst weiter Idiot sein. Oder du kannst ruhig bleiben, Ohren aufmachen und horchen!«

Damit stand sie auf, hopste in den Zuschauerraum hinunter und verschwand nach draußen. Offenbar war die erste Stunde beendet. Eine Weile blieb ich noch liegen, starrte an den Scheinwerfern vorbei in die Deckendunkelheit hoch und hörte zu, wie sich in mir langsam wieder das Schweigen ausbreitete.

Nach der Körperarbeit war Janos dran. Wir wollten an den Monologen arbeiten, die ich in langen Nächten beim Heiligen Ernst oder unter Spaniens feuchtem Landschaftsfleck auswendig gelernt hatte. Es waren große und bedeutende Monologe aus großen und bedeutenden Stücken: Hamlets Ringen um eine Entscheidung. Trigorins Arie des Selbstmitleids. Fausts Beobachtungen beim Osterspaziergang. Franz Moors grausame Mordgedanken.

Zu Beginn war Marc Antons berühmte Rede ans Volk dran. Wie bei unserer ersten Begegnung saß Janos mit hochgelegten Beinen in der ersten Reihe und ließ seine Füße an der Rampe wippen.

»Mitbürger! Freunde! Römer!«, rief ich und lauschte betroffen meinen eigenen Worten nach. Kurz war ich überwältigt von der Größe dieses Augenblicks. Da stand ich auf den blutbesudelten Marmorstufen des Kapitols, im Rücken die geschundene Leiche meines Kumpels Cäsar und vor mir die dumpfe Tausendschaft der römischen Bürger. Ich hörte ihr Zischeln, ihr Murren, ihr unwilliges Stöhnen, das beginnende Aufbegehren gegen diesen nicht vorgesehenen Redner. Eine einzige Handbewegung brachte sie zum Schweigen. Ich war streng. Ich war charismatisch. Ich setzte meine Rede fort.

»Hört mich an: Begraben will ich Cäsar, nicht ihn preisen! Was Menschen Übles tun, das überlebt sie, das Gute wird …«

»Was soll die Scheiße?«, unterbrach mich Janos.

»Wie bitte?«, fragte ich ein wenig irritiert.

»Du klingst wie ein Jammerweib! Wenn du eine Rede halten willst, dann halt eine Rede, und heul nicht theatralisch in der Gegend herum!«

Ich fühlte mich ungerecht behandelt.

»Aber wir sind doch im Theater!«, versuchte ich schüchtern einzuwenden.

»*Theater* heißt nicht *theatralisch*!«, brüllte Janos. »Das Theater ist dazu da, Märchen zu erzählen und dabei Wahrheiten zu übermitteln, verstehst du? *Wahrheiten*! Aber du machst den Mund auf und lügst! Jedes Wort ist gelogen! Jeder Ton ist falsch! Hätte dieser Marc Anton so wie du herumgeeiert, hätten ihn die Leute kräftig in den Arsch getreten! Los jetzt, noch einmal von vorne!«

Ich schloss die Augen. Kurz sah ich mich selber von der Bühne springen, über die Treppen hoch und auf den Hof hinausstürmen. Ich sah mich durch die Straßen rennen, hinaus aus der Stadt und weiter über den Acker, bis ich mich irgendwann auflöste im hellen Flimmern des Horizonts.

Ich machte die Augen wieder auf und fing von vorne an.
»Mitbürger! Freunde! Römer! Hört mich an …«

Ich sah das Buch zu spät. Es war eine Art Regie- und Alltagsbuch, das Janos oft bei sich trug, um sich Notizen zu seinen Inszenierungen oder zu seinen Einkäufen zu machen. Wie ein aufgeregtes Huhn kam es direkt auf mich zugeflattert. Ich konnte nicht mehr ausweichen, die Deckelkante traf mich frontal an der Stirn, das Buch klatschte zu Boden, ein paar Seiten schwebten wie ausgerupfte Federn durch die Luft.

»Aufhören!«, brüllte Janos.

Er war aufgesprungen, sein Kopf war hochrot, sein Wurfarm ragte immer noch direkt auf mich gerichtet in die Luft.

»Sofort aufhören!«

Ich rieb mir die schmerzende Stirn. In meinem Bauch gurgelte es jetzt wieder. Etwas Breiiges, Heißes stieg in mir hoch und pfropfte sich im Kehlkopfbereich fest. Janos setzte sich wieder. Legte die Beine hoch. Wippte mit den Füßen.

»Ich … wollte …«, sagte ich leise. Weiter kam ich nicht. Der Pfropfen löste sich, und ich fing an zu schluchzen.

»Gut so«, sagte Janos. »Man kann nie genug heulen auf dem Weg zur Wahrheit!«

Ich schniefte und spürte, wie mir die heißen Tränen in den Hemdkragen liefen.

»Machen wir weiter?«, fragte er nach einer Weile.

»Klar machen wir weiter!«, sagte ich trotzig und wischte mir mit dem Ärmel den Rotz aus dem Gesicht. Dann holte ich tief Luft und legte wieder los:

»Mitbürger! Freunde! Römer! Hört mich an …«

Der Kugelschreiber kam wie eine kleine Rakete auf mich zugeflogen. Doch diesmal sah ich es rechtzeitig kommen. Ein einfacher Seitenschritt genügte, und das Ding zischte knapp an mir vorbei. Ich hörte, wie es hinter mir mit einem satten Geräusch in der Bühnenbildleinwand stecken blieb. In der ersten Reihe leuchtete Janos' Gesicht wie eine Laterne. Und ich begann von vorne.

Abends gab es die Vorstellungen für Erwachsene. Fast jeden Monat kam ein neues Stück auf den Spielplan, allesamt seltsame Gebilde ohne klar erkennbare Struktur und Geschichte. Außer den chaotischen Aufzeichnungen in Janos' Regiebuch gab es keine Textvorlagen, vieles war improvisiert, und manches wurde überhaupt erst während der Aufführung erfunden. Es gab lose Vereinbarungen, ein paar wenige gemeinsame Haltepunkte, der Rest war aus dem Augenblick herausgestampft.

Meistens kamen Janos und Irina auf die Bühne und fingen an, sich Dialogfetzen um die Ohren zu schmeißen. Ein atemloser Schlagabtausch mit Worten und Sätzen, die sich aber schon nach kurzer Zeit verselbständigten und ihren eigentlichen Sinn wie einen zu eng gewordenen Mantel abschüttelten. Spätestens zu diesem Zeitpunkt begann auch der Akzent der beiden durchzubrechen, erst als kaum heraushörbare Lautfärbung, bald als seltsam eiernde Sprachmelodie und schließlich in Form immer härterer Artikulationseinbrüche. Schon etwa zehn Minuten nach Vorstellungsbeginn waren die beiden eigentlich nur mehr in Ansätzen zu verstehen.

Doch merkwürdigerweise verstand man trotzdem alles. Irgendwie schafften sie es immer wieder, eine Geschichte zu vermitteln. Dabei hoben die Geschehnisse regelmäßig ab, und die eben noch belanglos dahinplätschernde Handlung begann zu kippen. Ins Lächerliche. Ins Absurde. Ins Komische. Ins Tragische. Die Figuren wandelten sich innerhalb eines vernuschelten Halbsatzes, die Schauplätze wechselten mit einem kleinen Schritt, die Stimmung schlug mit einer einzigen Geste in ihr genaues Gegenteil um. Aus Banalitäten wurde Existenzielles. Plötzlich ging es um etwas: Liebe, Sex, Krankheit, Tod und so weiter. Die wenigen Zuschauer (es waren selten mehr als zehn) konnten erleben, wie sich aus dem scheinbar beliebigen Durcheinander ein tieferer Sinn herausbildete. Da saßen sie verstreut im Zuschauerraum und schauten mit feuchten Augen und offenen Mündern zu Sigmund Freud hoch, wie vor ein paar Stunden noch die Vorschulknirpse zu Frau Maus.

Und auch ich sah zu. Im dunkelsten Winkel der Seitengasse hockte ich jeden Abend auf einem umgedrehten Plastikkübel, sah diesen merkwürdigen alten Kindern beim Spielen zu und sehnte mich mit jeder einzelnen Faser meines Daseins danach, eines Tages selbst im hellen, warmen Scheinwerferlicht zu stehen.

Ein kurzer Flug

Ein paar Monate später lag ich an einem Sonntagnachmittag im Bett und starrte abwechselnd an die Decke hoch oder zum Fenster hinaus. Draußen schüttete es in Strömen. Das Wasser prasselte gegen die Scheiben und spülte die zentimeterdicke Taubendreckschicht vom Fensterbrett.

Fast hätte ich das schwache Klopfen an meiner Tür überhört. Ich hatte noch nie Besuch bekommen. Manchmal kam Herr Mohapp vorbei, das zählte nicht. Meistens öffnete er, ohne anzuklopfen, die Tür, sah sich misstrauisch im Zimmer um und fing an über allgemeine Preissteigerungen zu jammern, die von irgendwelchen Politikern zu verantworten seien. Von Politikern, so meinte er, denen er am liebsten ihre Schädel mit einem Vierkanteisen einschlagen und deren Inhalt an die Hoftauben verfüttern würde, wenn es nicht sogar diesen Drecksviechern grausen würde vor einem derartigen Fraß, und wenn es denn in so einem aufgeblasenen Politikerkopf überhaupt einen Inhalt gebe, aber es gebe ja eben keinen Inhalt, meinte Herr Mohapp weiter, gar keinen, nicht den geringsten, null, Vakuum, Leere, nichts!

Nachdem er derart den ersten Dampf abgelassen hatte, lief er dann noch eine ganze Weile mit flackerndem Blick und bebenden Nasenflügeln im Zimmer auf und ab. Irgendwann beruhigte er sich wieder, stand ein wenig verloren herum und versuchte sich an den eigentlichen Zweck seines Besuches zu erinnern, was ihm nie gelang.

Er verabschiedete sich jedes Mal mit einem freundlichen Händedruck und ging.

Wieder klopfte es. Ein leises, fast schüchternes Pochen. Ich wollte meine Ruhe, also hielt ich den Atem an und rührte mich nicht. Plötzlich hörte ich ein seltsames Geräusch, ein tiefes Gurgeln oder Aufschluchzen. Danach einen dumpfen Bums gegen die Tür, ein Schleifen, wie wenn ein schwerer Körper langsam zu Boden rutscht, dann Stille. Ich stieg aus dem Bett, zog einen schweren Theateralmanach aus einem der Büchertürme, um ihn notfalls als Waffe gebrauchen zu können, schlich zur Tür und öffnete sie vorsichtig.

Auf der Schwelle lag Max. Zusammengekrümmt wie ein Embryo lag er da und weinte. Seine Schultern bebten, der Rotz lief ihm aus der Nase, die Haare hingen ihm in nassen Strähnen ins Gesicht. Seine Kleidung war völlig durchnässt. Offenbar war er ziemlich lange durch den Regen gelaufen. Oder hatte in einer Pfütze gelegen. Ich ließ den Almanach fallen, fasste Max unter den Schultern und schleppte ihn ins Zimmer. Er heulte ununterbrochen und bibberte am ganzen Körper. Ich zog ihm die nassen Klamotten aus, die an seinem Körper klebten. Er stank nach Alkohol und Straßendreck, seine Augen waren rot und geschwollen. Ich schleppte ihn ins Bad und stellte ihn unter die Dusche. Zwanzig Minuten stand er regungslos darunter und ließ sich das heiße Wasser ins Gesicht prasseln. Dann kam er heraus, schüttelte sich wie ein Hund, kroch, ohne sich abzutrocknen, in mein Bett, zog sich die Decke bis knapp unter die Ohren und begann mit stockenden Worten zu erzählen.

Der Zustand seiner Mutter hatte sich in den letzten Wochen merklich verändert. Ihr ganzes Gehabe war noch seltsamer und geisterhafter geworden. Dabei schien es ihr nicht schlecht zu gehen. Nächtelang lief sie barfuß und mit einem immer ätherischeren Lächeln im Gesicht durchs Haus. Bei Morgengrauen saß sie auf dem Küchenboden und spielte mit ihren langen roten Haaren. Manchmal erkannte sie Max, nahm ihn kurz in den Arm oder boxte ihn auf merkwürdig burschikose Art auf die Schulter. Meistens allerdings ging sie mit einem freundlichen, aber doch höflich distanzierten Nicken einfach an ihm vorbei.

Die Nachmittage verbrachte sie nach wie vor an ihrem Fenster im ersten Stock. Ihr Blick war in die Ferne gerichtet, eine Hand spielte mit ihren Haaren, während die Finger der anderen Hand nach wie vor kleine Figuren und Formen in die Luft zeichneten, zart getanzte Linien. Das alles war ja nichts Besonderes, so ging das seit Jahren, und das war auch in Ordnung. Vor drei Tagen jedoch, so die bulgarische Reinigungsfrau, die im Nachbarhaus gegenüber die Fenster putzte, war etwas Fürchterliches geschehen. Martha hielt mitten in ihrer unsichtbaren Malerei inne, öffnete das Fenster und stieg aufs Fensterbrett. Ihr kleiner Körper passte genau in den hohen Rahmen. Sie legte den Kopf in den Nacken, schloss die Augen und lächelte in den Himmel. Der Vorhang und ihre Haare flatterten gemeinsam im Wind. Ein paar verirrte Sonnenflecken huschten über ihren weißen Hals. Schön habe das ausgesehen, meinte zumindest die bulgarische Reinigungsfrau, sehr schön und fast auch ein bisschen lustig, dieses flatternde Durcheinander dort drüben im Fensterrahmen.

Doch plötzlich öffnete Martha wieder ihre Augen, breitete die Arme aus und ließ sich nach vorne fallen. Für einen kurzen Moment habe es ausgesehen, als ob diese bunt flatternde Frau abheben, ihrem eigenen Blick hinterherfliegen und vielleicht irgendwo ganz weit hinter den in der Nachmittagssonne silbrig schimmernden Dächern verschwinden könnte. Aber es war eben wirklich nur ein kurzer Moment. In Wirklichkeit stürzte Martha wie ein Stein vom Fensterbrett und landete kopfüber auf dem Kiesweg. Ihre roten Haare lagen wie ein fein verwirrtes Fischernetz über ihrem weißen Gesicht. Sie sah entspannt aus. Ihre Augen waren immer noch weit geöffnet. Nacheinander spiegelten sich darin die bulgarische Reinigungsfrau, Max und der eilig herbeigerufene Notarzt. Bis sich schließlich eine Hand auf ihr Gesicht legte und ihr die Lider schloss.

Max' Oberkörper bäumte sich unter der Decke auf, sein Kopf zuckte auf der Matratze hin und her, seine Fäuste krampften sich zusammen. Ich überlegte kurz, dann kroch ich zu ihm unter die Decke, umklammerte von hinten seinen Oberkörper und schlang zusätzlich meine Beine um ihn. Er versuchte mich gemeinsam mit seinem Schmerz abzuschütteln, schlug und trat nach mir, warf den Kopf in den Nacken und erwischte mich mit Wucht an der Nase. Ich konnte es leise knacksen hören, in meinem Hirn zuckte ein kleiner, blendend weißer Blitz vorbei, ganz deutlich spürte ich den süßlichen Geschmack von Blut im Rachenraum. Aber ich ließ nicht los. Wie ein Affe hing ich an Max, die Finger vor seiner Brust verhakt, die Beine vor seinem Becken verschränkt.

Eine ganze Weile wälzten wir uns im feuchten Bett.

Dann, ganz plötzlich, verlor sein Körper die Spannung, er wurde ruhig und lag weich und schlaff in meinen Armen. Ich zog seinen Kopf an mich, spürte seinen heißen Atem an meiner Brust und hörte ihn ganz leise weinen.

Draußen dämmerte es allmählich. Der Regen prasselte immer noch schubweise gegen die Fensterscheiben. Eine riesige Taube setzte sich aufs Fensterbrett und verdunkelte das ganze Zimmer. Sie sah freundlich aus, allerdings auch ein wenig blöde. Sie legte den Kopf schief, nickte mir zu, wölbte ihre Nackenfedern, schlug ein-, zweimal mit ihren gewaltigen Flügeln und hob mit einem tiefen Rauschen ab.

Als ich aufwachte, war Max verschwunden. Draußen war es stockdunkel, es hatte zu regnen aufgehört. Aus einem der Hoffenster gegenüber drang das krächzende Husten einer alten Frau heraus. Das Bett war immer noch feucht und warm, in den Mauern rauschte es leise. Ich stand auf, ging ins Bad und schaute in den Spiegel. Ich sah besser aus, als ich vermutet hatte. Meine Nase war blutverschmiert und ein wenig geschwollen, im Großen und Ganzen schien sie jedoch heil geblieben zu sein. Ich ließ das Waschbecken volllaufen, tauchte das Gesicht ein, prustete ein bisschen herum, tauchte wieder auf und rubbelte mich trocken. Herrn Mohapps billige Wanduhr mit den Zeigern in Form von schweinchenfarbenen Frauenbeinen zeigte zehn nach vier. Ich zog ein Büchlein aus einem der Türme und verkroch mich wieder ins Bett. Es war Schillers *Wallenstein*. Ich hatte ja Zeit.

Fechten, tanzen, atmen, sprechen

In den nächsten eineinhalb Jahren wurde der Unterricht immer anstrengender. Doch ich machte Fortschritte. Ich lernte, in mich hineinzuhorchen und meinen Körper zu spüren. Mein Gang verlor die brettartige Steifheit und wurde elastischer. Die Arme hingen nicht mehr wie Fahrradschläuche von den Schultern, die Beine staksten nicht mehr unkontrolliert in der Gegend herum, und ich wusste fast in jedem Augenblick, in welchem Teil der Bühne ich mich gerade befand.

Einmal die Woche stand Fechten auf dem Stundenplan.

»Gut für Shakespeare und für Aggression!«, erklärte Irina und fing an, um mich herumzuhüpfen und mir so lange einen Holzstecken um die Ohren zu hauen, bis ich irgendwann lernte auszuweichen, zu parieren, eine Art Finte anzubringen und manchmal sogar meinerseits einen ungeschickten Treffer zu landen.

Zweimal die Woche wurde getanzt. Ich musste mir hautenge Leggins, ein lächerliches Turnleibchen und ein Paar mädchenhafte Gymnastikschuhe zulegen, dann ging es los. Am Anfang gab Irina verschiedene Bewegungen, Schritte und Figuren vor, und ich tapste hinterher. Später setzte sie sich im Schneidersitz an die Bühnenrampe und ließ mich alleine machen. Die Aufgabe war, Stimmungen, Gefühle, Gedanken und was sonst noch alles in mir steckte, tänzerisch auszudrücken. Ich fing mit einer rhythmischen Pendelbewegung des Oberkörpers an. Danach wirbelte ich mit den Armen windmühlenartig durch die Luft, warf den Kopf exstatisch hin und her und schlenkerte ausgelassen mit den Beinen.

Irina saß da und starrte mich mit versteinertem Gesicht an. Was ich damit ausdrücken will?

»Weiß nicht«, antwortete ich wahrheitsgemäß.

Irina seufzte und machte einen Vorschlag: Sie werde mir einzelne Befindlichkeiten oder Gefühlszustände vorgeben, und ich solle sie mit einem eindeutigen Bewegungsablauf darstellen.

»Freude!«, sagte Irina.

»Wie bitte?«

»Du sollst Freude ausdrücken!«

Ich überlegte kurz. Daraufhin fing ich an begeistert zu grinsen, riss die Arme in die Höhe und machte einen gewaltigen Ausfallschritt zur Seite. Eine Weile blieb ich erwartungsvoll in dieser ungemütlichen Haltung. Die Oberschenkel brannten, zwischen meinen Beinen knarrten leise die Hosennähte.

»Trauer!«, rief Irina mir zu.

Ich ließ Arme und Mundwinkel fallen, kippte nach vorne, robbte an den Bühnenrand und ließ den Oberkörper wie einen nassen Fetzen über die Rampe baumeln.

»Wut!«

Ich sprang auf, rannte mit voller Wucht gegen die Hinterwand und blieb daran kleben wie eine Fliege an der Windschutzscheibe.

»Angst!«

Ich rutschte an der Wand hinunter und krümmte mich auf dem Boden haltlos schlotternd in Embryostellung zusammen. Obwohl ich die Angst förmlich zu spüren glaubte und mir die ganze Sache obendrein doch ein bisschen peinlich war, fühlte ich mich nicht unwohl. Ich war auf einem guten Weg, dachte ich. Es würde ein steiniger Weg werden, einer mit Dornen, Stacheldrahtzäunen und Jauchegruben. Aber ich hatte die ersten Schritte gemacht, und nichts würde mich aufhalten. Noch lag ich in hautengen Strumpfhosen schlotternd in der hintersten Ecke eines Kellerlochs. Irgendwann würde dieser Weg zu Ende gegangen sein, und ich würde als fertiger Schauspieler das warme Licht der Bühne betreten.

Nach einer ziemlich langen Weile löste ich die Embryostellung wieder auf, kam hoch und blickte mich um. Irina war weg. Der Tanzunterricht war für heute beendet.

Mit Janos arbeitete ich weiterhin an Monologen und Szenen. Dazu kamen nun auch noch Stimmtraining und Sprechübungen. Bislang hatte ich keinen Grund gehabt, mit meiner Stimme unzufrieden zu sein, beziehungsweise war sie mir nie sonderlich aufgefallen. Meine Stimme gehörte einfach zu mir wie alle anderen Körperfunktionen auch. Erst Janos hatte mich auf einen gewissen quäkenden Unterton aufmerksam gemacht, der angeblich jede meiner Äußerungen begleitete.

»Du hast kein Volumen, keine Kraft und schon gar keinen Ausdruck! Du verschluckst das T, du verlispelst das S, und du vernuschelst das N, das G, das K und das L! Insgesamt hörst du dich an wie ein lungenkranker Esel!«

Wir begannen mit Atemübungen. Ich musste mich auf einen Stuhl setzen, den Oberkörper nach vorne über die

Knie baumeln lassen und seltsam gurgelnde Töne von mir geben: Aaaooooaaaah ... Ooouuuaaah ... Eeeiiinjaaah ...

»Die Stimme ist der Atem, und der Atem ist das Leben!«, erklärte Janos.

Danach sollte ich im Kreis auf der Bühne herummarschieren und bei jedem Schritt kräftige Laute ausstoßen: Pah! Poh! Poah! Pouh!

»In der Erde liegt die Kraft, und jeder Schritt öffnet eine Quelle!«, sagte Janos.

Oder ich stand einfach nur mit geschlossenen Augen da und versuchte, meinen Atem möglichst frei fließen zu lassen, ohne dabei mit meiner Aufmerksamkeit abzudriften. Manchmal sah ich kleine violette und gelbe Flecken in meinem Gesichtsfeld vorbeiwabern, gefolgt von winzigen schwirrenden Leuchtpünktchen.

»Der Atem ist der Fluss, auf dem die Seele reisen kann!«, meinte Janos.

Das Sprechtraining schien mir konkreter angelegt zu sein. Hier ging es um Artikulation und Intonation, um Vokale und Konsonanten, um kurz-offene und kurz-geschlossene, lang-offene und lang-geschlossene beziehungsweise um wechselnde Selbstlaute (A, E, I, O, U) sowie um Lippenlaute (P, B, M), Lippen-Zahnlaute (F, W, PF), Zungen-Zahnlaute (T, D, L, N), Zischlaute (S, Z, X, SCH, ST, SP) und Gaumenlaute (K, G, NG, NK). Das klang seriös und erinnerte mich ein wenig an den Unterrichtsstoff der Hermann-Conradi-Gesamtschule. Wir begannen mit dem A.

»Stell dir vor, du bist eine Rohr«, sagte Janos. »Oder besser noch: ein hohler Baum! Zieh den Klang und die Kraft aus der Erde, und lass dich durchströmen!«

Ich bemühte mich.

»Jetzt lies das!«, sagte er und schob mir ein offensichtlich von ihm selbst beschriebene Heftchen hin. »Lass dir Zeit, und vergiss zwischen den Sätzen das Atmen nicht!«

Ich nahm das vergilbte Heftchen und las: »Das Barthaar des mageren Knaben lag nach dem Kahlschlag auf der Fahrbahn.« Ich blickte ein wenig irritiert hoch, aber Janos befahl mir mit einem Nicken weiterzumachen.

»Tante Anna war acht lange Tage krank, dann starb sie am Schlaganfall.«

Atmen.

»Der pralle Narr nahm dramatisch Rache.«

Atmen.

»Abermals hatten Agnes und Amalia Angst vor dem Hasen gehabt.«

Atmen.

In den nächsten Wochen nahmen wir uns an jedem Unterrichtstag einen neuen Buchstaben oder eine neue Buchstabenkombination vor:

»Der muntere Bursche bewunderte die kugelrunden Muskeln des dummen Russen.«

»Sicherlich ließen die sieben wilden Biber die dicklichen Kinder kichern.«

»Feuchte Säuglinge heulen heute im Gemäuer der scheuen Bräute.«

»Die nörglerischen Nonnen nannten Nina nach und nach nur noch Nichtsnutz.«

»Sicher, der säumige Sepp sagte seltsame Sachen über seine sensible Susi.«

Und so weiter.

Ich übte auch zu Hause. Abends saß ich in meinem Zimmer, ließ meinen Oberkörper über die Knie hängen und gurgelte frei atmend vor mich hin. Oder ich ging im Kreis, versuchte die Kraft des Klanges aus dem Linoleum zu ziehen und meine Stimme darauf reiten zu lassen: Pah! Poh! Poah! Pouh!

Um einer von Janos' Hausaufgaben nachzukommen hatte ich mir vom Heiligen Ernst einen Sack alter Weinkorken besorgt. Ich steckte mir jeweils einen Korken in den Mund und sagte der Reihe nach alle Monologe auf, die ich mittlerweile auswendig konnte. Die Schwierigkeit bestand darin, den Brechreiz, den der Geschmack von billig zusammengepanschtem Rotwein auslöste, zu unterdrücken, den Korken fest zwischen den Zähnen zu behalten und trotzdem einigermaßen verständlich zu artikulieren.

»Müdbürga! Cheunde! Chömer! Höad müch an!«

Ich übte jede freie Minute. Morgens gleich nach dem Aufwachen, mittags, abends, an meinen freien Tagen. Noch im Bett sagte ich mit verklebter Zunge ein paar Zeilen auf. Auf dem Weg zum Theater machte ich hin und wieder einen kurzen Ausfallschritt und vollführte ein paar Finten gegen einen unsichtbaren Gegner. Während des Essens horchte ich bis ins tiefste Blubbern meines Magens hinunter, und sogar auf der Toilette hatte ich immer einen Korken dabei, um in der angenehmen Akustik der gekachelten Enge vor mich hinzusprechen.

Und langsam wurde ich besser. Der quäkende Unterton verlor immer mehr an Schärfe, bis er nur noch als leicht metallene Färbung unter meiner Stimme mitschwang. Ich vernuschelte das L nicht mehr, ich kaute nicht mehr auf dem G, und sogar das leichte Lispeln und Hölzeln beim S und beim SCH kriegte ich einigermaßen unter Kontrolle. Der wichtigste Fortschritt aber war, dass ich beim Sprechen nun auch zu denken angefangen hatte. Die Sätze wurden nicht mehr einfach so in den Raum hineingeplärrt, sondern fingen an, ihren eigentlichen Inhalt zu transportieren, egal, an wen sie gerichtet waren.

Janos saß in der ersten Reihe, hörte mir aufmerksam zu, wippte mit den Füßen und nickte.

»Mach weiter!«, sagte er.

Und das war das größte Lob, das man von ihm erwarten konnte.

Verheißung und Verderben

Große Dinge waren im Gange. Ungeheuerliches und Sensationelles lag in der von allgemeiner Erregung flirrenden Luft: Das Fernsehen hatte sich angesagt.

In unserer Stadt sollte ein Film gedreht werden. Und zwar nicht irgendein x-beliebiger Film. Kein zum Gähnen langweiliger Dokumentarstreifen über irgendwelche vom Aussterben bedrohten Nutztierarten, und schon gar kein verblasener Kunstschinken mit traurig dreinblickenden und ausschweifend daherphilosophierenden Kettenrauchern in Großaufnahme – nein, ein richtiger, echter und ehrlicher Unterhaltungsfilm sollte es werden! Einer mit nachvollziehbarer Handlung, schönen Dekorationen, pompöser Musik, einer Handvoll einigermaßen bekannter Schauspieler und überhaupt mit allem Drum und Dran.

Dementsprechend befand sich die Stadt in Aufruhr. Die Gespräche im Friseursalon drehten sich um nichts anderes mehr. Aber auch überall sonst gab es praktisch kein anderes Thema. In allen Läden und Geschäften, in öffentlichen Einrichtungen und Toiletten, in Büros, in Kneipen, in Lehrerzimmern, in der Fußgängerzone, im Marienmond und in den Kindergärten, überall wurde vom Fernsehen und den damit verbundenen Chancen, Möglichkeiten und Perspektiven gesprochen. Im Rathaus wurden Imagestrategien und Tourismuskonzepte erörtert, bis die Köpfe heißliefen, schließlich wollte die Stadt im rechten Licht wahrgenommen werden, beziehungsweise wollte überhaupt zum ersten Mal von irgendjemandem wahrgenommen werden. In der Hermann-Conradi-Gesamtschule wurde ein Schwerpunktmonat zum Thema »Medium Fernsehen« ausgerufen, in den Kindergärten bastelte man aus Klopapierrollen kleine Mikrofone und Kameras, und im Marienmond debattierte man aufgeregt über die zu erwartenden Stars, insbesondere über deren Frisuren, Titten und Ärsche.

Schließlich kamen sie. Ein ganzer Konvoi tauchte im silbrigen Morgenflimmern am Horizont auf. Licht- und Kranwagen, Equipment- und Garderobenwagen, Masken- und Cateringautos, Wohnmobile für die Schauspieler, ein ausrangierter Schulbus für die Komparsen und so weiter. Am Straßenrand standen mit leuchtenden Gesichtern und offenen Mündern die Stadtbewohner und winkten der kleinen Kolonne zu wie bei einer Staatsparade.

Nach der Begrüßung durch den Bürgermeister und

einem musikalisch ziemlich verrutschten Willkommens-
gruß der Kinderblasmusikkapelle verteilte sich das Filmteam auf alle verfügbaren Unterkünfte der Stadt, und
schon am nächsten Morgen begannen die Dreharbeiten.

Der Platz vor dem Rathaus wurde abgesperrt, eine rotgesichtige Aufnahmeleiterin rannte auf und ab und schrie
beständig in ihr Funkgerät hinein, der Beleuchtungschef
trieb mit heiser gebrüllten Anweisungen ein paar Jungs in
karierten Hemden an, die mit affenartiger Geschicklich-
keit auf hohen Gestellen herumkletterten, um Scheinwerfer und riesige Lichtsegel zu montieren. Schienen wurden verlegt, Kabel justiert, Keile gesetzt, Markierungen
geklebt, Tischchen mit Kaffee und belegten Broten aufgestellt, während die Schaulustigen sich neugierig hinter
den Absperrungen drängelten und um die besten Plätze
stritten.

Zwei schmächtige Burschen bauten die Kamera auf, ein
schwarzes, stilles Ungetüm voller Geheimnisse. Daneben
hockte der Tonmeister, der mit seinen gewaltigen Kopf-
hörern auf den Ohren wie eine fette Fliege aussah. Konzentriert drehte er an den Knöpfen seiner Tonanlage und
schien über ein dünnes Kabel einen brustschwachen Jungen zu dirigieren, der mit einer langen Mikrofonstange in
der Gegend herumstolperte.

Ein Raunen ging durch die Menge. Die Tür eines Wohn-
mobiles hatte sich geöffnet, und der Regisseur betrat das
Rathauspflaster. Es war ein älterer Herr mit einem müden Blick und einer schiefen, ziemlich künstlerisch anmu-
tenden Mütze auf dem Kopf. Langsam und mit watscheln-
dem Gang überquerte er den ganzen Platz, ließ sich in

den bereitgestellten Regiestuhl plumpsen und rührte sich nicht mehr.

Hinter dem Regisseur tauchten der Reihe nach auf: der Kameramann (groß, schlaksig, triefender Blick), der Produzent (winzig, feist, rosagesichtig), seine Assistentin (prall, bunt, dumm) und der Regieassistent, ein zartes Bürschchen mit leuchtend roten Haaren, blassblauen Augen und einem verzogenen Schnöselmündchen im schneeweißen Gesicht.

Dann ein weiteres Raunen, noch erregter, noch eindringlicher als das erste. Die Darsteller betraten die Szene. Zwei Damen, ein Herr. Nicht gerade die erste Riege, eigentlich nicht einmal die zweite. Im Grunde genommen musste man vielleicht sogar zugeben, die drei überhaupt noch nie in der Öffentlichkeit gesehen zu haben. Aber das machte nichts, denn sie waren schön. Schlanke Gestalten, aufrechte Körper, ebenförmige Gesichter und strahlende Blicke. Die Kostüme waren eine Sensation, figurbetont und farbenfroh. Die Frisuren saßen wie angekleistert, und die Schminke war fast lebensecht.

Nach stundenlangem Hin und Her, Gerede, Geschraube und Gerenne, hob der Regisseur plötzlich die Hand, die Zuschauer hielten den Atem an, und fast gleichzeitig mit dem unspektakulären Wort »Bitte!« fiel die erste Klappe.

Die Handlung war ungefähr folgende: Die unscheinbare, aber doch hübsche Claire verlebt ihre einsamen Tage als Angestellte einer kleinen Tierhandlung in einem unsäglichen Kaff (unsere Stadt). Die Tiere lieben sie, und sie liebt die Tiere. Da kommt ein junger Tierarzt nach langem Afrika-Aufenthalt heim. Die beiden lernen sich kennen, es gibt dramatische Verwicklungen, eine rachsüchtige Konkurrentin, freigelassene Tiere, einen dubiosen Pharmareferenten, große Enttäuschungen, tiefe Verletzungen, die Preisgabe eines intimen Geheimnisses, zwei schwere Faustkämpfe und eine berührende Aussprache mit nassen Haaren im schönen Licht unter freiem Himmel. Zum Schluss verlassen die Tierhändlerin und der Tierarzt mitsamt einem Haufen geretteter Tiere die Stadt, um ihr Glück anderswo zu suchen.

So weit die Handlung. Doch um die ging es eigentlich gar nicht. Das Fernsehen würde notfalls auch ohne Handlungen oder Inhalte auskommen. Das Fernsehen genügte sich selbst. Es strahlte von innen heraus, praktisch nur kraft seiner eigenen Existenz. Und an manchen Abenden, wenn sich nach spätem Drehschluss der Regisseur mühselig aus seinem Stuhl heraushievte und in Richtung Hotel watschelte, wenn sich die Szene nach und nach zu leeren begann und über allem der letzte Scheinwerfer abglühte, schien es fast, als ob sich etwas von der Strahlkraft des Fernsehens auf unsere Stadt legen und ihr einen zwar etwas matten, doch bleibenden Glanz verleihen könnte.

Mich ging die Sache nichts an. Ich war im Theater oder in meiner kleinen Wohnung und hatte mit dem ganzen Getue und Geschrei nichts zu tun. Nur manchmal schlich ich in größerer Entfernung um den Drehort herum und versuchte ein paar unauffällige Blicke auf das Geschehen zu werfen. Aber jedes Mal ging ich schnell wieder weiter. Alles zu seiner Zeit, dachte ich bitter und steckte mir einen Korken in den Mund.

Und diese Zeit kam schneller, als ich gedacht hatte. Ein paar Wochen waren schon seit dem Auftauchen des glitzernden Konvois am Horizont vergangen. Genauso lange hatte das Filmteam unsere Stadt in Atem und bei Laune gehalten. Von Orgien war die Rede, von ausufernden Saufgelagen, erotischen Übergriffen und nächtlich rhythmisch wackelnden Wohnmobilen. Man tuschelte über die hysterischen Anfälle der Schauspielerinnen, über die noch hysterischeren Anfälle der Schauspieler, über vulkanartige Wutausbrüche des Kameramannes, herzzerreißende Weinkrämpfe des Oberbeleuchters und exstatische Aufwallungen des Produzenten. Den Leuten schwirrten die faszinierten Köpfe. Man fühlte sich moralisch abgestoßen und gleichzeitig fast körperlich angezogen. In den Schlafzimmern der Stadt brannte es unter den gesteppten Bettdecken. Und die Gottesdienste waren besser besucht als zu Weihnachten und Ostern zusammen. Das Fernsehen schien alles in sich zu vereinen, Verheißung und Verderben, Himmel und Hölle.

Unsere Vorstellung an diesem Abend war ganz gut gelaufen, sieben zahlende Zuschauer, drei Vorhänge, freundlicher Applaus. Janos und Irina hatten sich bald verabschiedet und mir den Schlussdienst überlassen. Ich fegte die Bühne, sammelte die Requisiten zusammen, kümmerte mich um die Musikanlage, tauschte da und dort ein kaputtes Lämpchen aus, bürstete den Bühnenstaub aus den Kostümen, schraubte die Schminktiegelchen zu und putzte die Gläser und Tassen über der kleinen Spüle hinterm Ausschank. Danach setzte ich mich an eines der Tischchen und hörte dem Theater zu.

Man konnte die Räume atmen hören, das Knistern und Knarzen im Holz, das leise Ächzen des Metalls, das Gluckern in den Mauern. Ein großer, dunkler Körper, der sich zu recken und zu strecken beginnt, sich am Ende des Tages ganz langsam entspannt, Ziegel für Ziegel, Brett für Brett, Faser für Faser.

Plötzlich ging die Tür auf, und hintereinander kamen drei mittlerweile stadtbekannte Gestalten die schmale Treppe heruntermarschiert: der Produzent, der Regisseur und der kleine Regieassistent.

»Ist er das?«, wollte der Produzent wissen.

Der Regieassistent nickte. Der Regisseur stand einfach nur regungslos da und sah ziemlich fertig aus.

»Und was kann ich für euch drei Arschlöcher tun?«, fragte ich ruhig.

Eine Weile war es still im Foyer. Die Filmleute starrten mich an. Plötzlich zogen sich die Schweinsaugen des Produzenten zu winzigen Knöpfchen zusammen, und er fing an zu grinsen. Sein ganzes Gesicht begann zu zittern und zu wackeln wie ein rosiger Geleehaufen. Schließlich brach er in ein schrilles Gelächter aus.

»Das ist doch genau der kleine Scheißer, den wir brauchen!«, prustete er heraus.

Auch der Regisseur rührte sich jetzt.

»Die Sache ist die …«, sagte er mit einem müden Lächeln, »uns ist kurzfristig ein Darsteller abgesprungen …«

Schlagartig riss das Gelächter des Produzenten ab.

»Er ist nicht abgesprungen, er ist gekündigt worden!«, sagte er gefährlich leise.

»Entlassen!«, verbesserte ihn der Regieassistent mit

hochgezogenen Schultern und streberhaft erhobenem Zeigefinger.

»Entlassen! Gekündigt! Gefeuert!«, schrie der Produzent mit sich leicht überschlagender Stimme. »Abgebaut! Abserviert! In die Wüste geschickt! Ich habe ihm persönlich den Arschtritt verpasst, verstehst du? Höchstpersönlich habe ich ihm diese maßgeschneiderten Lackschuhe in sein verkniffenes Arschloch getreten!«

Mit beiden Händen hob er seine Hosenbeine hoch und entblößte ein Paar glänzend aufgeputzte Herrenschuhe.

»Und warum haben Sie das getan?«, wollte ich wissen.

»Das tut nichts zur Sache …«, zischte mich der Regieassistent an.

»Das tut sehr wohl was zur Sache!«, sagte der Produzent ruhig. »Der kleine Hundsfott hat meine Assistentin gevögelt!«

»Verstehe!«, sagte ich.

»Das freut mich!«, erwiderte der Produzent und ließ mit einem kleinen Seufzer seine Hosenbeine wieder fallen.

»Du bist doch Schauspieler?«, fragte der Regisseur.

»Auf dem Weg dahin«, antwortete ich wahrheitsgemäß.

»Das ist mehr, als man erwarten kann. Die Rolle ist klein. Ein Furz, um genau zu sein. Ein Auftritt. Zwei Sätze. Aber es ist eine Rolle. Willst du sie haben?«

Ich nickte.

»Gut. Drehbeginn ist morgen um acht. Sei pünktlich und nüchtern!«

Die drei drehten sich um, stiegen im Gänsemarsch die Treppe hoch und verließen das Theater. Ich ging zum Ausschank und goss mir ein großes Bier ein. Ganz genau sah ich, wie der Schaum über den Rand quoll und am Glas hinunterperlte.

Ein Satz ist besser als keiner

Pünktlich um acht erschien ich am Set. Auf einer Seite des Rathausplatzes hatte man den ehemaligen Strickwarenladen der alten Frau Chalupa ausgeräumt und stattdessen eine kleine Zoohandlung eingerichtet, mit echten Hamstern, Hasen, Eidechsen, kleinen Katzen und so weiter. Sogar ein paar Aquarien, in denen sich eine Menge bunter Fische tummelten, hatte man aufgestellt. Überall wuselten die karierten Jungs herum, schleppten Kabel, legten Schienen oder verschraubten Scheinwerfer. Der Regieassistent kam auf mich zu. Seine roten Haare glänzten wie Dachziegel im Morgenlicht. Obwohl er ungefähr meine Größe hatte, schienen seine blassblauen Augen mich ständig von oben herab zu mustern.

»Damit eines klar ist«, sagte er. »Ich kann dich nicht leiden. Wenn es nach mir ginge, würdest du ewig in deinem Hinterhofkeller hocken!«

»Aber es geht nun mal nicht nach dir!«, sagte ich.

Aus den Augenwinkeln sah ich, wie sich seine Fäuste für einen Moment zu kleinen, weißen Knoten ballten. Kleine, eisharte Schneebälle. Danach entspannte er sich wieder und verformte sein Schnöselmündchen zu einem spöttischen Lächeln.

»Wir sehen uns ...«, sagte er, zückte ein riesiges, schwarzes Funkgerät, hielt es sich dicht vors Gesicht und verzog sich wichtig hineinsprechend ins Zoogeschäft.

Eine Frau mit gelber Sonnenbrille kam, zerrte mich in eines der Wohnmobile und steckte mich in mein Kostüm: Hose, Hemd, Jacke, alles grau in grau. Danach wurde ich von einem freundlichen Homo in roten Leggins abgeholt und nach nebenan in das Maskenmobil gebracht. Er setzte mich vor den Schminktisch und begann sofort damit, mir eine rosige Puderwolke im Gesicht zu verpinseln und einen Haufen Gel in die Haare zu schmieren. Ob es denn mein erster Filmauftritt sei, wollte er wissen.

»Nein«, sagte ich, »selbstverständlich nicht!«

Gleich darauf erschien die rotgesichtige Aufnahmeleiterin und brachte mich ins Zoogeschäft. Alle waren schon da. Der Regisseur saß in seinem Stuhl und nickte mir müde zu, daneben saß die Hauptdarstellerin und tat gelangweilt, im Hintergrund stand der Produzent, in der einen Hand einen Becher Kaffee, in der anderen die Titten seiner Assistentin. Offenbar hatte er ihr den kleinen Ausrutscher mit meinem Vorgänger verziehen. Der Kameramann gab Anweisung, den Eidechsenbehälter neu auszuleuchten und aus den Hasenkäfigen die frischen Scheißekügelchen zu entfernen. Die Hauptdarstellerin schrie plötzlich nach der Maske, woraufhin sofort der freundliche Homo angerannt kam und mit spitzen Fingern ein Strähnchen zurechtlegte. Schließlich brüllte die Aufnahmeleiterin etwas Unverständliches, und es ging los.

Die Szene war einfach: Die junge Tierhändlerin steht gerade in ihrem Laden und füttert ein schwerkrankes

Kätzchen, als die Tür aufgeht und ein junger Mann (ich) hereinkommt und sagt: »Ich komme, um die Babykaninchen für das Labor abzuholen!«, worauf die junge Tierhändlerin erbost ist, das schwerkranke Kätzchen behutsam in sein Körbchen legt und dem jungen Mann (mir) mit ein paar kräftigen Ohrfeigen den Weg auf die Straße weist.

Wir mussten die Szene siebzehnmal drehen.

Beim ersten Mal brach der Tonmann ab. Irgendwo aus einem Nebenraum hörte man ihn heiser »Stopp!« brüllen. Schwierigkeiten mit der Tonanlage, die schnell behoben wurden.

Beim zweiten Mal klemmte die Ladentür. Ich rüttelte so lange am Knauf, bis der Regisseur abbrach. Es stellte sich heraus, dass die Hauptdarstellerin versehentlich abgesperrt hatte. Sie entschuldigte sich mit einem kindlich-schuldbewussten Lächeln, alle lachten wohlwollend, der freundliche Homo kam wieder angehopst, um das Strähnchen hinzubiegen, dann ging es weiter.

Die nächsten Versuche gingen auf meine Kappe. Auf einmal brachte ich das Wort »Babykaninchen« nicht mehr heraus. Ich verlallte das Baby, verstolperte das Kaninchen oder vernuschelte überhaupt das ganze Wort. Außerdem kam mir der Satz plötzlich komisch vor.

Was hatten Babykaninchen in einem Labor verloren? Was war das überhaupt für ein Labor? Und wer war eigentlich »ich«? Immer wieder sagte ich mir den Satz im Stillen vor, aber kaum ging es los, stimmte er nicht mehr, und meine Gedanken begannen zu kreisen. Die Worte gerieten ins Trudeln und vermischten sich zu einem zähflüssigen Brei, aus dem ich vergeblich einen Sinn herauszurühren versuchte. Ich sagte: »Ich komme, um die kleinen Kaninchen ins Laboratorium einzuliefern!«, oder: »Ich bin hier, um die Zwerghasen abzugreifen!« Es war, als ob meine Zunge über meine Gedanken stolpern würde. Dabei lastete die Verantwortung für die Szene auf ihr. Für den ganzen Film. Für das Team, das fünfzigköpfig um mich herumstand und mir beim Lallen und Stolpern und Nuscheln zusah. Mir wurde ein bisschen schwindlig. Das »Bitte!« des Regisseurs drang nur noch wie durch Watte zu mir. Die Gesichter begannen zu verschwimmen und als undeutlich verwaberte Flecken um mich herumzutanzen. Und dazwischen stand die Kamera. Die Linse war erbarmungslos auf mich gerichtet, schwarz und glänzend wie ein Krähenauge. Oder wie die Mündung eines Gewehrs. Ich fing an zu schwitzen. Alle paar Sekunden kam der freundliche Homo, um mir die Stirn abzutupfen. Jemand drückte mir einen Becher Kaffee in die Hand, jemand anders lachte unterdrückt, irgendwo im gleißenden Lichtnebel der Scheinwerfer tauchte plötzlich das Mündchen des Regieassistenten auf, schwebte ein paar Sekunden direkt vor meinem Gesicht hoch und nieder, verzog sich zu einem verächtlichen Lächeln und flatterte wieder davon, wie ein Schmetterling im Sonnenlicht.

Der Regisseur brach ab und nahm mich zur Seite.

»Was ist dein Problem, Kleiner?«

»Weiß nicht«, sagte ich, während sich mein Kreislauf allmählich wieder beruhigte. »Der Text ist scheiße!«

»Was hast du erwartet? Das hier ist Fernsehen!«

Ich nickte und trank meinen Kaffee auf einen Zug aus. Er war heiß, stark und süß. Sofort fühlte ich mich besser.

»Alles klar«, sagte ich, zerknüllte den Pappbecher und ließ ihn mit einer demonstrativ lässigen Bewegung aufs Pflaster fallen. »Es kann weitergehen!«

Und tatsächlich saß der Satz beim nächsten Mal. Ich stürmte in den Laden und sagte: »Ich komme, um die Babykaninchen für das Labor abzuholen!« Die junge Tierhändlerin legte das Kätzchen weg und begann plötzlich ohne Ankündigung auf mich einzuschlagen. Ich duckte mich, versuchte auszuweichen und die Ohrfeigen abzublocken. Dabei verlor ich das Gleichgewicht, taumelte ein paar Schritte zurück und rammte einen mannshohen Papageienkäfig. Das riesige Gestell kippte wie in Zeitlupe und krachte mit einem hässlichen Scheppern auf den Boden. Käfigstäbe lösten sich, Sonnenblumenkerne flogen durch die Luft, die Papageien flatterten und kreischten, die Hauptdarstellerin auch, Lärm, Chaos, Abbruch.

Die karierten Jungs brachten den Laden schnell wieder in Ordnung, und der freundliche Homo tupfte mir das bisschen Blut von der Stirn. Es konnte weitergehen.

Doch die Hauptdarstellerin bebte vor Empörung. Das sei ganz allein meine Schuld gewesen, brachte sie mit einem unterdrückten Schluchzen hervor, wer ich denn überhaupt sei, wollte sie wissen, und ob die Produktion denn schon so abgebrannt sei, dass sie sich nur noch solche dahergelaufenen Idioten leisten könne. Sie habe jedenfalls genug, sie wolle nach Hause, jetzt sofort wolle sie nach Hause oder zumindest ins Hotel, zuerst in die Badewanne und dann in die Hotelbar oder umgekehrt, auf keinen Fall wolle sie mit dieser lächerlichen Veranstaltung hier noch was zu tun haben, sie spiele nämlich Bundesliga, falls das schon irgendjemandem in dieser Runde von unbegabten Volltrotteln aufgefallen sein sollte, Bundesliga, und nicht in einer viertklassigen Amateurliga!

Bebend und rauschend verließ sie den Laden und stöckelte quer über den Platz in Richtung Hotel, wurde aber schnell vom Produzenten und vom Regisseur eingeholt. Etwa eine halbe Stunde dauerte die Diskussion unter den gierigen Blicken der Schaulustigen, eine Szene voller Dramatik und Tiefe, die schlussendlich vom Produzenten beendet wurde, und zwar mit dem gar nicht einmal unhöflich eingebrachten Vorschlag, das Schätzchen möge doch bitte jetzt sein überbezahltes Luxusgestell schleunigst wieder ans Set bewegen, da es nämlich ansonsten – Bundesliga hin oder her – nie wieder, aber auch wirklich nie, nie wieder, über einen gottverschissenen Bildschirm auf diesem Planeten flimmern werde!

Für ein paar Augenblicke lag eine unheilvolle Stille über dem Platz. Alle hielten den Atem an. Plötzlich aber erschien wie aus dem Nichts ein zuckersüßes Lächeln auf dem Gesicht der Hauptdarstellerin. Fast gleichzeitig warf sie den Kopf in den Nacken, drehte sich um und lief elegant mit den Hüften schaukelnd zurück zum ehemaligen Strickwarenladen der alten Frau Chalupa, aus dem schon das Miauen des schwerkranken Kätzchens wie ein zarter Hilferuf ins Freie drang.

Irgendwann hatten wir die Szene im Kasten.

»Danke!«, sagte der Regisseur und schlurfte ins Freie. Sofort rannten alle wie wild herum, um den Laden auseinanderzunehmen. In Windeseile waren Dekoration, Schienen, Scheinwerfer und Lichtsegel abmontiert. Die Kamera und die Papageien wurden in Sicherheit gebracht, und das Kätzchen wurde von der Hauptdarstellerin persönlich an den gepuderten Busen gedrückt und unter dem gerührten Applaus der Schaulustigen davongetragen.

Im Laden war es jetzt wieder still. Nur in den Aquarien plätscherte es leise. Vielleicht wollte man sie später abtransportieren, vielleicht hatte man sie einfach vergessen.

Ich hockte in der Mitte des Raumes auf einer leeren Futterkiste und starrte vor mich hin. Der Boden war übersät mit Sonnenblumenkernen und den Kippen des Kameramannes. Es roch nach Katzenpisse und Hauptdarstellerinnenparfum. Mir war kotzübel vom Kaffee, ich fühlte mich müde und abgeschlafft, gleichzeitig aber auch gut. Ich hatte es geschafft. Ich hatte meinen ersten Film gedreht.

Die Tür ging auf, und der Regieassistent kam herein. Direkt vor mir blieb er stehen und blickte mit seinem spöttisch verzogenen Mündchen auf mich herab.

»Ich wusste, dass du es nicht bringst!«, sagte er.

Eine Weile betrachtete ich seine Schuhe, dieses zarte, einwandfreie und glänzend geputzte Leder. Dann stand ich auf, packte ihn am Kragen und tauchte seinen Kopf wuchtig in eines der Aquarien. Sofort fing er an mit allen Gliedmaßen wie wild herumzurudern. In seiner hilflos vorgebeugten Haltung konnte er jedoch keine Kraft entwickeln. Vergeblich wollte er sich hochstemmen, seine Füße glitten auf den Sonnenblumenkernen weg, seine Hände fanden an den glatten Glaswänden keinen Halt. Wie die Flügel einer sterbenden Möwe flatterten seine Ärmchen sinnlos in der Luft herum. Ich packte noch etwas fester zu und beugte mich auf Blickhöhe zu ihm hinunter. Unsere Gesichter waren nur ein paar Zentimeter und eine Glasscheibe voneinander entfernt. Mit weit aufgerissenen Augen starrte er zu mir heraus. Seine weiße Haut schimmerte wie Marmor in dem grünlichen Wasser. Seine Haare schwebten wie rote Algenfäden um seinen Kopf. Ein kleiner, gelber Fisch zog vor seiner Nase vorbei, blieb einen unschlüssigen Augenblick fast regungslos stehen, beschleunigte plötzlich mit einem einzigen Flossenschlag und verschwand elegant hinter seinem Hemdkragen. In einem heftigen, ruckartigen Aufbäumen versuchte er sich freizustrampeln. Es sah komisch aus. Die Verzerrungen in seinem Gesicht wollten nicht so recht zu seinem dumpf verblubberten Gebrülle passen. Sein Kragen lag gut und fest in meinen Fingern. Ich tauchte ihn noch ein bisschen tiefer ein. Das Wasser schwappte über den Rand und versaute den ganzen Boden. Unter seinen Schuhsohlen spritzten die Kerne weg, seine feuchten Hände quietschten auf den Scheiben. Ein paar schlanke, blau schimmernde Fische schossen in ihrer Panik wild hin und her. Aus seinem weit aufgerissenen Mund blubberte eine große Luftblase heraus und stieg an seinem Gesicht entlang in Richtung Oberfläche. Für einen kurzen Augenblick sah ich seine entsetzten, starr auf mich gerichteten Augen wie durch ein waberndes Lupenglas vergrößert.

In dem Moment, als er aufhörte, sich zu wehren, zog ich ihn heraus. Er glitt zu Boden wie ein nasser Lappen und blieb liegen. Die Fische beruhigten sich schnell. Ein paar hingen schon wieder an den Scheiben und starrten mit blöden Augen zu uns heraus. Der Regieassistent lag zitternd in der Pfütze und schnappte nach Luft. Aus seinem Mündchen lief ein schmales Rinnsal und tröpfelte über das Kinn auf den Boden. Ich drückte ein wenig Wasser aus meinem patschnassen Hemd und verließ den ehemaligen Strickwarenladen der alten Frau Chalupa.

Der verlorene Leberfleck

Die Sache mit meiner Karriere ging also voran. Aber es gab da etwas anderes, was mir Kopfzerbrechen und schlaflose Nächte bereitete: Ich war schon siebzehn und hatte noch nie gevögelt.

Meine einzigen intimen Erfahrungen mit dem weiblichen Geschlecht waren die Geschehnisse mit Trixie in der Hecke und mit Tinka in der Turnhalle. Das war ausbaufähig. Seit dem Moment, in dem mir Trixie im grünen Halbdunkel eine Schleife um den Pimmel gebunden hatte, wühlte eine unbestimmte Sehnsucht in mir, die erst mit dem Sprießen der ersten Schamhaare eine erkennbare Richtung bekommen hatte: Ich wollte mich in eines dieser geheimnisvollen Geschöpfe namens Mädchen vergraben!

Manchmal trieb ich mich in der Innenstadt herum. Das heißt, ich lief ziellos durch die Straßen, flanierte über die Fußgängerzone, schlenderte durch die winzige Einkaufspassage oder lehnte möglichst lässig an einer Ecke. Ich tat desinteressiert oder gedankenvoll, hielt aber in Wahrheit Ausschau nach Bräuten.

Und es gab ja auch genug davon. Alleine, zu zweit

oder in kleinen Grüppchen kamen sie vorbeigestöckelt, rauchten, kicherten, warfen ihr Haar zurück und strichen sich mit schlanken Fingern die Rockfalten aus. Zum Platzen enge T-Shirts, ellenlange Wimpern, rosarote Münder, aus denen dünne Zigaretten ragten, leise klimpernde Plastikkettchen, glitzernde Röcke, leuchtende Zehennägel und über allem eine süßlich wabernde Duftwolke aus Parfum, Zigarettenqualm, Haarspray und die Ahnung eines ganz spezifischen, etwas scharfen Geruchs, den ich damals noch nicht so recht einzuordnen wusste.

Ich stand jedenfalls da, sah die ganze schreckliche Herrlichkeit an mir vorbeiwogen und konnte nichts damit anfangen. Ich war wie ein halbstarker Löwe, der ausgehungert und dumm in der Steppe herumlungert und mit sabbernden Lefzen einer ewig vorbeiziehenden Gnuherde hinterherstarrt. Ich traute mich einfach nicht, eines dieser Mädchen anzusprechen. Entweder waren sie zu schön, zu unnahbar, zu sehr mit ihren eigenen Gedanken beschäftigt, oder sie waren von einer hysterisch kichernden Freundinnenmeute umringt, die bereit schien, eines ihrer Mitglieder unter allen Umständen mit geschliffenen Klauen und gespitzten Kajal-Stiften zu verteidigen.

Doch eines Tages geschah das Unerwartete. Ein Mädchen sprach mich an. Ich drückte mich gerade vor der Auslage eines Herrenschuhladens herum, als sie plötzlich vor mir stand: Ein Wunder. Ein Traum. Ein Engel, in dessen brünettem Haar sich die nachmittäglichen Sonnenstrahlen verfingen. Säulenhohe Plateauschuhe, eine hauteng, knallrote Schlaghose, ein über dem Bauchnabel lose zusammengeknotetes Blüschen, Schwanenhals, blaue Augen, hohe Stirn und so weiter. Auf der zarten Wölbung ihrer Oberlippe balancierte ein hellbrauner Leberfleck wie ein winziger Bergsteiger auf einem Gipfelgrat.

»Hast du mal Feuer?«, fragte sie, steckte sich eine Zigarette in den Mundwinkel und blickte mich herausfordernd an. Sofort wurde mir brennend heiß. In meinen Ohren rauschte es leise. Natürlich hatte ich kein Feuer. In meinen fantasierten Szenarien von Balz und Eroberung hatten Alltagsgegenstände wie Feuerzeuge bislang nie einen Rolle gespielt. Das war ein Fehler.

»Warte mal …«, stammelte ich und fing an, sinnlos in meinen Hosentaschen zu graben. Die Brünette sah mich unverwandt an und ließ langsam ihre Zigarette in den anderen Mundwinkel hinüberwandern. Ich konnte sehen, wie der kleine Leberfleck für einen Moment von der sanften Wellenbewegung ihrer Oberlippe hochgehoben wurde. Es war zum Wahnsinnigwerden. Hektisch kramte ich weiter in meinen Taschen und bemühte mich, meine Verlegenheit mit einem verkrampften Lächeln zu kaschieren.

Doch plötzlich die rettende Idee: »Bin gleich wieder da!«, rief ich, drehte mich um, riss die Tür zum Herrenschuhladen auf und stürmte hinein.

Der Raum war eng und niedrig, in den Regalen stapelten sich Schuhe, ohne Ausnahme unsagbar hässliche Treter für den reifen Herrn. Ein muffig säuerlicher Geruch nach Leder, Sockenschweiß und Altersheim lag in der Luft. Auf einem Höckerchen mitten im Raum saß ein glatzköpfiger Zwerg. Er trug eine braune Wollweste und wühlte mit beiden Händen in einer Probiersockenkiste.

»Haben Sie Feuer?«, schrie ich.

Der Zwerg zuckte zusammen, hob seinen Kopf und starrte aus einem tief verrunzelten Gesicht ängstlich zu mir hoch.

»Wie bitte?«, fragte er mit einem leichten Zittern in der Stimme.

»Ein Feuerzeug!«, brüllte ich und fuchtelte wild mit den Armen. »Oder Streichhölzer! Schnell!«

Der Zwerg brauchte ein paar Sekunden, um zu kapieren. Langsam zog er seine Hände aus dem Sockenhaufen und fing an, sich mit einem Wollwestenärmel nachdenklich die Glatze zu polieren.

»Ich glaube, ich hatte mal eins. Ist lange her. Sehr lange …«, sagte er und ließ seinen Blick eine Weile über die Schuhregale schweifen. Daraufhin tauchte er seine Hände wieder in die Sockenkiste und beachtete mich nicht weiter.

Hier war nichts zu holen. Aber ich brauchte Feuer. Ich musste sofort und unter allen Umständen ein Feuerzeug auftreiben, koste es, was es wolle. Panisch rannte ich aus dem Laden. Es gab noch andere Möglichkeiten, andere Geschäfte, Cafés, Kneipen, Passanten oder …

Das Mädchen war weg.

Ich sah mich verzweifelt um. Nichts. Einfach verschwunden. Mein Blick fiel auf den Boden. Da, wo sie eben noch gestanden hatte, lag ein kleiner hellbrauner Leberfleck. Ich bückte mich, tippte den Klecks vorsichtig mit dem Zeigefinger auf und steckte ihn in den Mund. Dann ging ich nach Hause.

Manchmal verbrachte ich die Sonntagabende in Lokalen. Da es beim Heiligen Ernst keine nüchternen Frauen unter fünfzig gab, war ich gezwungen, andere Gaststätten aufzusuchen. Dort saß ich dann meistens an einem Tischchen in einer Ecke, umgeben von einer Aura aus Einsamkeit, und beobachtete verstohlen das fröhliche Gewoge um mich herum. Alle waren immer gut drauf. Alle schienen alle zu kennen. Alle schienen überall dazuzugehören. Jeder klopfte jedem auf die Schultern. Man schüttelte sich die Hand, umarmte sich, fiel sich um den Hals, kicherte, lachte, verteilte Küsschen, Komplimente und wirkungsvolle Augenaufschläge.

Hin und wieder waren Mädchen aus der Schule darunter. Manchmal erkannte mich eine von ihnen sogar und nickte kurz zu mir herüber. Aber ehe ich zurückwinken konnte, hatte sie sich schon wieder weggedreht. Es war wie verhext. Ich saß am Rande des Paradieses wie eine Schmeißfliege auf dem Tellerrand und kriegte nichts ab.

Dabei war ich nicht hässlich. Keine Schönheit, aber immerhin. Ich hatte die Pubertät einigermaßen unbeschadet überstanden, lief auf geraden Beinen, hatte schlanke, fast zarte Finger und kleine, eng anliegende Ohren, die manchmal im Sonnenlicht rosig leuchteten. Doch das interessierte niemanden.

Erst viel später begriff ich, dass es weder um innere Werte noch um das Aussehen ging. Oft bekamen die dümmsten und hässlichsten Typen die besten Mädchen ab. Haarige Kerle mit überlangen Armen und Eiterpickeln im Gesicht wurden beständig von einem Schwarm Verehrerinnen umschwirrt. Offensichtlich gab es unter Ju-

gendlichen eine hierarchische Rangordnung wie im Tier-
reich. Die Stärksten kriegten alles, die etwas Schwächeren
kriegten das, was übrig blieb, und die ganz Schwachen
hockten am Rand und kauten an Knochen und Stroh herum. Es ging um Kraft, Macht und Potenz. Wer am lautes-
ten brüllte, wer am wildesten auf seiner Brust herumtrom-
melte, wer sich möglichst ungeniert im eigenen Dreck
wälzte, dem gehörte die Welt.

Und die Mädchen konnten es riechen. Ihre gepuderten
Nasen witterten sofort, wer von den Jungs imstande war,
ein Rudel zu leiten, ein dickes Auto zu fahren, dauerhaft
das Kino zu bezahlen und irgendwann gegebenenfalls die
Filiale eines mittelständischen Unternehmens zu leiten.
Das waren die Kerle, die sie interessierten. Für jemanden
wie mich blieb da nur ein mitleidiges Nicken übrig. Wenn
überhaupt.

Vielleicht hätte ich ja den Bann durchbrechen können.
Brüllen. Trommeln. Furzen. Lauthals über Musik schwadronieren. Über Mopeds. Autos. Spitzenleistungen beim
Onanieren. Und dann ganz beiläufig ein Mädchen einla-
den. Zum Kaffee, auf ein Glas Wein oder ins Kino. Im
Dunkeln wie zufällig die Hand an der Popcorntüte vor-
beiwandern lassen. Beim Küssen den Kaugummi geschickt
hinter den Zähnen verstecken. Eine starke Schulter bieten. Witzig sein. Rülpsen können. Röhrend lachen. Dis-
kos von innen kennen. Den Türsteher mit einem lässigen
Nicken begrüßen. Beim Engtanzen beide Hände auf den
Mädchenhintern legen. Immer einen Kamm, ein Präserva-
tiv und ein Feuerzeug in der Tasche haben.

Aber die Wirklichkeit sah anders aus. Ich hockte in einer Ecke, nuckelte an einer Limonade oder kippte trotzig ein paar Biere in mich hinein und träumte vor mich hin. Ich sah meine eigenen Fantasien an mir vorüberziehen wie all die einsamen Sonntagabende, eine nach der anderen. Und mit jeder mädchenlosen Woche sickerte die bittere Gewissheit immer tiefer in mein Herz hinein: Ich würde ungevögelt sterben!

Dreipersonenstücke mit Scheißtiteln

Als ich eines frühen Nachmittags pünktlich zum Unterrichtsbeginn die Bühne betrat, waren Janos und Irina schon da. Sie saßen nebeneinander auf zwei umgedrehten Bierkisten, Janos blätterte in seinem zerfledderten Regiebuch, Irina zog an einer Selbstgedrehten. Über ihrem Kopf verkräuselte sich der Zigarettenqualm und verschwand im Halbdunkel zwischen den Scheinwerfern.

»Setz dich!«, sagte Janos, ohne aufzuschauen. Ich holte mir meinen Blecheimer aus der Seitengasse und hockte mich zu den beiden. Eine Weile geschah nichts. Janos blätterte, Irina rauchte. Die ganze Sache war mir nicht geheuer. Bislang hatte der Unterricht immer in getrennten Einzelstunden stattgefunden. Das hier war neu.

Plötzlich legte Janos sein Buch weg und sah mich an.

»Denkst du, du hast Fortschritte gemacht?«, fragte er.

»Weiß nicht«, sagte ich misstrauisch. »Das könnt ihr doch sicher besser beurteilen, oder?«

»Kann schon sein. Aber was zählt, ist deine eigene Einschätzung. *Du* musst über dich Bescheid wissen. Nicht die anderen!«

Ich dachte nach. Ohne Zweifel war ich besser geworden. Ich war nicht mehr so hüftsteif, hatte gelernt, mich einigermaßen verständlich auszudrücken, und konnte während des Sprechens sogar meinen eigenen Gedankengängen folgen.

»Ja«, sagte ich, »ich habe Fortschritte gemacht!«

Irina ließ ein paar zittrige Rauchringe aufsteigen und beobachtete, wie sie in der staubflirrenden Luft auseinanderdrifteten und sich auflösten.

»Steh auf und mach einen kleinen Schritt!«, befahl Janos. »Einen sehr kleinen Schritt!«

Ich stand auf und setzte einen Fuß direkt vor den anderen.

»Gut. So weit bist du bis jetzt gegangen. Wie weit, glaubst du, hast du noch zu gehen?«

»Weiß nicht … bis dorthin vielleicht?«

Ich deutete auf einen Punkt ungefähr in der Bühnenmitte.

Janos hob langsam den Kopf und sah mir direkt in die Augen. Er sah müde aus. Abgespannt und übernächtigt. Doch mitten in seiner Pupille flackerte ein heller Fleck.

»Als Schauspieler darfst du nie aufhören weiterzugehen!«, sagte er. »Niemals! Unter keinen Umständen! Sobald du stehen bleibst, bist du tot! Hast du das verstanden?«

Ich nickte.

Janos' Gesichtszüge schienen sich etwas zu entspannen. Das kleine Flackern in seinen Augen wurde ruhiger. Mit einem Kopfnicken befahl er mir, mich wieder zu setzen. Das Blech knirschte leise unter meinem Hintern.

»Nächsten Monat stehen zwei neue Stücke auf dem Programm: *Das Wurmloch* für die Kinder und *Wittgensteins Höllenfahrt* für die Erwachsenen. Was hältst du von diesen Titeln?«

Da ich wusste, dass die Titel seiner Stücke meistens wenig über deren Inhalt aussagten, zuckte ich mit den Schultern.

»Sie sind scheiße!«, sagte Janos mit einem unglücklichen Seufzer. »Es sind absolute Scheißtitel!«

Ich sah, wie Irina ihre Zigarette an der Bierkiste ausdrückte und den Stummel in einer ihrer Taschen verschwinden ließ.

»Aber das Entscheidende ist: Die Stücke sind gut! Sie sind hervorragend! Vielleicht sind es die besten Stücke, die ich je geschrieben habe!«

Es folgte eine lange Pause, in der er selbstzufrieden seine Arme vor der Brust verschränkte, sie jedoch gleich darauf wieder löste und seine Hände auf die Knie legte. Große, schwere, knorrige Hände.

»Und es sind Dreipersonenstücke!«

Irina kniff die Augen zusammen und gähnte unterdrückt. Es dauerte ein paar Augenblicke, bis ich kapierte. Schließlich sickerte es in mein Bewusstsein. Heiße Tropfen, die von überallher zu kommen schienen. Wie ein warmer Regen in meinem Körper.

»Hier sind die Texte. Deine Rollen sind angestrichen. Die Proben beginnen morgen!«, sagte Janos und reichte mir ein paar Blätter. Dann stand er auf, machte ein übertrieben schmerzverzerrtes Gesicht, stemmte die Arme in die Seiten, streckte das Kreuz durch, dass es nur so knackte, schlurfte von der Bühne und verschwand im Dunkel der Seitengasse. Gleich nach ihm erhob sich auch Irina von ihrer Bierkiste und ging. Beim Vorübergehen strich sie mir mit dem Handrücken ganz leicht über die Wange.

Ich blieb noch eine Weile sitzen. Meine Ohren glühten. Zwischen meinen Fingern knisterten die Blätter. Im Bauch schwappte das warme Regenwasser. Am liebsten hätte ich laut aufgejuchzt und wäre wie ein Irrer auf der Bühne hin und her gesprungen, aber in den hinteren Räumen hörte ich Janos und Irina rumoren. Also ließ ich mich möglichst leise vom Eimer fallen und wälzte mich ein paar Minuten lang stumm jubelnd über die Bretter.

Die Stücke waren ziemlich abgedreht. Jede zweite Regieanweisung lautete: *Improvisieren*. Das ließ eine Menge Spielraum. Beim *Wurmloch* ging es um einen schlecht gelaunten Holzwurm (Janos), dem eines Tages seine Wohnung abbrennt, worauf er sich unter dem Flügel einer Amsel (Irina) versteckt und von ihr in die weite Welt hinausgetragen wird. Die beiden freunden sich an, erleben allerhand Abenteuer und gelangen schließlich an einen alleinstehenden Apfelbaum (ich), der von ein paar wahnsinnigen Holzfällern (Stimmen vom Band) bedroht wird. Gemeinsam gelingt es den dreien, die Holzfäller in die Flucht zu schlagen, alles geht gut aus, die Sonne scheint, ein Lied wird gepfiffen.

In *Wittgensteins Höllenfahrt* war die Handlung um einiges abstrakter. Wenn man überhaupt von einer Handlung sprechen konnte. Der Philosoph Ludwig Wittgenstein (Irina) sitzt auf einem von ihm selbst geschaffenen Sprachgebilde, einem Berg aus Buchstaben und Wörtern, und sinniert über dieses und jenes. Da kommt der Philosoph Immanuel Kant (Janos) vorbeispaziert. Die beiden streiten sich über einen verlorenen Imperativ, über die nüchterne Ästhetik sowie über ein paar andere wichtige Angelegenheiten, hauen sich verschiedene Theorien um die Ohren, werden schließlich tatsächlich handgreiflich und wälzen sich fest ineinander verkeilt über die Erde. Dabei kullern sie in ein Loch und stürzen durch einen dunklen Schlund direkt in die Hölle. Dort unten hockt schon seit Jahrhunderten der Philosoph Platon (ich) und zermartert sich sein Hirn über die Unsterblichkeit der Seele. Sofort wird er in die Streitigkeiten einbezogen, wieder kommt es schnell zu Handgreiflichkeiten, mit ziemlichem Getöse erscheint der Teufel persönlich (Stimmen vom Band) und schlichtet die ganze Sache vorerst. Die drei Philosophen sitzen nun also im Schein des Höllenfeuers und beschnuppern sich. Es wird monologisiert, dialogisiert und ziemlich viel geschimpft. Es geht um Metaphysik, Tugendlehre, Eudaimonismus und darum, wie man am besten seinen Arsch aus dieser ungemütlichen Situation heraushieven könnte. Irgendwann wird Wittgenstein klar, dass die Hölle ja nur ein Hirngespinst der Vernunftlosen ist, quasi nur eine Ausgeburt der menschlichen Vorstellungskraft und somit also irreal und überwindbar. Nach einigem Hin und Her nehmen Kant und Platon schließlich diese These an. In einer grotesken Versuchsanordnung üben sich die drei in absoluter Gedankenlosigkeit, worauf noch einmal der Teufel persönlich (Stimmen vom Band) erscheint, sich dann aber tatsächlich mitsamt seiner ganzen Hölle im gedankenfreien Nichts der Philosophenhirne auflöst. Wittgenstein, Kant und Platon purzeln zurück in die helle Welt, alles geht gut aus, die Sonne scheint, ein Lied wird gesungen.

Die Proben liefen überraschend angenehm, ganz anders als die Unterrichtsstunden. Vormittags probten wir das *Wurmloch*, nachmittags machten wir uns an die *Höllenfahrt*. Wie damals in der Schule lasen wir als Erstes das Stück. Aber schon nach jeweils ein paar Minuten pfefferte Janos seine Textfassung in eine Ecke, sprang auf und begann zu spielen. Sofort war Irina dabei. Die beiden fingen an, auf der Bühne herumzutoben wie Knirpse im Sandkasten. Es war völlig verrückt und sinnlos, dennoch schien es Spaß zu machen. Ich saß ein wenig verklemmt da und schaute zu. Die Scham klebte mir am Hintern und hielt mich am Stuhl fest. Es dauerte ziemlich lange, doch schließlich gab ich mir einen Ruck und riss mich los.

»Scheiße!«, schrie ich und warf mich mitten hinein ins Getümmel. Es hatte mit meiner Vorstellung von Theater nicht das Geringste zu tun. Aber es war großartig. Ich hatte ganz vergessen, wie wunderbar es sich im Sandkasten anfühlen kann. Ich wälzte mich mit diesen beiden alten Kindern durch den Modder der eigenen Fantasie, ohne Rückversicherung und ohne Ziel. Wir brabbelten, sangen, lachten, schrien, brüllten, tanzten, bauten unsichtbare Türme, schmissen sie wieder um, lagen keuchend nebeneinander auf dem Rücken und starrten Kopf an Kopf in diesen hellen, ewig weit gewölbten Himmel hinter den Scheinwerfern.

Lampenfieber

Beide Premieren fanden am selben Tag statt, an einem kühltrüben Samstag im Spätherbst. Tatsächlich und fast unmerklich hatten wir im Laufe der letzten Wochen dem Breipott unserer Improvisationen nach und nach den Text beigemengt. Aus einzelnen Worten wurden Sätze, kurze Monologe, eingestreute Dialogschnipsel, und irgendwann begannen wir wirklich miteinander zu sprechen. Die einzelnen Handlungsfäden fingen an, sich wie aus eigenem Antrieb miteinander zu verknüpfen, und aus dem abgedrehten Chaos schienen sich die Geschichten selbständig herauszubilden und auszuformen.

Mit jedem Tag kam ein neuer Bühnenbildteil dazu, und eine Woche vor der Premiere waren auch die Kostüme fertig. Die Kleider der Philosophen waren keine große Sache: Jeder wickelte sich in ein eingefärbtes Leintuch und schnürte es um den Bauch mit einem Strick zusammen, dazu gab es jeweils ein Paar alter Badelatschen und fertig.

Die Kostüme für das Kinderstück waren aufwändiger. Janos musste sich als Holzwurm in eine Art Ganzkörperstrumpfhose zwängen, und für sich selbst hatte Irina ein beeindruckendes Amselkostüm genäht, ein fluffiges Gewölk aus pechschwarzen Federn, mit Flügeln und Schwanz sowie einem großen, leuchtend gelben Pappschnabel. Das pompöseste Kostüm bekam ich als Apfelbaum: Lange, mit echter Rinde beklebte Stoffbahnen, die den ganzen Körper bedeckten und so steif waren, dass sie kaum noch eine natürliche Bewegung zuließen. An den Armen knorrige

Äste aus Draht und Papier, an den Füßen weit ausgreifende Pappwurzeln und auf dem Kopf eine ständig raschelnde Laubkrone, aus der ein paar rote Plastikäpfel hervorleuchteten.

Um Punkt elf Uhr vormittags ging das Licht im Zuschauerraum aus, Musik ertönte, und der Wurm kroch aus seinem Loch. Janos war ganz bei der Sache. Die Wurmwohnung brannte ab, indem ich die roten Scheinwerfer hochdimmte, die Nebelmaschine aktivierte und in einem Haufen alter Alufolie herumknisterte, die Kinder johlten und trampelten, die Amsel tauchte auf, versengte sich ein paar Federn, rettete aber den Wurm vor den Flammen. Die beiden machten sich auf die Socken, erlebten allerhand Abenteuer und gelangten schließlich zum Apfelbaum. Mein Auftritt.

»Guten Morgen, Kinder!«, sagte ich, nachdem ich mich langsam, sehr langsam zur Bühnenmitte hinbewegt hatte. »Ich bin der Apfelbaum!«

Es lief wie geschmiert. Besser noch als bei den Proben. In der Dunkelheit im Zuschauerraum leuchteten die kleinen Gesichter wie aufgereihte Lampions. Die Kinder lachten, heulten und klatschten vor Aufregung, quietschten vor Vergnügen, trampelten vor Empörung und schissen sich die Hosen voll, wenn mit verzerrtem Halleffekt der Chor der gemeinen Holzfäller vom Band ertönte.

Schließlich war es vorbei. Die Holzfäller waren erledigt, und alles war gut. Wir verbeugten uns, die Kinder klatschten, Janos zog den Vorhang zu, und Irina klopfte mir beim Abgehen auf die rindenbeklebte Schulter. Ein kleiner Apfel löste sich aus meiner Krone, plumpste mir vor die Füße, kullerte über die Bretter und verschwand in einer dunklen Vorhangfalte.

Den Nachmittag verbrachte ich in meinem Zimmer. Ich lag ausgestreckt auf dem Bett und fühlte mich eine ganze Weile ziemlich großartig. Dann kam das Lampenfieber.

Der Apfelbaum war die eine Sache, doch in ein paar Stunden würde es ums Ganze gehen. Kinder als Publikum sind grausam in ihrer Ehrlichkeit, gleichzeitig aber auch gutmütig. Im Grunde wollen sie immer das Beste, und sie tun alles, um es zu kriegen. Bei den Erwachsenen liegt die Sache anders: die wenigsten wollen das Beste. Die meisten bevorzugen ganz im Gegenteil das Schlechte. Das Scheitern. Das Versagen. Den Untergang. Sie möchten andere Erwachsene stürzen sehen. Mit Vorliebe und inbrünstiger Schadenfreude sehen sie ihren Mitmenschen dabei zu, wie sie sich auf die Schnauze legen. Das Missgeschick der anderen relativiert das eigene Unglück.

Es wurde allmählich kühl im Zimmer. Ich wickelte mich in die Decke ein und dachte an die Dinge, die heute Abend schieflaufen könnten. Ich könnte mich zum Beispiel in meiner Toga verheddern, hilflos umkippen und mit dem Kopf gegen eine Scheinwerferhalterung rumsen. Eine Schraube würde sich entweder in meine Schläfe oder in mein Auge bohren, ich würde blutüberströmt rückwärts über die Bühne wanken und genau in der Mitte zusammenbrechen. Der begeisterte Szenenapplaus des Publikums würde nicht mehr in mein erlöschendes Bewusstsein dringen.

Ich ging noch einmal den Text durch. Es fehlte nichts.

Die Worte saßen unverrückbar an ihrem Platz. Gar nichts würde passieren, alles würde gut gehen, es würde perfekt laufen, einfach wunderbar, der Start einer großen Karriere.

Ich hörte mein Herz unter der Decke pochen, dumpf und schnell, wie ein kleines Maschinenhämmerchen. Und der Zeigefinger meiner rechten Hand schlug die Synkopen dazu. Draußen riss jemand sein Fenster auf und brüllte etwas Unverständliches in den Hof hinunter. Ein paar Tauben flatterten verschreckt auf, dann war es wieder still. Noch drei Stunden bis zum Vorstellungsbeginn.

Ich blickte zur Decke hoch. Seit einigen Tagen bildete ich mir ein, dass sich Spaniens Landesumrisse verändert hatten. Fast unmerklich hatte sich der Grenzverlauf zu verformen begonnen, hatte sich nach allen Richtungen ausgedehnt und seine ursprüngliche Kontur fast zur Gänze verloren. Im Grunde genommen hatte das Ganze mit Spanien überhaupt keine Ähnlichkeit mehr. Viel eher erinnerte der Deckenfleck jetzt an ein riesiges, ausgebeultes Herz, beziehungsweise, bei genauerer Betrachtung, an einen gewaltigen, pockennarbigen Arsch. Zudem war er dunkler geworden und schien ganz leicht zu glänzen. Aber das konnte auch Einbildung sein.

Premierenfieber

Außer den Veranstaltungen in der Volkshochschule, den von der Bürgermeistergattin organisierten Adventslesungen und den gelegentlichen Blechmusikkonzerten hatte die Stadt kaum kulturelle Höhepunkte zu bieten. Die Premieren im Theater im Kellerloch standen daher bei den Leuten hoch im Kurs. Die Abende waren schon Wochen vorher ausverkauft, und um die wenigen Ehrenkarten gab es jedes Mal ein schamloses Gehacke und Gezerre. Im Rathaus wurde penibel darauf geachtet, dass jede Fraktion vertreten war und die Mitglieder der einzelnen Parteien kein zahlenmäßiges Übergewicht bekamen. Waren zwei Sozialisten angesagt, konnte man sicher sein, dass auch zwei Schwarze, zwei Gelbe und zwei Vertreter der Pensionärspartei im Zuschauerraum hockten und sich gegenseitig misstrauisch beäugten. Und auch alle anderen, die in der Stadt etwas zu sagen hatten oder glaubten, etwas zu sagen zu haben, erschienen zu den Kellerlochpremieren. Man wollte sehen und gesehen werden. Man wollte dazugehören, seinen über Jahrzehnte erkämpften oder erschlichenen oder erdienerten Platz in der Gemeinschaft nicht verlieren. Neuigkeiten wurden ausgetauscht, Küsschen, Komplimente und andere Nettigkeiten wurden verteilt. Mit goldenem Lächeln wurden versteckte Gemeinheiten verspritzt oder offene Beleidigungen ausgestoßen. Die Premieren waren ein gesellschaftliches Muss. Wer nicht kam, war tot.

Da mein Auftritt als Platon erst Mitte des zweiten Aktes erfolgte, war ich für den Einlass, die Garderobe und den Ausschank zuständig. Ich riss die Karten ab, nahm feuchte Jacken und muffige Mäntel entgegen und verteilte Sektgläser. Soweit ich es überblicken konnte, waren alle da: Mitten im Foyer stand der Bürgermeister, triefend vor öligem Selbstbewusstsein, und schwang süffisante Reden. An seiner Seite klebte die Gattin und verteilte nach irgendwelchen geheimen Codes entweder ein gefrorenes Lächeln, ein schrilles Auflachen oder ein herablassendes Nicken in die Runde. Überhaupt wurde viel gelächelt, gelacht und genickt. Obwohl eigentlich keiner den anderen leiden konnte, strahlten alle vor aufgekratzter Feststimmung.

Die Damen hatten sich aufgetakelt, herausgeputzt und angemalt, dass es einem die Augen ausschlug vor lauter Farbintensität. Die Dekolletés schienen förmlich überzuquellen, überall wogte und wabbelte es, gewaltige, alle Körbchengrößen sprengende Titten, die nur noch von ausladenden Drahtgestellen einigermaßen in Form gehalten werden konnten. Um die faltigen Hälse, an den fein behaarten Ohren und den wurstdicken Fingern hingen oder steckten protzige Plastikklunker aller Farben, Formen und Größen. Die Doppel- und Dreifachkinne schwabbelten wie Truthahnkröpfe, von den Oberarmen baumelte die Haut wie nasse Wäsche an der Leine, und unter den Strümpfen schimmerten bläulich und geheimnisvoll die Krampfadern hervor. Der ganze Raum war von einem beißenden Geruch nach Parfum und Altweiberschweiß erfüllt. Gärung und Fäulnis. Ein letztes gieriges Aufflackern der weiblichen Hitze.

Daneben standen die Männer. Egal, wie groß sie waren, sie wirkten immer kleiner als ihre Frauen. Die meisten trugen Schwarz oder Grau, nur ein offensichtlich ziemlich verwirrter Sozialist hatte seinen versulzten Körper in einen weinroten Samtanzug gezwängt. Der ganze Haufen drängelte sich in dem engen Foyer zusammen und suhlte sich in der eigenen Wichtigkeit. Glänzend aufpolierte Glatzen. Schweißnasse Stiernacken. Pralle, in hautenge Polyesterhemden gezwängte Bierbäuche. Dunkelviolett pulsierende Säufernasen. Blutunterlaufene Triefaugen. Von jahrzehntelangen Demütigungen tief gebeugte Bürorücken.

An einem Tischchen hatte sich eine kleine Hermann-Conradi-Abteilung zusammengefunden. Direktor Priem saß mit hochrotem Kopf in der Mitte und zischelte in das linke Ohr der Geografie-Aushilfslehrerin Gerda Gräblich hinein. Daneben ließ der magenkranke Mathematiklehrer Bortz seine trüben Blicke durchs Foyer und über die Ausschnitte der Damen schweifen. Und natürlich war auch Frau Gorac gekommen. Gleich beim Eintreten war sie auf mich zugestürmt, hatte mir mit feuchten Augen alles Gute gewünscht und mir ihre kurzen Arme um den Hals geschlungen. Sie trug ein violettes Blümchenkleid, roch nach Veilchen und Kaffee und sah unglücklich aus.

In einer Ecke standen Vater, Max und Lotte. Lotte sah einfach großartig aus in ihrem weißen Rüschenkleidchen, obwohl sie offensichtlich ein paar Kilo zugelegt hatte in den letzten Monaten. Max stand dicht neben ihr, seine rechte Hand schien an ihrem Hintern festzukleben, und er strahlte vor Stolz. Vater hatte ein Glas Mineralwasser in der Hand und schielte ein wenig verloren in der Gegend herum. Da ich seinen schwarzen Anzug praktisch schon als vorgezogenes Erbteil übernommen hatte, trug er eine fusselige Stoffhose und einen dunkelgrünen Rollkragenpullover, was ihm das Aussehen eines etwas verwahrlosten Genies gab.

Dann das erste Zeichen. Die Leute strömten in den Zuschauerraum und verteilten sich je nach Wichtigkeit auf die Sitzplätze. In der ersten Reihe saßen der Bürgermeister und seine nach dem vierten Sektglas schon etwas schwerfällig gewordene Gattin. Daneben die restliche Rathaustruppe sowie auf den beiden Außenplätzen, und damit in größtmöglichem Abstand voneinander, die tödlich verfeindeten Redakteure des städtischen Tagblattes und der landwirtschaftlichen Wochenschrift. In den Reihen dahinter drängelte und rempelte sich der Großteil des Publikums um die besten Plätze. Ganz hinten, in den beiden letzten Reihen, saßen die Vertreter der Basisgesellschaft: die Rentner, Straßenbahnschaffner, Kanzleigehilfen, Filialleiterstellvertreter, das kleine und ernste Grüppchen der echten Theaterliebhaber sowie Vater, Lotte und Max.

Jetzt das zweite Zeichen. Sofort wurde das Tuscheln, Kichern und Durcheinanderplappern dringlicher. Dazwischen ein lautes Auflachen. Ein ungeduldiges Zischen. Ein heiserer Hustenanfall. Ich schloss die Tür und verzog mich hinter die Bühne. In der Seitengasse warteten schon Janos und Irina.

»Wie geht es dir?«, fragte Janos.

»Ganz gut!«, wollte ich sagen. »Sehr gut sogar, großartig, alles bestens, wir können loslegen!« Möglichst locker und lässig wollte ich das sagen. Locker, lässig und voller bescheidenem Selbstbewusstsein. Doch stattdessen sagte ich gar nichts. Ein fetter, heißer Kloß saß mir im Hals und verhinderte jedes Wort. Außerdem begann genau in diesem Moment mein Unterkiefer heftig zu bibbern.

Janos kam einen Schritt auf mich zu, legte beide Arme auf meine Schultern und blickte mir in die Augen.

»Dein Apfelbaum war gut heute Morgen«, sagte er. »Und von einem Baum zu einem Philosophen sind es im Grunde genommen nur ein paar Gedankenhüpfer!«

Ich hatte keine Ahnung, wovon die Rede war. Trotzdem nickte ich und versuchte, das Kinnbibbern unter Kontrolle zu bringen.

Plötzlich war er ganz nah bei mir. Gesicht an Gesicht. Ich konnte den Puder an seiner Stirn riechen.

»Neunzig Prozent des Premierenpublikums sind Dummköpfe«, sagte er leise. »Das entspricht ziemlich genau dem Prozentsatz in der Welt da draußen. Aber für den Rest, für die übrigen zehn Prozent, für die, die nur ein bisschen was im Hirn haben oder im Herzen – für die lohnt sich das alles!«

In seinen Augen konnte ich mich selbst gespiegelt sehen wie in den Ausbuchtungen eines gläsernen Bierkruges. Dahinter, aus der Tiefe seiner Pupillen, tauchte jetzt wieder dieses kleine, helle Flackern auf.

»Du gehst heute Abend da raus und gibst dein Bestes. Alles andere ist die Sache nicht wert. Zeig ihnen, was du kannst! Zeig ihnen auch, was du nicht kannst, aber lass es gut aussehen! Lass sie dein Herz sehen. Lass sie deinen

Atem spüren. Lass sie deine Stimme hören. Und wenn du dir vor Angst in die Hosen scheißt, lass sie es riechen!«

Ich nickte und sah, wie das kleine Flackern wieder auf den Augengrund zurücksank. Wir umarmten uns, schlugen uns männlich und geräuschvoll auf den Rücken und spuckten uns dreimal über die linke Schulter. Nun war Irina dran. Sie trat auf mich zu und legte mir mit einem leisen Lächeln eine Hand an die Herzgegend und die andere mitten ins Gesicht. Ich schloss die Augen und spürte, wie unten die Fingerspitzen wie kleine weiche Pfoten über meine Brust trippelten und wie sie sich oben am Haaransatz entlangtasteten. Plötzlich drückte sie mich an sich, mit einer Kraft, die ich ihrem zarten Körper gar nicht zugetraut hätte.

»Mach gut, Kleiner!«, sagte sie. »Toi, toi, toi!«

Ich gab das dritte Zeichen, dimmte das Licht im Zuschauerraum runter, zog den Vorhang auf und sah, wie Janos loslegte.

Die Zeit bis zu meinem Auftritt verbrachte ich in der Garderobe. Ein paar Minuten lauschte ich zu den kleinen Lautsprecherboxen hoch, die direkt unter der Decke angebracht waren und aus denen Janos' und Irinas Stimmen leise knisternd herausquäkten. Es schien alles normal zu laufen. Ich wickelte mich in meine Toga, schlüpfte in die Sandalen, setzte mich vor den Spiegel und schmierte mir ein bisschen Schminke ins Gesicht. Eine angstverzerrte Fratze blickte mir entgegen, käseweiß, mit blauschwarzen Hängeringen unter den Augen. Zur bibbernden Kinnlade hatte sich inzwischen ein allgemeines Zittern und Schlot-

tern gesellt. Mir war kotzübel. Ich wünschte mich weit
weg. In mein Zimmer. Nach Spanien. Auf den Acker. Irgendwohin. Nur nicht in einem grell ausgeleuchteten Kellerloch vor den Augen eines geifernden Premierenpublikums elendiglich verrecken müssen.

Ich stand mit wackeligen Knien auf und machte mich
auf den Weg zur Bühne, auf den dunklen, engen Gang zur
Hinrichtung.

In der Seitengasse wartete ich mein Stichwort ab. Unter
der Toga galoppierte mein Herz. Längst schon hatte sich
auf meinem Rücken ein schmieriger Schweißfilm gebildet.
Die Luft wurde mir knapp in der stickigen Dunkelheit.
Schließlich war es so weit.

»Verdammte Scheiße, der Teufel ist kein Philosoph«,
schrie Irina wütend. »Er ist Theologe!«

Mein Stichwort.

Ich holte tief Luft, quetschte ein paar aufkommende
Tränen zurück in ihre Drüsen und betrat die Bühne.

»Unsinn!«, sagte ich. »Er ist einfach nur der Teufel und
sonst nichts. Der Herr der Fliegen, und obendrein ein
Dummkopf!«

Da stand ich. Und es war still im Raum. Ich konnte
die Blicke des Publikums auf mir spüren. Eine Hitze auf
meinem Körper. Auf dem Gesicht. In den Eingeweiden.

»Aha«, sagte Janos mit belegter Stimme und musterte
mich misstrauisch, »und wer bist du, wenn man mal fragen darf?«

»Platon!«, antwortete ich. Und ab diesem Moment geschah das Unglaubliche. In einem einzigen Augenblick
verdampfte meine Angst gemeinsam mit dem Schweiß-

film auf meinem Rücken. Ich fühlte mich trocken, leicht und frei. Das Bibbern war verschwunden, das Schlottern war nie da gewesen. Meine Bewegungen waren rund und weich, meine Aussprache klar und deutlich. Es war, als ob sich in meinem Kopf eine Luke geöffnet hätte. Jetzt fegte ein frischer Wind durch meinen Schädel und den ganzen Körper, und ich brauchte mich einfach nur fallen und durch das Stück tragen zu lassen, Platons eingefärbte Leintuchtoga als weites, pralles Segel aufgespannt.

Es knistert unterm Hemd und brennt in der Hose

Die Premiere konnte man gut als Erfolg bezeichnen, der Applaus war freundlich und von einigen halblauten Bravo-Rufen durchsetzt. Der meistens schon am frühen Nach-mittag abgefüllte Gemeindearzt Dr. Krössinger verlangte sogar laut brüllend nach einer Zugabe, wurde aber schnell von seiner resoluten Gattin mit einer Art Würgegriff wie-der zur Vernunft gebracht. Achtmal mussten wir zum Schlussapplaus auf die Bühne zurückkommen. Dann war es vorbei.

Die Reaktionen auf der Premierenfeier im Foyer waren unterschiedlich. Der Bürgermeister lobte in einer kurzen Ansprache den Wagemut der Künstler, Philosophie mit christlich-katholischer Metaphorik nicht nur in Verbin-dung zu setzen, sondern, meine Damen und Herren, auch in einer Art von dialogischem Prinzip quasi miteinander in Austausch und eine sich gegenseitig, äh, befruchtende

Dialektik treten zu lassen, was ja (man beachte!) gerade in Zeiten wie diesen, eine alle Disziplinen und Muster und Barrieren überbrückende Einheit, respektive, lassen Sie mich sagen, eigentlich einer Vielheit gleich, äh, komme und, meine Damen und Herren, eben gerade deshalb zum Nachdenken anregen könne, nein, müsse, denn immerhin sei ja die Bürgerschaft dieser unserer wunderschönen kleinen Stadt auch einer gewissen Verantwortung (man denke nur an die Zukunft unserer Kinder!) unterworfen, und Wittgenstein und, äh, diese anderen Leute seien ja schließlich keine (Sie verzeihen!) Idioten, und deshalb, meine Damen und Herren, könne man die Wichtigkeit des Theaters im Allgemeinen (und dieser kleinen sympathischen Bühne im Besonderen!) nur immer und immer wieder betonen und sich für diesen gelungenen, äh, Abend bedanken, und damit ist jetzt das Buffet eröffnet!

Es gab kalte und warme Platte. Wie immer hatte sich die Fleischerei Winscheidt nicht lumpen lassen und gleich nach dem letzten Vorhang ein deftiges Buffet auffahren lassen. Schließlich stehe man ja in einer gewissen gesellschaftlichen Verantwortung und wolle, so der Fleischermeister persönlich, den brustschwachen Geist der Kultur mit dem nötigen Fleisch unterlegen, und im Übrigen sei ein Tag ohne eine Winscheidt-Wurst sowieso ein verlorener Tag. Die Leute stürzten sich wie Hyänen auf die Platten. Ein wildes Gezerre, Gerangel und Gerempel. Jetzt endlich ging es ums Ganze. Neben den echten Winscheidt-Würsten gab es Schweinernes in allen möglichen Facetten, dazu ein bisschen was vom Rind und für die Gesundheitsapostel ein paar Dutzend Hühnerbrüste.

Während des Essens wurde über das Stück geredet. Insgesamt gab es viel Zustimmung. Der Prokurist der städtischen Gärtnerei versuchte mit fetttriefendem Kinn und laut schmatzend etwas Unverständliches über die gelungene Auseinandersetzung mit einer doch recht schwierigen Materie zu erzählen, wurde aber von seiner Lebensgefährtin mit feinem Lächeln dazu angehalten, wenigstens einmal im Jahr das blöde Maul zu halten.

Ein kleiner Glatzkopf interessierte sich vor allem für die Kostüme, die seiner Ansicht nach zwar offensichtlich nicht »historisch« waren, aber doch zumindest als Zitat ins »Reich des Vergänglichen« verwiesen. Er schien allerdings ein wenig enttäuscht, als ihm Irina mitteilte, dass sie die Leintücher nur deswegen zusammengeschneidert habe, weil sie angenehm zu tragen seien und man darin obendrein »irgendwie philosophisch« daherkomme.

Manche fanden Wittgenstein sympathisch, andere wiederum favorisierten Kant, ausnahmslos alle fanden die Stimmen vom Band sehr beeindruckend.

Auch mein Debüt kam recht gut an. Vor allem die älteren Damen schielten immer wieder zu mir herüber und prosteten mir mit ihren Likörgläsern bedeutungsvoll zu. Die Herren klopften mir anerkennend auf die Schulter und erzählten allerhand gut gemeinten Blödsinn über künstlerische Begabung und höhere Berufung.

Vater, Max und Lotte kamen. Vaters Augen waren feucht vor Rührung. Er öffnete den Mund, um etwas zu sagen, ließ es dann aber bleiben und umarmte mich lange und stumm. Lottes Gesicht leuchtete.

»Vielleicht hättest du die Möwe spielen sollen!«, sagte

sie mit einem etwas undeutlichen Lächeln. Daraufhin stellte sie sich auf die Zehenspitzen und hauchte mir einen Kuss auf die Wange.

Max blieb pragmatisch: »Du warst gar nicht so schlecht, Alter!«

Nach dem Tod seiner Mutter war es mit ihm langsam wieder bergauf gegangen. Die Erschütterung hatte ihn in seine Einzelteile zerlegt; doch über die Monate hatte sich alles wieder zusammengefunden. Dabei hatten sich offensichtlich alle kindlichen Formen endgültig ausgewachsen. Er sah verteufelt gut aus. Kantig, erwachsen, breitbeinig und blond stand er da und grinste mich anerkennend an.

»Gar nicht so schlecht!«, wiederholte er noch einmal.

Das Buffet war bald leer geräumt, lediglich ein paar vereinzelte Salatblättchen lagen da und dort auf den Platten wie zertrampelte Fähnchen auf einem Schlachtfeld. Man stand herum, unterhielt sich, rauchte und soff, was das Zeug hielt. Die Damen kicherten, die Herren schwadronierten, der Bürgermeister hielt stockende Reden, Dr. Krössinger und Fleischermeister Winscheidt saßen in einer Ecke und stierten im stillen Kummer vereint in ihre Schnapsgläser. Allmählich leerte sich das Foyer, einer nach dem anderen torkelte ins Freie. Vater verabschiedete sich, immer noch sprachlos vor Stolz, mit einem festen Händedruck, und gleich darauf gingen auch Max und Lotte. Ich sah, wie sie eng nebeneinander die Treppe hochmarschierten und wie seine Hand mit jeder Bewegung ihrer Backe elegant mitschaukelte, dann waren sie weg.

Nur mehr eine Handvoll Leute war übrig geblieben, die herkömmlichen Restschatten jeder Feierlichkeit. Neben der Garderobe stand das kleine Grüppchen der Theaterliebhaber, allesamt ziemlich schräge junge Leute, die schon die ganze Zeit zu mir herübergestarrt hatten und mich jetzt zu sich winkten. Ausgemergelte Jungs mit pickeligen Stirnen und schwarzen Rollkragenpullovern. Unförmige Mädchen mit Brillen und wallenden Kleidern. Alle rauchten wie die Schlote und schauten wahlweise mit vergeistigtem oder verträumtem Blick in der Gegend herum. Einzige Ausnahme war ein dünnes Mädchen mit stoppelkurzen, strohblond gefärbten Haaren, die einfach nur so dastand und mich von Kopf bis Fuß musterte. Ihre Augen bildeten einen merkwürdigen Kontrast zu den hellen Haaren. Sie waren dunkelgrün wie der Boden einer Weinflasche und standen ein wenig schräg. Es waren Fuchsaugen. Sie trug einen engen, weißen Pulli und hatte die Hände tief in den Taschen einer sackartigen Hose vergraben. Ihr linker Mundwinkel zuckte leicht. Eine winzige Bewegung, kaum zu erkennen.

Die Theaterfreaks gratulierten mir. Wollten reden. Diskutieren. Irgendetwas Tiefschürfendes über das Stück erzählen oder erzählt bekommen. Alle sahen ziemlich gescheit aus und quatschten auch so daher. Die Gesetze der dramatischen Verkürzung, die Figuren als Funktionäre der Fabel, die sekundäre Verführung als erregendes Moment der Exposition und so weiter.

Ich gähnte laut, verdrückte mich in den Zuschauerraum und schloss die Tür hinter mir. Ich kletterte auf die Bühne und legte mich auf die Bretter. Nur ein winziges Lämpchen in der Seitengasse brannte, sonst war es dunkel. Still und angenehm. Immer noch lag der süßlich-herbe Premierengeruch im Raum. In meinem Kopf schwirrten verzerrt und neblig die Bilder des Tages. Für heute hatte ich genug. Ich stand wieder auf und ging. Möglichst unauffällig drückte ich mich an den Premierenüberbleibseln vorbei, stieg die Treppe hoch und trat ins Freie.

Im Hof glänzten die Pflastersteine. Es roch nach feuchtem Asphalt mit einer Prise Hundescheiße. Aber die Luft war angenehm kühl und klar.

»Gehst du nach Hause?«

Es war der strohblonde Stoppelkopf. Da stand sie, mit dem Rücken an die Wand gelehnt, und sah zu mir herüber. Die Glut ihrer Zigarette erhellte für einen Moment das Gesicht mit den Fuchsaugen.

»Weiß nicht!«, sagte ich und zuckte mit den Schultern.

»Lass uns ein bisschen rumfahren!«, sagte sie und schnippte die Kippe weg. Ich sah, wie das Glutpünktchen durch die Luft zischte und in einer öligen Pfütze erlosch.

Gleich an der Hofeinfahrt stand ihr Wagen, ein uralter Blechkübel unbestimmter Herkunft, der überall mit bunten Aufklebern überzogen war. Lachende Sonnen, schillernde Regenbogen, Love, Peace, Happiness und so weiter.

»Die decken die Rostflecken ab und halten die ganze Kiste zusammen!«, erklärte sie und stieg ein. Drinnen roch es nach Räucherstäbchen und kaltem Zigarettenqualm. Es herrschte unbeschreibliches Chaos. Der Boden war knöcheltief bedeckt: Schuhe, dreckige T-Shirts, halbvolle Weinflaschen, benutzte Taschentücher, zerdrückte Zigarettenpäckchen, eine zerknüllte Jacke aus rosarotem Kunstpelz und jede Menge völlig undefinierbares Zeug.

Am Rückspiegel hing ein Bündel verbrauchter Duftbäumchen. Von der Decke baumelten unzählige, zart klickernde Glasperlenkettchen. Auch das Armaturenbrett und Teile der Fenster waren mit bunten Bildern und Sprüchen überklebt.

Der Motor heulte auf, es krachte im Getriebe, der Wagen machte einen Hüpfer, und wir fuhren los. Die Straßen waren fast menschenleer. Nur hie und da wankte ein Besoffener oder schlurfte ein schlafloser Spaziergänger durch die Dunkelheit. Die Blonde rührte mit dem Schaltknüppel herum wie mit einem Kochlöffel. An ihrem Mittelfinger steckte ein großer, blutrot glänzender Ring.

»Wie heißt du?«, fragte ich.

Keine Antwort. Stattdessen drückte sie das Gaspedal bis zum Anschlag durch, schob eine Kassette in den Rekorder und drehte auf volle Lautstärke. Ein teuflisches Geheul ging los. Eine schrille Stimme, heiser und kraftvoll. Dazu eine kreischende Gitarre und ein Bass, der mich tief in die zerschlissenen Sitzpolster drückte.

»*Black dog!*«, schrie die Blonde und schlug mit beiden Fäusten begeistert auf das Lenkrad ein. »Das ist Rock 'n' Roll, Baby! *Rock 'n' Roll!*«

In diesem zarten Mädchenkörper steckten offenbar Energien, die man ihm nicht zugetraut hätte. Ein wenig ängstlich tastete ich nach dem Sicherheitsgurt. Aber es gab keinen. Der Kassettenrekorder vibrierte und zuckte, als wollte er jeden Moment aus seiner Halterung springen und mir an die Gurgel gehen. Ich nahm meinen ganzen Mut zusammen und drehte leiser. Mit leicht hochgezogenen Augenbrauen blickte sie zu mir herüber.

»Sensibel, was?« Sie zündete sich eine Zigarette an.

»Kann sein«, antwortete ich.

Schweigen. Draußen zog die schlafende Stadt vorüber. Sie hatte den Fuß ein wenig vom Gas genommen, lehnte sich entspannt zurück und ließ den Rauch in dünnen, bläulichen Kräuseln knapp vor ihrem Gesicht hochsteigen. Unter dem weißen Pullover zeichneten sich ihre Brüste ab. Klein und fest. Ich startete einen neuen Versuch: »Waren das deine Freunde, da unten im Theater?«

»Diese Idioten?«

Sie kurbelte das Fenster runter und spuckte verächtlich ein Tabakschnipselchen ins Freie. Der feuchte Fahrtwind blies uns um die Ohren und verwirbelte einen losen Papierhaufen auf der Rückbank. Für eine paar Sekunden flatterten die Blätter herum wie ein aufgeschreckter Vogelschwarm.

»Außerdem bin ich nur auf der Durchreise …«

»Wo willst du denn hin?«

»Weiß nicht. Jedenfalls in eine Stadt. Und zwar in eine richtige Stadt. Nicht in so ein Drecksloch wie dieses hier …«

Vor uns tauchten die Umrisse der Hermann-Conradi-Gesamtschule auf, hoch, breit und dunkel. Sie legte den Wagen elegant in die Kurve und bog ab. Auf der Fahrbahn glänzten die Straßenbahnschienen. Das gelbe Licht einer einzelnen Ampel blinkte uns hinterher. *Black dog* verklang mit einem letzten Aufheulen. Das nächste Lied setzte ein, dieselbe schrille Stimme, dieselbe kreischende Gitarre, derselbe wummernde Bass. Hart. Herzzerreißend. Aufwühlend.

»Ich werde nämlich Schauspielerin!«, sagte sie. Ich lugte unauffällig zu ihr hinüber. Die Zigarette hing leicht zitternd in ihrem Mundwinkel. Ihre Augen schienen jetzt noch ein wenig schräger zu stehen. Sie strahlten unter den vorbeiziehenden Straßenlaternen. Das Auto rumpelte über ein Schlagloch, im Unterboden krachte es hässlich, am Rückspiegel schlenkerten die Duftbäumchen wild hin und her. Die Blonde lachte kurz und hell auf, dann ging es wieder ruhig weiter.

Nach einer Weile begann es unter den Reifen zu knirschen, nach allen Seiten spritzten Steinchen weg, die Häuser wurden niedriger, die letzte Laterne blieb zurück, die ersten Gemüsegärtchen tauchten auf, das flache Glasgestell einer Gärtnerei, eine halb zerfallene Holzhütte, ein rostiger Schrotthaufen, ein paar verfaulte Strohballen – und aus. Die Straße war zu Ende.

Wir hielten an, der Motor ging aus und mit ihm die Musik. Vor uns lag der Acker. Eine weite, kalte Dunkelheit. Hin und wieder schimmerte der Mond durch die Wolkendecke und streute ein spärliches Licht über die Ebene. Die Furchen lagen da wie schwarze, gefrorene Wellen. Es war ganz still.

»Auch eine?«

Sie hielt mir ihre Zigarettenschachtel unter die Nase. Ich schüttelte den Kopf. Sie überlegte kurz, steckte dann die Schachtel wieder weg, drückte ihre Kippe in den überquellenden Aschenbecher und starrte vor sich hin.

»Und wie willst du das anstellen?«, fragte ich.

»Was?«

»Schauspielerin werden.«

Es dauerte ewig, bis sie antwortete. Für einen Moment dachte ich, sie sei eingeschlafen. Doch plötzlich kamen die Worte, leise und schnell.

»Ich mache eine Rundreise. Eine Tournee. Ich klappere die Schauspielschulen ab. Nicht alle, nur die wichtigsten. Nur die, die mir etwas beibringen können. Es sind sieben, vielleicht acht. Sieben oder acht Schauspielschulen. Sieben oder acht Städte. Große Städte. Mit Einkaufszentren, Fußballstadien und Rotlichtvierteln. Vor allem mit Theatern. Mit Stadt- oder Staatstheatern. Ballett, Oper, Schauspiel, alles unter einem Dach. Mit Bühnen, fast so groß wie ihre Einkaufszentren. Ich werde an diesen Schauspielschulen vorsprechen. Und eine wird mich nehmen. Vielleicht nehmen mich auch mehrere. Unter Umständen sogar alle. Dann werde ich mir die beste aussuchen. Ich werde lernen. Und spielen. Ich werde auf einer dieser riesigen Bühnen im Scheinwerferlicht stehen und spielen. Das Gretchen, die Julia, die Katharina, Ophelia, Viola, Hedda, Emilia und so weiter ... und so weiter ...«

Während der letzten Worte war sie immer leiser geworden, kaum noch zu verstehen. Jetzt saß sie mit gesenktem Kopf da und starrte auf ihre Knie.

Nur unsere Atemgeräusche waren zu hören. Hin und wieder ein leises Knistern im Motor. Ich wollte sie trösten, beschützen, in den Arm nehmen, streicheln, an mich drücken. Stattdessen zupfte ich verstockt an meinem Hosenstoff herum.

Plötzlich war sie wieder da. Eine Bewegung in der Dunkelheit. Das Schimmern der Fuchsaugen. Das leicht spöttische Zucken des Mundwinkels. Sie drehte sich zu mir und fasste mir mit ihren kleinen kühlen Fingern in die Haare. Von meiner Kopfhaut ging eine Hitze aus, die sich schnell überall in meinem Körper ausbreitete. Ich zitterte. Hörte mein Herz wild im Brustkorb herumstolpern.

Rumms! Die Sitzlehne kippte nach hinten, und ich lag auf dem Rücken. Für einen kurzen Moment sah ich die Glasperlenkettchen aufblitzen, dann war sie über mir. Ihr Gesicht kam näher. Ein zartes Pochen unter ihrer Stirn. Der Geruch ihrer Wimperntusche. Ihr Atem. Ihre Haut. Ihre Lippen. Die kleine, flinke Zunge. Ich hätte wie ein Irrer loslachen können. Oder losheulen.

Plötzlich war ihre Hand unter meiner Jacke. Unter meinem Hemd. An meinem Bauch. Kribbelte um den Nabel. Tastete sich mit zarten Fingerspitzen am Hosensaum entlang. Nestelte an den Knöpfen herum. Zerrte daran. Riss daran. Ganz leise konnte ich die Nähte knarren hören. Mein ganzer Unterleib fing an, haltlos zu beben. Über mir ihre Augen. Ihr Mund. Ihr Atem. Und unten ihre Hand.

»Bitte … ich … bitte«, stammelte ich.

Aber es war zu spät. Die Hose war offen, und ihre Finger krochen hinein. Tasteten sich vorwärts. Packten zu. Umschlossen fest den kleinen steifen Kerl. Ich hörte mich selbst aufstöhnen. Sah mein erschrecktes Lächeln in ihren Augen gespiegelt. Kurz wurde mir schwindlig. Ich hatte das Gefühl, mich aufzulösen, im Autositz zu versickern und durch den rostigen Unterboden ins Freie zu tropfen. Doch dann gab ich mir einen Ruck und griff zu. Eine Weile zerrte ich tollpatschig an ihrem Pullover. Sie half mir, zog ihn sich mitsamt dem Unterhemd über den

Kopf. Ich konnte es nicht glauben. Nie zuvor hatte ich etwas so Schönes gesehen. Ihre Brust schimmerte in der Dunkelheit, fast noch weißer als der Pullover. Ihre dünnen Arme waren ganz fein gepunktet von Gänsehaut. Mit zittrigen Händen begann ich sie zu streicheln. Die Arme. Die Schultern. Die Brust. Alles unter meinen Fingerspitzen war weich und zart. Wieder küsste sie mich. Gleichzeitig fummelte sie an ihrer Hose herum.

»Soll ... ich ...«, wollte ich stotternd fragen.

Sie legte mir einfach ihre Hand aufs Gesicht. Diese kühle, leichte Hand. Ich schloss die Augen und spürte, wie sie sich ihren Hintern zurechtruckelte und sich öffnete. Nach zwei, drei ungeschickten Anläufen glitt ich hinein. Es fühlte sich unsagbar an. Ein dunkles, weiches Geheimnis. Ich öffnete wieder die Augen, sah, wie sie anfing, sich zu bewegen. Behutsame, schaukelnde Bewegungen. Dazu stieß sie kurze, helle Seufzer aus. Die Bewegungen wurden schneller und wilder, das ganze Auto fing an zu schaukeln und zu quietschen. Die Perlen an der Decke schlenkerten und klackerten wie verrückt herum, ich hörte, wie vorne der Kassettenrekorder aus der Halterung rutschte und an den Kabeln baumelnd im Rhythmus unserer Bewegungen gegen die Verkleidung schlug. Ich nahm ihre Finger in den Mund, knabberte daran, biss in das Fleisch am Handballen. Ihre Seufzer wurden jetzt lauter. Kleine, spitze Schreie. Ich bemühte mich mitzuhalten, dranzubleiben, nicht verloren zu gehen. Ich kämpfte, presste, stieß. Mit jedem Stoß pumpte ich mich weiter auf. Ein zum Zerplatzen gefüllter Ballon, der sich immer noch ausdehnte. Sie war jetzt dicht über mir. Ich sah, wie ein Schweißtropfen an ihrer Stirn zitterte und sich langsam löste, wie in Zeitlupe.

Und in diesem Moment, jetzt, ja, jetzt, endlich, endlich, endlich platzte der Ballon, und das Auto, ich, das Mädchen, die ganze Welt flogen auseinander, und die Glasperlen unter dem Dach verglühten wie Sterne am Himmel.

Der Nachhauseweg war kurz. Sie fuhr nicht schnell, tippte nur ganz leicht mit der Fußspitze aufs Gaspedal und zog konzentriert an ihrer Zigarette. Wieder sah ich, wie sich die blauen Kringel an ihren Wangen hochkräuselten. Sie hatte den Kassettenrekorder mit einem knackigen Schlag gegen das Armaturenbrett wieder zum Laufen gebracht und zurück ins Fach geschoben. Und da war es wieder, dieses Kreischen, Heulen, Wimmern.

Stairway to heaven hatte sie trocken festgestellt. Und das war es auch. Eine Treppe in den Himmel. Ein minutenlanger sanfter Anstieg, der fast unmerklich steiler und steiler wird, ein wolkenzartes, wiegendes Herantasten, das sich steigert, endlos und unerträglich, Schritt für Schritt, Takt für Takt, bis sich auf einmal der Himmel öffnet und du mit einem heiseren Juchzer abhebst und die Wolken durchbrichst.

Es war das Größte, was ich jemals gehört hatte. Was es überhaupt geben konnte.

Als wir vor meiner Wohnung ankamen, dämmerte es bereits. Ein kühler, bleigrauer Morgen.

»Möchtest du vielleicht noch…« Den Rest konnte ich mir sparen. Sie schüttelte einfach nur den Kopf.

»Aber wann sehen wir uns denn wieder?«

Sie starrte eine Weile müde vor sich hin, öffnete schließlich das Handschuhfach und kramte einen großen, stark zerschlissenen Papierfetzen heraus. Eine Landkarte, die nur notdürftig von Klebeband zusammengehalten wurde. Ein paar Städte waren mit rotem Filzstift eingekringelt und miteinander verbunden. Es waren sieben oder acht. Große und bekannte Städte. Die dicken Filzstiftlinien durchzogen kreuz und quer das ganze Land.

»Hier irgendwo werde ich sein …«, sagte sie, knüllte die Karte zusammen und stopfte sie mir ins Hemd. Ich saß da und wusste nicht weiter. Ein Schmerz stieg in mir hoch und trieb mir die Tränen in die Augen. Eine Angst. Bitter und heiß.

»Aber wir könnten doch …«

Sie ließ den Motor an, steckte sich die nächste Zigarette in den Mund und sah zur anderen Seite aus dem Fenster hinaus. Kurz starrte ich auf ihren Nacken, auf ihren schmalen weißen Hals. Dann öffnete ich die Tür und stieg aus.

Sie gab sofort Gas. Ich sah noch, wie die Glasperlen über ihrem strohblonden Kopf aufgeschreckt hin- und herpendelten. Danach bog der Wagen um die Ecke, und sie war weg.

Ein paar Minuten stand ich einfach so da, dumm und verwirrt. Es fröstelte mich leicht. Der Himmel hellte sich allmählich auf. Weit weg ratterte ein blecherner Rollladen. Unter meinem Hemd knisterte die zerknüllte Landkarte, in der Brust brannte mein Herz und in der Hose mein Schwanz. Ich war nun kein Junge mehr. Und das tat weh.

Samstagabendunterhaltung

Fast ein ganzes Jahr war seit meinem Drehtag im Strick-warenladen der alten Frau Chalupa vergangen Ich hatte die Sache mittlerweile fast vergessen, als mir Vater bei einem meiner selten gewordenen Besuche im Friseur-salon mit einer aufgeschlagenen Fernsehzeitschrift vor der Nase herumfuchtelte.

»Mein Sohn kommt ins Fernsehen!«

Ich nahm ihm die Zeitschrift mit gespielter Gelassen-heit aus der Hand und sah mir die Sache etwas genauer an. Tatsächlich war eine ganze Seite unserem Film gewidmet. In der Mitte prangte ein riesiges Foto der Hauptdarstelle-rin. Sie sah verdammt gut aus, viel besser noch als in Wirk-lichkeit. Ihre Haut war glatt und rosig wie die eines neu-geborenen Ferkels, das Haar durchflutet von ätherischem Licht, die Zähne strahlten in herrlichem Weiß, und der hoffnungsfrohe, aber auch ein wenig verklärte Blick schien sich in den fernen Weiten einer ungewissen Zukunft zu verlieren. In die Geborgenheit ihrer Arme schmiegte sich das Kätzchen, ein hilfloses Wollknäuel mit riesigen, him-melblauen Katzenbabyaugen.

Darunter stand in dicken Lettern der Titel: *IM KÄFIG DER LIEBE – Eine abenteuerliche Romanze.* Der Text über-schlug sich förmlich vor vorauseilender Begeisterung: *Im Käfig der Liebe* erzählt die herzzerreißende Geschichte der jungen Zoologin Claire, die ihr eigenes Leben aufopfernd dem Wohl ihrer geliebten Tiere widmet. Als Claire eines Tages den engagierten Tierarzt Jean kennenlernt, verändert sich ihr Leben schlagartig. Die beiden so unterschiedlichen Charaktere prallen aufeinander – auf der einen Seite die temperamentvolle Claire, auf der anderen der verschlossene und von einem dunklen Geheimnis umwehte Jean. Doch eines verbindet die beiden jungen Menschen: ihre unbedingte Liebe zu den Tieren. Als der aalglatte Pharmareferent Ingo auftaucht, um dubiose Geschäfte für seinen Konzern abzuwickeln, kämpfen Claire und Jean von nun an gemeinsam gegen die scheinbare Übermacht. Es geht um Eifersucht, Gier, grausame Laborversuche, um gefährdete Arten, ein schwerkrankes Kätzchen und nicht zuletzt um die Liebe – die Liebe zwischen Menschen und Tieren. *Im Käfig der Liebe* bietet beste Samstagabendunterhaltung mit beliebten Stars wie …«

Es folgten die Namen der Hauptdarsteller und der Sendeplatz mit genauem Datum und Uhrzeit: kommender Samstag. Hauptabendprogramm.

Obwohl mein Name nirgends erwähnt wurde, sprach sich die Sache schnell herum. Ich wurde auf der Straße erkannt. Angestarrt. Angehalten. Angesprochen. Man werde sich das ansehen. Selbstverständlich werde man sich den Film ansehen! Wenn schon einmal jemand aus unserer Stadt im Fernsehen auftritt! Noch dazu Hauptabendprogramm! Mit Tieren und Liebe und allem Drum und Dran! Alle Achtung! Und so weiter.

Zwei ehemalige Mitschüler, riesige Kerle mit langen Haaren, die in fettigen Strähnen über die Kragen ihrer schwarzen Lederjacken hingen, stellten sich mir in den Weg und wollten ein Autogramm. Meinen Einwand, der

Film werde doch erst laufen, und außerdem sei meine Rolle ja nicht gerade die anspruchsvollste, ließen sie nicht gelten. Auf Anspruch, erklärten sie finster, werde sowieso geschissen, und ich solle doch jetzt bitteschön schleunigst mit dem Autogramm herausrücken, da es ansonsten gleich jetzt und hier ein paar saftige Tritte in meinen kleinen Schauspielerarsch setze.

Im Friseursalon herrschte kurzfristig wieder reger Verkehr. Vater musste sein altes Terminbüchlein hervorkramen, um den Ansturm unter Kontrolle zu kriegen. Schnell waren die Seiten vollgeschrieben. Andauernd klingelte das Telefon. Man bat um einen Termin, unbedingt und unter allen Umständen brauchte man sehr schnell einen Termin. Man wollte einen neuen Haarschnitt, eine frechere Haarfarbe oder zumindest eine Auffrischung der alten Façon. Vor allem aber wollte man vor den anderen drankommen. Und während man sich vom Vater des jungen Nachwuchstalents die Haare waschen, legen, schneiden, ondulieren oder effilieren ließ, bemühte man sich, mit möglichst beiläufigen Fragen etwas mehr über die Film- und Fernsehbranche im Allgemeinen und über meine Karrierepläne im Besonderen in Erfahrung zu bringen. Vater blieb höflich, hielt sich im Großen und Ganzen jedoch bedeckt. Er nickte viel, lächelte freundlich, gab ein paar nichtssagende und eben gerade deshalb vielsagende Antworten und kümmerte sich ansonsten ausschließlich um die Kopfoberflächen der Kunden.

Meine plötzliche Berühmtheit hatte noch einen anderen, nicht unangenehmen Nebeneffekt: Mädchen begannen mich zu bemerken. Bräute, die mich bislang höchstens als zweibeinige Kuriosität betrachtet hatten, zeigten auf einmal Interesse. Überall schienen sie plötzlich aufzutauchen, an Straßenecken, vor Ladeneingängen, vor dem Salon, alleine, zu zweit, in Grüppchen. Da standen sie, kicherten, tuschelten, schlenkerten mit ihren Handtaschen, klimperten mit den Ohrringen, quetschten sich ihre Brüste zurecht, neigten die Köpfe und strichen sich dabei mit sanften Fingern über die Nacken. Mein Wert war schlagartig gestiegen auf dem Markt der Zwischenmenschlichkeit. Ich war allerdings zu schüchtern oder zu blöde, um diesen unerwarteten Aufschwung zu nutzen und mein Kapital in greifbare Werte umzumünzen. Ich ging mit gesenktem Blick und künstlerisch auf dem Rücken verschränkten Händen herum, tat gedankenvoll und sah zu, dass ich möglichst schnell nach Hause oder ins Theater kam.

Max beschloss, die Sache auf seine Art zu befördern.

»Wir machen einen Fernsehabend, du Arschloch!«, sagte er, nachdem er die Fernsehzeitschrift ausgiebig studiert, sie anschließend zusammengerollt und mir kraftvoll auf den Kopf geschlagen hatte. »Und zwar bei mir zu Hause! Mit Freunden, Weibern, was zum Saufen und allem, was sonst noch dazugehört!«

Er schniefte vor aufgeregter Vorfreude. Seine Augen blitzten mir aus dem hochroten Gesicht entgegen.

»Aber glaub ja nicht, dass ich stolz auf dich bin!«, fügte er hinzu und zog mir abermals eins mit der Zeitschrift über. Ich nickte stumm. Nie würde ich auf so eine Idee kommen.

Am Samstagabend ging ich gemeinsam mit Vater zu Max. Es war ein eisklarer Winterabend, trocken, still, minus zehn Grad. Unsere Schritte knarrten auf der dünnen Schneeschicht, die seit ein paar Tagen die Bürgersteige bedeckte. Die Dächer schimmerten im bläulichen Abendlicht, darüber funkelten ein paar verstreute Sterne. Das riesige Haus strahlte schon von Weitem, alle Fenster waren erleuchtet, hin und wieder tauchte die Silhouette eines Menschen in einem der hellen Vierecke auf und verschwand wieder. Ich musste an Martha denken, die von einem dieser Fenster irgendeiner seltsamen Sehnsucht entgegengeflogen war.

Max empfing uns am Eingang.

»Willkommen in meiner Hütte!«, sagte er und umarmte uns theatralisch. Er gab den weltmännischen Gastgeber, trug Anzug und Krawatte, hatte versucht, sich zu frisieren, und schob eine penetrante Rasierwasserwolke vor sich her. Wir klopften uns den Schnee von den Schuhen und gingen hinein.

Offensichtlich waren wir die Letzten. Überall standen, saßen oder gingen Leute herum. Ein paar Typen aus der Schule, die mich früher nicht einmal gesehen hatten, grinsten mir anerkennend zu und hielten mir kameradschaftlich ihre Biergläser entgegen. Zwei Mädchen mit »überirdischen Erkern«, wie mir Max diskret zuraunte, flatterten kichernd durch die Gegend und warfen verschämte Seitenblicke zu mir herüber. Drei weitere Erkerträgerinnen räkelten sich in einer riesigen Couch und schlürften Sekt aus dünnen Gläsern.

Lotte fiel mir um den Hals und küsste mich überschwänglich. Sie hatte sich eine weiße Orchideenblüte ins Haar gesteckt, trug ein kurzes schwarzes Kleid, keine Schuhe und sah einfach umwerfend aus. An den Zehennägeln glänzte der Chevroletlack, und ihr Lippenstift roch nach Erdbeeren.

Ein paar andere Leute nickten mir freundlich zu. Menschen, die ich noch nie gesehen hatte, Cousins, Tanten, Onkel oder Bekannte von Max.

Um halb acht begann Frau Prbjiska Kaffee, heiße Schokolade und böhmischen Punsch aufzutischen. Dazu gab es Kuchen, fette Torten und selbst gebackenes Brot, das leise krachte, wenn man hineinbiss. Immer mehr wurde angeschleppt, nach und nach füllten sich die Tische mit Schnittchen, Keksen und feinem Gebäck, der Duft nach Schokolade, Zimt und Rum verbreitete sich im Haus.

Draußen hatte es inzwischen angefangen zu schneien, dicke Flocken, die langsam zu Boden trudelten. Der Mond schimmerte nur mehr schwächlich hinter einer Wolkenwand hervor und übergoss den Garten mit seinem weichen Licht. Ein kleiner brauner Vogel hüpfte über die Rasenfläche, hob den Schwanz, schiss einen Batzen in den Schnee, schüttelte kurz seine Flügel aus und verschwand im weißen Geriesel einer Hecke.

Drinnen bollerten die Heizkörper, die nächste Tortenladung wurde angeschleppt, der Punsch floss aus großen, dickwandigen Kannen, und die Wangen der Leute begannen zu glühen. Jemand hatte eine Schnapsflasche aufgetrieben, Gläschen wurden herumgereicht, man prostete sich zu, stürzte das Zeugs mit verkniffenen Mienen hinunter, schüttelte sich zweimal und verlangte nach dem nächsten. Die Stimmung hob sich zusehends. Der Punsch öffnete die Herzen, und der Schnaps entleerte die Hirne. Schnell kam man sich näher, verteilte Komplimente, klopfte sich auf die Schultern, bot sich das Du an und wurde auch sonst recht intim.

Bei alledem wurde ich nicht vergessen. Ich war schließlich der Mittelpunkt des Abends. Der Junge, der es geschafft hatte. Der Fernsehschauspieler. Eine pralle Rothaarige im hautengen Minirock und Pumps mit stuhlbeinlangen Absätzen segelte mir treuherzig in die Arme und wollte wissen, ob denn die Filmbranche keine Verwendung für ein armes, aber talentiertes Mädchen wie sie habe. Ich konnte sie mit ein paar vagen Versprechungen abwimmeln. Ein schnapsseliger Kumpel von Max zog mich zur Seite und lallte mir ins Ohr, dass er alle meine Filme schon gesehen habe, die meisten davon sogar mehrfach und in Farbe, egal ob Kino oder Fernsehen. Ein ausgezehrter Mittvierziger mit grauem Pferdeschwanz hinter der Halbglatze, von dem niemand wusste, wer er war und wer ihn eigentlich eingeladen hatte, wollte unbedingt erfahren, wie denn die Zusammenarbeit mit der Hauptdarstellerin gewesen sei. Insbesondere interessierte er sich für ihre Brüste. Die Brüste der Starlets, so erklärte er mit nachdrücklichem Ernst, ließen nämlich auf die Entwicklung ihrer Karrieren schließen. Ist der Balkon zu klein, gebe es keine Aussicht. Ist er allerdings zu groß, wecke er Erwartungen, die kaum erfüllbar seien. Viel entscheidender als die Größe sei allerdings sowieso die Form! Die Brustform sei der stimmigste Indikator für die Karriereentwicklung. Birne zum Beispiel sei schwierig. Tropfen gehe gar nicht. Zu spitz heiße Vorabendprogramm. Zu flach tauge höchstens für die Wettermoderation. Am besten sei Apfel, schwärmte er versonnen, und zwar mittelgroß. Die mittelgroße Apfelform garantiere eigentlich schon fast automatisch den Erfolg im Fernsehen. Und wenn die Trägerin einer derartigen Apfelform vielleicht noch einigermaßen gerade stehen und fehlerfrei sprechen könne, stehe sogar einer internationalen Karriere nichts, aber auch wirklich gar nichts mehr im Wege! Sein Blick schien abzudriften, seine Pupillen waren merkwürdig geweitet, und sein Pferdeschwanz baumelte begeistert hin und her. Ich verzog mich in Richtung Tortenbuffet.

Um zehn nach acht war es so weit. Max trieb die Gäste zusammen und erhob seine Stimme, die vom Punsch noch tiefer und rauer klang als sonst und mit einer winterlichen Feierlichkeit den Raum füllte. Er sprach von mir, seinem besten Freund, seinem Blutsbruder, dem treuen Gefährten seiner frühen Jahre. Er erklärte, dass dieser Abend nichts Geringeres sei als ein Meilenstein, und zwar der erste Meilenstein auf meinem unaufhaltsamen Weg zu Ruhm und Erfolg. Die Leute nickten ernst und stumm. Jemand rief ein leises »Bravo!«, und die pralle Rothaarige zupfte bedeutungsvoll an ihrem Ausschnitt.

Mir war die ganze Sache natürlich unangenehm. Andererseits wiederum auch nicht. Vielleicht hatte Max ja Recht. Die Rolle war zwar ein Furz, aber es war eine Rolle. Ich war im Fernsehen, und alle, die mich kannten, Freunde, Bekannte, die ganze Stadt, das ganze Land, ein Millionenpublikum und vielleicht sogar Direktor Priem mit seinem dürren hölzernen Kumpel an der Wand würden mir ins

Gesicht sehen, würden meine Stimme hören und meine Präsenz spüren.

Trotz solcher Gedanken bemühte ich mich, möglichst bescheiden auszusehen, und schaute still lächelnd auf den flauschigen Teppich hinunter. Aus den Augenwinkeln sah ich, wie sich Vater mit beiden Händen an seinem Punschglas festhielt und vor Rührung ganz feuchte Augen kriegte. Mit einer großartigen Geste leerte Max sein randvolles Glas und fuhr mit seiner Rede fort. Dass das Talent mich bald weit über die Grenzen meiner Herkunft tragen würde, behauptete er mit leicht flatterndem Timbre, sei ihm schon lange klar gewesen. Eigentlich immer schon. Seit dem denkwürdigen Tag, als wir im Schulhof gemeinsam einen Haufen Ameisen platt gewalzt hatten. Jetzt kam er zu unseren Schuljahren, sprach von Konkurrenz und Innigkeit, von Stumpfsinn und Frohsinn, von Lehrern, Weibern und Eltern. Als er dann zudem die Schicksalsschläge erwähnte, die uns beide verbanden, den frühen und den noch viel früheren Verlust unserer Mütter, wurde es ganz still im Raum. Rührseligkeit machte sich breit, und die Leute schauten mit glänzenden Augen in ihre Punschgläser.

Plötzlich durchbrach Max' schnapsseliger Kumpel die feierliche Stille mit dem freundlich gelallten Hinweis, dass es jetzt Viertel nach acht sei und dass man sich, sollte man vorhaben, weiteren gefühlsduseligen Reden zu lauschen, den Film ja sicherlich auch irgendwann im nächsten Jahr als Wiederholung im Vormittagsprogramm anschauen könne.

Schnell wurde der Fernseher angemacht. Man sicherte

sich einen ansprechenden Alkoholvorrat, machte es sich auf einer der vielen Sitzgelegenheiten bequem und starrte erwartungsvoll in die Kiste.

Der Film entsprach genau den Erwartungen. Die Handlung war nachvollziehbar, die Kostüme waren bunt, und die Hauptdarsteller sahen noch viel besser aus als im wirklichen Leben. Oft waren Tiere zu sehen. Vor allem das kleine Kätzchen in Großaufnahme. Die schönen Tiere und Menschen standen in seltsamem Kontrast zur Hässlichkeit unserer Stadt. Es war, als ob Engel durch eine Jauchegrube wateten. Es wurde viel geweint und fast pausenlos gelächelt. Manchmal wurde sogar lächelnd geweint. Und über den Geschehnissen waberte der Soundtrack wie ein zäher, klebrig süßer Strom. Dann wurde die Musik düsterer, und die Pharmaindustrie kam ins Spiel. Jetzt ging es ums Ganze. Alles war bedroht, die Tiere, das Glück, die Liebe und noch ein paar andere Sachen. Aber die Zoohändlerin und der geheimnisvolle Tierarzt stellten sich tapfer lächelnd den ganzen Anfeindungen.

Schließlich war es so weit. Mein Auftritt rückte näher. Ich rutschte auf meinem Stuhl nach vorne an die Kante, beugte mich vor und spannte die Rückenmuskeln an. Die Hauptdarstellerin ging im ehemaligen Strickwarenladen der alten Frau Chalupa hin und her und sprach leise mit ihren Tieren. In meiner Hand zitterte das Glas, der Punsch darin schlug kleine Wellen. Die Hauptdarstellerin streute zärtlich summend eine Handvoll Sonnenblumenkerne in den Papageienkäfig. Einer der Papageien legte den Kopf schief und bedankte sich höflich. Vater räusperte sich. Der Hintern der Rothaarigen wetzte langsam auf dem Sofakissen. Frau Gorac glucktse leise in sich hinein. Die Hauptdarstellerin bückte sich zum Kätzchen hinunter, nahm es hoch und drückte es an ihre Brust. Ein inniger Augenblick voller Zärtlichkeit. Großaufnahme Dekolleté. Ich spürte, wie sich Max' Hand beruhigend auf meine Schulter legte. Die Hauptdarstellerin schaukelte das Kätzchen in ihren weichen Armen und blickte sinnend in die Ferne. Großaufnahme Gesicht. Jemand seufzte gerührt. Jemand kicherte nervös. Die Hauptdarstellerin bekam feuchte Augen. An ihrer Brust schnurrte es leise. Großaufnahme Dekolleté mit Kätzchen. Plötzlich wechselte die Musik von Dur auf Moll. Ich rutschte an den äußersten Rand der Stuhlkante. Max Fingerspitzen bohrten sich in meine Schulter, direkt in die weiche Stelle oberhalb des Schlüsselbeines. Die Musik schwoll an. Die Hauptdarstellerin schloss die Augen. Das Kätzchen schnurrte. Alle hielten den Atem an. Und ich wusste: Gleich würde die Tür aufgehen … Gleich … Jetzt … Jetzt …

Schnitt. Eine wunderschöne Landschaft. Sanfte Hügel, grüne Wälder, ein Teich aus glitzerndem Bleikristall, am Ufer wogendes Schilf. Hufgetrappel nähert sich, die schlanken Fesseln eines Schimmels fliegen über die Erde. Die kräftigen Muskeln zeichnen sich unter dem glatten Fell ab, das im Sonnenlicht schimmert. Und auf dem Schimmel: der Tierarzt. Sein Haar flattert im Wind, sein Hemd ist offen, seine Brust glänzt, sein Blick ist in die Ferne gerichtet, weit über den Teich, über die Hügel, über die ganze Landschaft, über den Horizont und über die Zeit hinaus. Immer weiter schweift sein Blick, lässt Sommer, Herbst und einen halben Winter hinter sich, durchdringt tief verschneite Wälder, gleitet über glitzernde Flächen, schlittert über den gefrorenen Acker, vorbei an einem aufgeschreckt krächzenden Krähenschwarm, über die ersten Gärtchen und niedrigen Dächer, durch das hohe Gusseisentor, über den Kiesweg, an der Hauswand hoch, durch das bläulich flimmernde Fenster in unser Fernsehzimmer hinein und mir direkt ins Gesicht.

»Sorry, mein Junge«, sagt er mit sanfter Stimme, »aber du bringst es eben einfach nicht …«

Seine Augen strahlen in einem sagenhaften Blau. Seine Zähne glänzen weißer als das Fell des Schimmels. Er wirft den Kopf in den Nacken, drückt dem Pferd sanft die Hacken in die Seiten und galoppiert davon. Staubwolke. Landschaft. Sonnenuntergang. Schnitt.

Ich stand auf und blickte in die Runde. Die meisten hatten es noch gar nicht kapiert und starrten weiter erwartungsvoll in die Kiste hinein.

»Die haben mich rausgeschnitten«, sagte ich leise.

Betretenes Schweigen. Man konnte zusehen, wie die peinliche Erkenntnis nach und nach in die Gesichter einsackte. Lotte schob sich verlegen ihre Brille zurecht. Die Rothaarige blickte demonstrativ gelangweilt aus dem Fenster. Der Schnapskumpel grinste dumm. Vater saß einfach nur da und sah mich an. Es lag keine Enttäuschung in seinem Blick. Aber auch kein Trost. Ich schlüpfte in meine Jacke, ging in die Küche, schnappte mir eine volle Schnapsflasche und lief aus dem Haus.

Draußen schneite es inzwischen. Dicht an dicht trudelten die dicken, weichen Flocken vom tiefschwarzen Himmel und versanken lautlos im Boden. Hinter mir ging die

Tür auf, und Max kam heraus. Sein Gesicht glühte vom Punsch und von der Wärme im Zimmer.

»Wo willst du hin?«, fragte er.

Ich zuckte mit den Schultern. Er überlegte einen Moment lang, dann drehte er sich um und verschwand im Haus. Es dauerte bloß ein paar Sekunden, und er war wieder da. Er hatte sich ebenfalls eine Jacke angezogen und eine Schnapsflasche besorgt. Auf dem Kopf trug er eine Pelzmütze mit riesigen Ohrenklappen.

»Wir können los!«, sagte er.

Ein Weltall unterm Kittel

Die Straßen waren wie ausgestorben. Kein Mensch wollte sich bei so einem Wetter freiwillig draußen herumtreiben. Die Stadtrandbewohner hockten lieber zu Hause auf ihren behaglichen Sofas, stopften Chips und Tiefkühlsachen in sich hinein, kippten dazu wahlweise jede Menge Bier oder Likör runter und starrten in die Glotze. Sahen den Film, in dem ich nicht mitgespielt hatte.

Wir gingen schweigend nebeneinander her. Nur unsere knarrenden Schritte, Max' leises Schnaufen und das Gluckern unserer Flaschen waren zu hören. Hin und wieder blieben wir stehen und genehmigten uns einen Schluck. Das Zeug roch nach Pferdestall und schmeckte auch so. Aber es hielt warm. Manchmal rollte ein Auto vorüber, kaum zu hören auf der verschneiten Fahrbahn. An einem Fenster saß neben einer flackernden Kerze ein vollbärtiger

Glatzkopf und stierte regungslos zu uns ins Schneetreiben hinaus. Ein paar Jungs liefen vorbei, schwenkten Bierflaschen, bewarfen sich mit Schneebällen, die so locker und weich waren, dass sie noch in der Luft auseinanderfielen, lachten, grölten, verschwanden wieder.

Eine ganze Weile gingen wir an einer Mauer entlang, bis wir vor einem hohen Tor Halt machten. Das Tor war aus Gusseisen, ein breiter, hoher Bogen, kunstvoll verschnörkelt und verziert, ähnlich dem Tor im Hermann-Conradi-Schulhof, nur dass zwischen den Stäben kleine, dicke Engel verschweißt waren. Wir kannten dieses Tor. Unsere beiden Mütter waren hier vor mehr oder weniger kurzer Zeit durchgetragen worden. Weiß der Teufel, warum uns der Weg ausgerechnet zum städtischen Friedhof geführt hatte.

Max nahm einen Schluck vom Schnaps, rülpste laut, wischte sich mit dem Ärmel übers Kinn und steckte die Flasche wieder ein. Dann begann er zu klettern. Unerwartet schnell und geschickt stieg und zog er sich hoch, hievte seinen Körper über die gusseisernen Lanzenspitzen, sprang auf der anderen Seite wieder hinunter, landete mit federnden Knien auf beiden Beinen und sah mich herausfordernd an. Bei mir dauerte es länger. Das Metall war so kalt, dass meine Finger daran kleben blieben. An den eisglatten Engelköpfchen fanden die Füße kaum Halt, ich rutschte ab, baumelte für einen Moment mit einer Hand am Tor, strampelte kurz, zog mich wieder hoch und kletterte vorsichtig weiter. Ganz oben schlitzte mir eine der Spitzen die Hose auf, direkt an der Nahtstelle über dem zarten Pochen meiner Eier. Schließlich aber hatte ich es geschafft und plumpste auf der anderen Seite herunter. Max nickte mir ernst zu, drehte sich um und ging. Das Grab seiner Mutter lag ganz hinten am anderen Ende des Friedhofes. Ich sah, wie er den langen Weg zwischen den Grabsteinen entlangging und wie sich seine Gestalt im dichter werdenden Flockengewirbel immer mehr auflöste, bis sie schließlich ganz verschwunden war.

Ich ging in die entgegengesetzte Richtung. Der Weg war von einer hohen Schneeschicht bedeckt. Die Fußstapfen des Tages waren längst verschwunden. Nur hie und da waren die Abdrücke einer Amsel zu erkennen, ein zartes Getrippel in dem ganzen bläulichen Weiß. Eine weiche Stille lag über dem Friedhof. Sogar das Geräusch meiner eigenen Schritte wurde vom Schnee fast verschluckt. Bäume, Hecken und Büsche schienen sich unter der Last zu ducken. Ab und zu glitzerte ein Eiszapfen aus der Dunkelheit zwischen den starren Ästen hervor. Die Grabsteine hatten ihre Konturen verloren und ragten wie kleine Hügel aus dem Boden. Ein steinerner Engel mit einer schiefen Schneehaube auf dem Kopf starrte ausdruckslos zu mir rüber. Ich bog in einen schmalen Seitenweg und folgte ihm bis ganz nach hinten an die Friedhofsmauer. Das Grab meiner Mutter war im Sommer leicht zu finden. Vater hatte rundherum jede Menge Grünzeug gepflanzt, und seit ein paar Jahren war es zusätzlich von einer merkwürdigen Kletterpflanze überwuchert. Die dünnen Verästelungen umspannten die Grabplatte wie ein altes Fischernetz, und alle paar Wochen trieben winzige Blüten aus, deren gelblicher Farbton ziemlich genau dem unseres Pfirsichshampoos entsprach. Im Winter war davon allerdings nichts zu sehen. Unter der dicken Schneeschicht sahen sich alle Gräber ähnlich, und ich brauchte eine ganze Weile, bis ich das richtige gefunden hatte.

Der Grabstein war aus Granit, niedrig und einfach. Ganz oben war ein kleines Kreuz angebracht. Unsere Familie war seit jeher weder katholisch noch evangelisch noch sonst irgendwie religiös, aber Vater wollte kein Risiko eingehen. Wenn es nun doch einen Gott gäbe, meinte er, dann könne so ein Kreuz zumindest nicht schaden. Gleich darunter eingemeißelt standen Name, Geburts- und Todesdatum sowie die Worte *Ruh' Dich aus!* Ich trank einen Schluck und sagte den Spruch halblaut vor mich hin. Es klang wie ein Befehl, aber Vater war der Ansicht, dass das übliche *Ruhe sanft!* erstens zu kitschig und zweitens zu endgültig wäre, wohingegen in den Worten *Ruh' Dich aus!* für ihn zumindest die leise Ahnung einer nicht näher begründbaren Hoffnung mitschwang. Ich fegte mit dem Ärmel ein bisschen Schnee vom Rand der Grabplatte und setzte mich. Es war so still. Alles lag da wie erfroren. Der Stein unter meinem Hintern war eiskalt. Doch der Schnaps hatte mich mittlerweile einigermaßen unempfindlich gemacht. Mein Magen bollerte wie ein kleiner Ofen und schützte mich vor der Kälte und allem anderen da draußen. Ich ließ mich ganz langsam zurückkippen, breitete die Arme aus und schaute in den Himmel hoch. Es schneite jetzt wieder etwas weniger, und ich versuchte einzelne Flocken mit dem Blick zu verfolgen, bis sie in meinem Gesicht landeten und auf der Haut schmolzen. Zwischen den schwarzen Ästen eines Baumes schimmerte ein Mondzipfel hervor. Ein Stück darüber tauchte ein einzelner Stern auf, ein winziger, mattsilbriger Punkt. Ich musste daran denken, wie ich manchmal als ganz kleiner Junge unter den Friseurkittel meiner Mutter gekrochen war. Ich saß dann in dieser duftenden Dunkelheit und fühlte mich geborgen und sicher, und alles war gut. Und jedes Mal, nachdem ich eine Weile so im Dunkeln gesessen hatte, öffnete sich der Raum über mir, und überall blitzten Sterne auf, einer nach dem anderen, immer mehr, Hunderte, Tausende, Millionen, unendlich viele zart funkelnde Sterne. Es war überwältigend. Unfassbar schön. Die Friseurschürze hatte sich zu einem lichtgesprenkelten Himmelszelt ausgebreitet, und darunter saß ich, ein kleiner glücklicher Junge, der sich erstaunt im Weltall seiner Mutter umsah.

Bei diesen Gedanken brach es plötzlich aus mir heraus. Ein heißer Schwall, eine Traurigkeit, ein Schmerz, brennend und tief. Ich schluchzte laut auf, krümmte mich, schüttelte mich und wälzte mich haltlos auf der Grabplatte herum. Meine Tränen vermischten sich mit dem Schneewasser und liefen mir in dünnen Bächlein über die Schläfen und hinten in den Kragen hinein. Ich drehte mich auf den Bauch, vergrub mein Gesicht im Schnee und umarmte den kalten Stein. Im gefrorenen Boden unter mir lag der Staub meiner Mutter. Meiner lieben, lieben Mutter. Ein neuer heißer Schwall stieg in mir hoch und schüttelte mich durch. Ich schlug mit der Stirn gegen den Stein. Und gleich noch einmal. Und noch einmal. Es war, als wollte ich anklopfen bei ihr. Jeden Moment würde sich die Pforte öffnen, und sie würde mich in ihre Arme schließen, würde mir mit dem Daumen sanft über beide Wangen streichen und mich unter ihren duftenden, weiten, dunklen Kittel kriechen lassen.

»Mama!«, rief ich schluchzend und bumste mit der Stirn weiter gegen die Granitplatte. »Mama ...!«

Keine Ahnung, wie lange es dauerte. Irgendwann ging mir die Kraft aus, und ich drehte mich wieder auf den Rücken und blieb einfach so ausgestreckt liegen. Inzwischen hatte es vollständig aufgehört zu schneien. Am tiefschwarzen Himmel zogen Wolken vorüber. Der Mond schimmerte zwischen den Ästen hervor, und ein paar weitere Sterne waren aufgetaucht. Plötzlich spürte ich die Kälte. Ich zitterte am ganzen Körper, die Finger waren steif und kalt wie tote Ästchen, der Rotz unter meiner Nase hatte sich zu einem pampigen Pfropf verfestigt, der Hintern schien mit der Grabplatte zusammengefroren zu sein. Mühsam richtete ich mich auf und kam auf die Beine. Im zertrampelten Schnee lag die Schnapsflasche, ich hob sie auf und nahm einen tiefen Schluck. Das Zeug schmeckte widerlich wie eh und je, aber der Ofen begann wieder zu heizen.

Im schneebedeckten Gebüsch unter dem Baum regte sich etwas, ein leises Rascheln, eine kleine Bewegung in den Blättern, das Rieseln von Schnee, und auf einmal teilten sich die Zweige, und etwas Kleines, Dunkles zischte oben aus dem Busch heraus, hopste mit kratzenden Krallen den Baumstamm hoch und blieb schließlich regungslos in einer Astgabel sitzen. Ein Eichhörnchen. Der buschige Schwanz war hoch aufgerichtet und bewegte sich ganz leicht hin und her, in den großen, schwarzen Augen glänzte das Mondlicht. Für ein paar Sekunden starrten wir uns an. Dann ein Kratzen, ein Rascheln, ein Rieseln, und weg war es. Ich schaufelte eine Handvoll Schnee vom Boden und rieb mir damit das Gesicht ab. Einen großen Brocken stopfte ich mir in den Mund. Es schmeckte süß und rein. Ich schleuderte die Schnapsflasche von mir und hörte, wie sie irgendwo auf einem schneebedeckten Stein dumpf zerplatzte. Noch einmal beugte ich mich zu Mutters Grabstein hinunter und legte meine Wange darauf, genau an die Stelle, wo ihr Name eingemeißelt war. Ich hörte das Klopfen meines Pulses und spürte, wie die Traurigkeit wieder zurücksank auf den tiefsten Grund meines Herzens.

Max wartete schon am Tor. Er stand mit dem Rücken an die Gusseisenverstrebungen gelehnt und sah fix und fertig aus. Seine Haare waren feucht und ragten völlig ungebändigt in alle Richtungen. Sein Gesicht unter der verrutschten Pelzmütze war kalkweiß, die Stirn glänzte matt, die Wangen waren fahl und eingefallen, unter den Augen hing ein aschgrauer Schatten. Seine Schnapsflasche war er anscheinend auch losgeworden.

»Alles klar?«, fragte er. Ich nickte.

»Und bei dir?«

Er senkte den Kopf und sah sich seine Schuhspitzen an. Schwere Halbschuhe, aus denen oben das pelzige Innenfutter herausquoll.

»Sie ist schwanger!«, sagte er leise und rau.

»Wer?«, fragte ich dumm.

»Lotte.«

Ich spürte, wie mir jemand an den Hals fasste. Zwei

knotige und eisig kalte Krallen, die mir ihre nagelspitzen Daumen in das Fleisch direkt unter dem Kehlkopf stachen und begannen, mich von oben nach unten aufzureißen, ganz langsam: Hals, Brustbein, Lungenflügel, Herz, Bauchdecke, Eingeweide, den ganzen Körper, bis ich dalag wie ein aufgebrochenes Stück Wild. Aber das Merkwürdige dabei war: Ich spürte keine Schmerzen. Vor mir im blutigen Schnee lag mein warmes, pochendes Herz, und ich fühlte mich gar nicht schlecht. Im Gegenteil: Es war, als hätte ich die letzten paar Kilo einer schweren Last verloren. Jetzt konnte es losgehen. Ich sammelte meine Innereien wieder zusammen, stopfte alles an seinen Platz zurück, trat einen Schritt auf Max zu, nahm ihn beim Kragen und fing an, kräftig an ihm zu rütteln.

»Weißt du eigentlich, was das bedeutet!«, brüllte ich.

»Klar!«, schrie Max und packte mich ebenfalls am Kragen. »Ich werde Vater!«

»Scheiße!«, brüllte ich.

»Nein!«, schrie Max. »Es ist nicht Scheiße! Es ist ein Wunder! Verstehst du? Ein gottverdammtes Wunder!«

Wir brachen in ein wildes Gelächter aus und begannen wie durchgedrehte Böcke umeinander herumzuhüpfen.

Max warf seinen Kopf in den Nacken und lachte sein ganzes Glück in die eisige Nachtluft hinaus. Dabei löste sich seine Pelzmütze vom Kopf, flog in hohem Bogen und mit wild flatternden Ohrenschützern durch die Luft und landete raschelnd wie ein aufgeschrecktes Rebhuhn im Gebüsch.

Irgendwann ging uns die Luft aus, und wir ließen uns mit den Rücken gegen das Tor fallen. Schweigend lehnten wir so nebeneinander und sahen den Hauchwölkchen zu, die uns aus dem Mund dampften.

»Dieser Film war sowieso scheiße!«, sagte Max nach einer Weile.

»Ja«, sagte ich. »Richtig scheiße!«

»Ja«, sagte Max.

Der Himmel war jetzt endgültig aufgeklart. Die Luft war rein und klirrend kalt, überall blitzten Sterne auf, und das Mondlicht brachte die Schneedecke zum Funkeln.

Plötzlich spürte ich Max' Gesicht dicht bei mir. Seinen Atem an meiner Haut. Seinen Mund an meiner Wange. Eine Berührung. Einen Kuss. Schüchtern und zart. Fast gleichzeitig zuckten wir zurück und schauten verschämt auf den zertrampelten Schneeboden. Wahrscheinlich war Max noch ein bisschen überraschter als ich. Ich hörte sein lautes Schniefen und sein unterdrücktes Räuspern neben mir. Dann stieß er sich vom Gitter ab und verschwand kurz hinter dem Busch, tauchte aber sogleich mit seiner schneebestäubten Pelzmütze auf dem Kopf wieder auf.

»Und jetzt gehen wir feiern, Alter!«, sagt er und grinste.

Und in diesem Moment, im kürzesten Bruchteil einer Sekunde, schoss mir die Klarheit wie ein winziger Blitz durchs Hirn, und ich wusste, dass diese Nacht ein Abschied war.

James Last in der Unterwelt

Der Heilige Ernst begrüßte uns mit einem mürrischen Grunzen, dem äußersten Zeichen einer gewissen wohlwollenden Anerkennung, dessen er sich meines Wissens jemals bedient hatte. Das übliche Publikum war da: die Biertrinker, die Schnapssäufer, die Likördrosseln, die schweigsamen Brüter, die redseligen Plaudertaschen, die dürren alten Männer mit dem flackernden Blick, die dicken alten Frauen mit dem schweren Atem. Alles war von einer dichten Rauchschicht umnebelt, aus der nur der Heilige Ernst wie ein schiefer Leuchtturm herausragte und den Verirrten und Untergehenden den Weg zur Theke wies.

Das erste Bier tranken wir gegen den Durst. Das zweite, um auf den Geschmack zu kommen, das Dritte, weil es nun schon einmal dastand. Anschließend schlug Max mit der flachen Hand klatschend auf die feuchte Theke und bestellte eine Lokalrunde, die von den Gästen mit einem kurzen Heben der schweren Köpfe und einem düsteren Nicken quittiert wurde.

Wir beschlossen, auf Wein umzusteigen. Es gab einen Roten und einen Weißen. Wir entschieden uns für den Roten, und das war ein Fehler. Schnell disponierten wir um und spülten den fauligen Geschmack mit einem kühlen Weißen hinunter, der so sauer war, dass uns der Saft aus den Mundwinkeln lief. Als Max eine weitere Lokalrunde spendierte, ging ein anerkennendes Raunen durch den Raum. Die Sache wurde ernst. Eine dicke Fünfzigjährige im ausgeblichenen Blümchenkleid versuchte unsere Aufmerksamkeit auf sich zu lenken, indem sie mit schweren Lidern beständig zu uns rüberzwinkerte und dabei unbeholfen an ihren Plastikohrringen herumspielte. Einer der Thekensäufer, ein Kerl mit prall gefüllten Tränensäcken und dunkelgelben Pferdezähnen, beugte sich kumpelhaft zu mir und wollte wissen, wie es denn meinem Mädchen zu Hause gehe und ob ich denn heute schon meinen Pimmel in ihre weiche Mädchenfreundlichkeit versenkt hätte. Ich ersuchte ihn höflich, doch jetzt gleich seinen Kopf in den eigenen Arsch zu stecken. Max bestellte Pflaumenschnaps für alle, woraufhin die Stimmung herzlich wurde. Die Leute begannen sich aus ihrer eigenen Aura herauszubewegen und die Nähe der anderen zu suchen. Man fing an sich zuzuprosten, zu erzählen und zu politisieren. Nach zwei weiteren Runden (Birnenbrand und Pfirsichgeist) rammte einer der Männer seine Stirn gegen die Wandverkleidung und verlangte mit heiser gebrülltem Nachdruck nach Musik. Für ein paar Sekunden wurde es unheimlich still im Raum. Alle Blicke waren auf den Heiligen Ernst gerichtet. Noch nie hatte jemand gewagt, einen solchen Wunsch zu äußern, seitdem man sich erinnern konnte, wurde hier ohne Musikbegleitung getrunken. Die Weinstube war ein stiller, dunkler Tempel eines hochprozentigen Gottes.

Der Heilige Ernst hielt den lauernden Blicken stand, die aus den Rauchschwaden herausstachen. Seelenruhig polierte er ein dreckiges Bierglas, hielt es gegen die Deckenlampe, kniff die Augen zusammen, wischte noch einmal, stellte das Glas weg und zündete sich eine Zigarette an. Und dann geschah das Unfassbare: Er griff unter die

Theke und fingerte dort unten eine Weile leise klackernd herum. Und auf einmal ging es los. Eine Art stampfende Gute-Laune-Musik, blechern und praktisch ohne erkennbare Melodie, dafür mit jeder Menge Instrumenten und einem immerhin recht hüftlockeren Swing.

Der Mann im weißen Anzug. Mr Non-Stop-Dancing. James Last.

Niemand der Gäste hätte dem Heiligen Ernst zugetraut, eine James-Last-Kassette unter dem Tresen versteckt zu haben. Die Vorstellung, dieser graue Hades würde seine kleine Unterwelt nach Ladenschluss verriegeln, sich in eine Ecke setzen und den tröstlich swingenden Arrangements lauschen, erschien den meisten als geradezu absurd. Aber jetzt war James Last nun einmal da. Es war, als ob er auf einer silbrig gleißenden Showtreppe direkt zu uns in diese verstunkene Saufbude herabgestiegen wäre. Ein Gejohle und Gegröle ging los, und in den verkalkten oder weichgesoffenen Adern begann das Restblut zu brodeln. Da zuckten die Schenkel und wippten die Hüften. Ein Teil der Gäste wurde regelrecht übermütig. Zwei schwer angeschlagene Straßenbahner räumten ein paar Tische weg und fingen an ihre bleiernen Gliedmaßen zum Takt der Musik herumzuschlenkern. Die Dicke im Blümchenkleid bewegte sich aus ihrer Sitzecke, setzte sich dem Kerl mit den Tränensäcken auf den Schoß und wollte knutschen. Eine traurig überschminkte Frührentnerin bestellte Eierlikör für alle, woraufhin ein riesenhafter Kerl in blauem Arbeitsoverall und gelben Gummistiefeln unter dem lauten Beifall der anderen mit zwei Runden Klare Pflaume konterte.

James stieg jetzt von Swing auf Romantik um. Tief bewegende Melodien, ergreifend, herzerschütternd. Sofort machte sich Sentimentalität breit. Die Stimmen senkten sich mit den Köpfen. Die Augen wurden feucht. Die Gedanken wanderten in längst vergangene Zeiten, als die Hoffnungen noch größer waren als die Niederlagen. Die beiden Straßenbahner wiegten sich in enger Umarmung, die bärtigen Wangen aneinandergedrückt, durch den Raum, während der riesige Gummistiefelträger mit Tränen in den Augen durch die dichten Rauchschwaden in eine unbekannte Ferne stierte.

Mittlerweile fühlte ich mich etwas schwammig im Kopf. Ich sah mich nach Max um. Er saß in einer Ecke und war in ein Gespräch mit einem kummervollen Wollmützenträger vertieft. Es ging um Frauen. Die beiden waren sich einig, dass das Leben im Grunde genommen nur einen einzigen erstrebenswerten Sinn hatte: sich haltlos in den Schoß eines Weibes zu schmeißen. Wie wunderbar ist doch das Weib! Heimat und Fremde! Heiligtum und Sünde! Max schwärmte von dieser Stelle, von dieser glatten, weichen, weißen Stelle etwa zehn Fingerbreit unter dem Nabel, an der sich – beispielsweise beim nächtlichen Nacktbaden im städtischen Rinnsal – die hauchzarten Härchen aufstellen. Und dazwischen das Glitzern eines einzelnen Wassertropfens, der sich mit einem leichten Zittern vom Nabelrand löst und ganz langsam über die sanfte Wölbung hinunterrollt, um schließlich in der geheimnisvoll duftenden Glückseligkeit dort unten zu verschwinden.

»Oder einfach nur vögeln!«, schrie die Wollmütze und kippte begeistert mit ihrem Stuhl nach hinten.

Da die Toilette mittlerweile unbenutzbar geworden war, gingen Max und ich zum Pissen ins Freie. Arm in Arm standen wir schwankend da und versuchten aus drei Metern Entfernung das alte Schlagloch vor der Tür zu füllen.

»Oh ja!«, sagte Max mit geschlossenen Augen und einem verklärten Lächeln im vom Mond sanft beschienenen Gesicht. »Oh ja!«

Drinnen hatte der Abend mittlerweile das Stadium der Auflösung erreicht. Wenn die Schleusen erst einmal offen sind, gibt es kein Zurück mehr. Man kann sich dagegen wehren und sinnlos gegen die Strömung anstrampeln, oder man kann aufgeben und sich einfach treiben lassen im herrlichen, hochprozentigen Überfluss. Man wird ersaufen, und man weiß es. Untergehen mit einem letzten Juchzer. Versinken im grund- und bodenlosen Rausch. Und James Lasts glitzerndes Showorchester bläst einem die Abschiedsmelodie dazu.

Niemand strampelte, niemand wehrte sich mehr. Diejenigen, die ihre Zunge noch einigermaßen unter Kontrolle hatten, redeten, debattierten, lallten und grölten weiter. Der Rest blieb stumm, versuchte aber trotzdem nicht den Anschluss zu verlieren. Weitere Runden wurden ausgegeben, und die Zeit dazwischen wurde mit Sologetränken gefüllt. Einer der hartnäckigsten Thekenschweiger erhob sich plötzlich von seinem Hocker und fing zur großen Überraschung aller an, mit großen, abgehackten Gesten und schwerfällig rollenden Augen von seinem Leben zu schwadronieren. Seine Zunge war schwer wie ein rohes Hüftsteak und schien seine Mundhöhle komplett auszufüllen. Sein Redeschwall klang wie ein schlammiger Erdrutsch, aus dem sich nur manchmal ein paar verständliche Brocken lösten. Es hörte sowieso niemand zu. Die meisten waren mit sich selber beschäftigt, manche waren eingeschlafen oder hatten in einem lichten Augenblick der Vernunft den Ausgang gefunden und waren nach Hause getorkelt. Die dicke Blümchenfrau lag schnarchend auf dem Tränensack, dessen Blick starr gegen die Decke und in die weiten Gegenden darüber gerichtet war. Ein kleiner Kerl, dessen Hände komplett mit schmutzig gelblichen Verbänden umwickelt waren, verschwand immer wieder auf die Toilette, kam aber jedes Mal gleich darauf zurück, blieb für einen Augenblick schwankend stehen und sah sich erstaunt im Schankraum um, als hätte er ihn in diesem Moment zum ersten Mal betreten. Der Riese mit den Gummistiefeln kippte jetzt nach vorne, bumste mit der Stirn auf die Tischplatte und schlief ein. Sofort lief ihm der Saft aus dem Mund und bildete eine sich schnell ausbreitende Pfütze. Allgemeine Lähmung machte sich breit. Nur ein paar Thekenveteranen – unter ihnen die zähe Eierlikörrentnerin – hielten die Stellung und machten trotz fortschreitender Betäubung stur weiter.

Allmählich machte auch Max schlapp. Er hockte alleine an einem Tisch und beobachtete mit glasigen Augen die Kerzenflamme vor sich. Er glaubte, in ihrem zarten Flackern etwas wiederzuerkennen, eine Bewegung, einen lockenden, fordernden Tanz, etwas Geheimnisvolles, Beängstigendes, jedenfalls aber etwas unglaublich Berührendes.

»Pst!«, flüsterte er und legte seinen Finger an die bebenden Lippen. »Kannst du es sehen?«

Am Kerzenrand zitterten die Wachstropfen wie dicker Rotz an einem Winterabend.

»Ich sehe nichts«, sagte ich.

»Sie tanzt …«

Hinter mir rutschte ein dürrer Kerl vom Hocker, plumpste mit dem Hintern auf den Boden, blieb dort unten einfach sitzen und verlangte mit trotzig vor der Brust verschränkten Armen, dass man ihm gefälligst sein Getränk herunterreichen solle. In diesem Moment war mir klar, dass die Nacht gelaufen war.

»Lass uns abhauen!«, schlug ich vor. Aber Max schüttelte nur stumm den Kopf. Seine Augen waren von einem intensiven Rot umrändert, und in den engen Pupillen spiegelte sich das tanzende Flämmchen. Es war völlig klar, dass es hier für ihn noch etwas zu erledigen gab. Ich ging zum Heiligen Ernst, schob ihm mein ganzes Geld über den Tresen und wankte ins Freie.

Draußen war es mittlerweile hell geworden. Ein mattsilbriges Winterlicht lag über der Stadt. An der Straßenbahnhaltestelle standen schon Fahrgäste. Frierende Frauen und Männer, die sich mit der ersten Zigarette des Tages die Wollfäustlinge versengten. Die Kälte war schneidend. In meinem Kopf rauschte es dumpf. Hinter mir drang leise James Lasts blecherner Swing heraus, dazu das Knarren von Holz, ein Stöhnen, ein dunkles Murren, ein gedämpftes Grölen, Stimmen einer anderen, dunklen Welt. Ich atmete tief ein, spürte, wie die Kälte meine Lungen füllte, hustete, schlug meinen Kragen hoch und knirschte auf der hart gefrorenen Schneedecke nach Hause.

Das Rauschen der Amsel

Ich hörte den Wecker nicht. Auch nicht die Müllabfuhr unten im Hof oder das Taubengetrippel auf dem Fensterbrett und schon gar nicht mein eigenes Kopfrauschen und Herzpochen. Ich hörte und träumte und spürte nichts mehr. Ich war tot. Erschlagen vom Alkohol, erwürgt, ertränkt und zugedeckt mit dem kühlen, weißen Tuch der Stille.

Aber dann doch: Mitten in dieser ewigen Leere erreichte mich der Finger Gottes. Eine Fingerspitze, eine Berührung an der Stirn, leicht und feucht. Und gleich darauf noch einmal, diesmal an der Schläfe, direkt am Haaransatz über dem Ohr. Ein kurzes, feuchtes Antippen. Und noch eines, jetzt am Hals, an dieser zarten Stelle über dem Schlüsselbein. Weich. Kühl. Feucht. Nass.

Und auf einmal war mir alles klar: Das hier war gar nicht der feuchte Finger Gottes! Das hier war einfach nur Wasser. Stinknormale Wassertropfen, die mir ins Gesicht, auf den Hals, auf den ganzen Körper tropften und nach und nach eine unangenehme Feuchtigkeit im Bettlaken verbreiteten.

Pitsch! Einer erwischte mich an der Schulter. Patsch! Wieder einer an der Stirn, genau zwischen die Augen. Ganz langsam blinzelte ich mich aus meiner stillen Ewigkeit in die Realität zurück. Ich lag auf dem Rücken in meinem Bett und sah zur Decke hoch, wo der Fleck, der vor Kurzem noch Spanien darstellte, mittlerweile ziemlich beunruhigende Ausmaße angenommen hatte. Eine riesige, unförmige Fläche, dunkel und glänzend vor Nässe, aus der sich in unregelmäßigen Abständen bräunliche Tropfen lösten und mir ins Gesicht oder sonstwohin fielen. Pitsch! Patsch! Pitsch! Ich wälzte mich an den Bettrand und sah zum Fenster hinaus. Die Helligkeit von dort draußen drang direkt in meinen Kopf, und sofort begannen Tausende kleine Hämmerchen wie wild an meinem Hirn herumzuklopfen. Gleichzeitig kehrte die Erinnerung an den gestrigen Abend zurück. Der Film. Der Schnaps. Max. Der Friedhof. Der Heilige Ernst. James Last. Und so weiter.

Doch da war noch etwas. Etwas, das zwischen den Hammerschlägen in meinem Schädel undeutlich hervorschimmerte, dunkel und unangenehm wie eine böse Ahnung. Und plötzlich schoss es mir wie ein Faustschlag mitten ins Bewusstsein: Das Theater! Die Vorstellung! O Scheiße, Scheiße, der Apfelbaum!

Der Wecker zeigte zehn nach elf, die Vorstellung hatte längst angefangen. Ich sprang aus dem Bett und lief ins Bad. Aus dem Spiegel starrte mir eine graue Fratze mit tiefen Augenhöhlen entgegen. Ich drehte den Wasserhahn auf, hielt meinen Kopf unter den eiskalten Strahl und dachte nach. Bis zu meinem Auftritt hatte ich fünf Minuten, vielleicht zehn, wenn Janos und Irina ein wenig improvisierten. Zum Theater brauchte ich normalerweise zehn Minuten, für Kostüm und Maske eine Viertelstunde. Eigentlich konnte ich es nicht schaffen. Aber ich musste. Ich lief aus dem Bad und sammelte meine Kleider ein, die überall verstreut im Zimmer herumlagen. Das Zeug war feucht und stank wie ein Maischebottich. Ich hielt die Luft an, schlüpfte hinein und stolperte ins helle Vormittagslicht.

Ich rannte wie noch nie in meinem Leben. Ohne Rücksicht auf Autos, Passanten oder andere Hindernisse. Schon nach wenigen Metern atmete ich schwer. Keuchte. Schwitzte. Die eisige Winterluft brannte an meiner Stirn. In langen Schnüren baumelte mir der Rotz aus der Nase. Mein Herz hämmerte den Takt für die miesen kleinen Teufel, die mit ihren genagelten Bergschuhen auf meinem Hirn herumtanzten. Doch ich hielt das Tempo. Legte sogar noch zu. Ich musste es einfach schaffen. Ich wollte Janos und Irina auf keinen Fall enttäuschen. Lieber im vollen Lauf aus der Kurve fliegen und mit zerrissenem Herzen auf den Asphalt klatschen, als den Auftritt verpassen.

Als ich die Treppen ins Foyer hinunterpolterte, war es zwanzig nach zehn. Durch die geschlossene Saaltür hörte ich, wie Janos und Irina ein verzweifeltes Liedchen extemporierten, um das Publikum bei Laune zu halten. Ich hustete laut, um mich bemerkbar zu machen. Schnell stolperte ich durch den dunklen Gang nach hinten in die Garderobe, schleuderte meine Sachen von mir, klatschte mir eine Handvoll Schminke ins Gesicht und schlüpfte ins Apfelbaumkostüm. Kurz hatte ich den Drang, mich zu übergeben, die ganze Soße in einem einzigen Schwall gegen mein eigenes Spiegelbild zu kotzen. Aber draußen warteten Janos und Irina. Und die Kinder. Und der Rest meines Stolzes. Nach einem tiefen Atemzug öffnete ich die Tür und schlich zur Bühne.

Schon in der Seitengasse sah ich, wie sich Janos und Irina abmühten. Janos hatte damit begonnen, den direkten Kontakt mit den Kindern zu suchen. Er saß in seinem Wurmkostüm an der Bühnenrampe und erzählte irgendwelche Anekdoten. Im Bühnenhintergrund drehte sich Irina leise trillernd im Kreis und flatterte dazu mit ihren Amselfedern.

Ich warf einen kurzen Blick durch den Guckschlitz in den Zuschauerraum. Die Vorstellung war gut besucht. Etwa dreißig oder vierzig Vorschulkinder drängten sich in den Stuhlreihen und schauten mit verrotzten, etwas verwunderten Gesichtern zum stockenden Geschehen auf der Bühne hoch. An der Rückwand standen die beiden Tanten, riesige, dickbrüstige Weiber in wallenden Hosen und bunten Pullovern.

Janos bemerkte mich zuerst. Mit einem zwischen Wut und Erleichterung schwankenden Gesichtsausdruck starrte er zu mir herüber. Dann sprang er auf, brüllte »Szenenwechsel!« und lief auf der anderen Seite von der Bühne. Irina flatterte hinterher, und es wurde dunkel. Für ein paar Sekunden erhob sich ein aufgeregtes Raunen, Kichern und Zischeln im Zuschauerraum, mit einem blechernen Sirren gingen die Scheinwerfer wieder an, und ich setzte mich in Bewegung. Langsam, sehr langsam, schlurfte ich über die Bühne bis ganz nach vorne an die Rampe und reckte meine Äste in die Höhe.

»Guten Morgen, Kinder!«, sagte ich mit knarrender Stimme. »Ich bin der Apfelbaum!«

Die Kinder lachten, klatschten, trampelten, riefen mir etwas zu, vielleicht eine Begrüßung, vielleicht eine Information über die Probleme von Wurm und Amsel. Ich verstand sie nicht mehr. Nur noch Herzhämmern. Kopfdröhnen. Rauschen. Fiepen. Das Gezwitscher eines Spatzenschwarms in einer nachtdunklen Baumkrone.

»Vor Hunderten von … äh … Jahren … äh …«

Aus.

Kalter Schweiß. Nebel. Und dazwischen ein paar leuchtende, hüpfende, tanzende Pünktchen.

»Vor Hunderten … von … äh … Jahren … äähh …«

Schwarz. Absolute Finsternis. Ein Rauschen in der Baumkrone. Ein Abgrund. Ein Strudel. Und ganz unten, in den dunkelsten Tiefen des Unterbewusstseins lösen sich ein paar undeutliche Fragen, steigen hoch wie wabernde Luftblasen und zerploppen ohne Antwort an der Oberfläche. Dann ein langer Schritt ins Leere, ein kühler Luftzug, ein Blitz, ein Knall, schmerzhaft hell, ohrenbetäubend und wunderschön …

Als ich wieder zu mir kam, lag ich ausgestreckt quer über den Stühlen in der ersten Reihe und blickte in Irinas verschwommenes Gesicht über mir. Es dauerte eine ganze Weile, bis ihre Umrisse allmählich Konturen bekamen. Sie lächelte, aber ihr Blick war ernst. Sie hatte sich ihren Amselschnabel hoch über die Stirn geschoben, von dort ragte er jetzt wie ein spitzer, gelber Kegel schief in den Raum. Allmählich konnte ich wieder klarer sehen. Das Licht im Zuschauerraum war an, die Kinder waren verschwunden. In meinem Schädel wummerte es dumpf wie in einem Basslautsprecher. Ein widerlich-pelziges Geschmacksgemisch von Alkohol, Magensäure und süßlichem Blut füllte meinen Mund. Ich befühlte vorsichtig mein Gesicht. Aus der Stirn wuchs eine riesige, heiß pulsierende Beule. Irina nahm meine Hand weg und drückte mir stattdessen einen nasskalten Stofffetzen auf die Stelle. Mit einem Ächzen drehte ich den Kopf zur Seite. An der Bühnenrampe saß Janos und sah zu mir herüber. Auch er steckte immer noch im Kostüm. Er sah müde und alt aus. In seinem Mundwinkel hing ein glimmender Zigarettenstummel, dessen Rauch in einer bläulichen Fadenlinie fast senkrecht nach oben zog.

»Ich … ich bin umgekippt …«, stammelte ich. »Einfach so … hab wohl das Bewusstsein verloren … der Kreislauf … oder so …«

»Halt lieber den Mund. Deine Schnapsfahne weht bis hierher«, sagte Janos ruhig.

Eine Weile war es still im Theater. Unter dem nassen Stofffetzen auf meiner Stirn wummerte die Beule.

»Tut mir leid!«, sagte ich leise.

Plötzlich ließ sich Janos aus dem Sitzen nach hinten fallen, schleuderte gleichzeitig beide Beine in die Höhe und wand sich mit einer einzigen, geschickten Bewegung aus seinem Wurmkostüm. Darauf sprang er von der Rampe, blieb direkt vor mir stehen und blickte auf mich herab. Seine Glatze glänzte im Scheinwerferlicht, zwischen den vielen tiefen Runzeln in seinem Gesicht stachen die Augen hervor, schwarz wie Kohlestücke, mit einem winzigen Tropfen Quecksilber genau in der Pupillenmitte. Ich nahm meinen ganzen Mut zusammen und blickte direkt hinein.

»So kann es nicht mehr weitergehen!«, sagte ich.

»Es kann *nie* so weitergehen …«, knurrte Janos. Er musterte mich, als ob er mich gerade zum ersten Mal gesehen hätte. Und auf einmal brach sein Gesicht auf, und sein Mund zog sich zu einem breiten, goldglänzenden Lächeln auseinander.

»Bist ein guter Junge!«, sagte er. »Und du wirst noch besser!«

Er packte meine Hand und drückte sie. Meine Finger fühlten sich ganz zart an in seiner warmen, rauen Pranke. Ohne ein weiteres Wort ließ er los, sprang flink wie ein Achtzehnjähriger auf die Bühne und verschwand in der Seitengasse.

Irina saß immer noch da und sah mich an. Erst jetzt erkannte ich, wie ähnlich die beiden sich sahen. Vielleicht näherte sich ihr Äußeres im Laufe der Jahre immer weiter an, bis sie irgendwann nicht mehr auseinanderzuhalten sein würden.

Sie nahm den feuchten Fetzen weg und legte mir stattdessen ihren Daumen auf die Beule. Dabei begann sie zu murmeln. Zuerst war es nur ein einziger, lang gezogener Ton, ein tiefes, heiseres Summen, wie das Geräusch von schweren Reifen im Schnee. Aber bald begannen sich andere Geräusche aus diesem Summen herauszulösen, das leise Platzen eines Spucketröpfchens, ein kaum hörbares Schnalzen mit der Zunge, ein Schmatzen, ein Grollen, Stocken, Sirren und Gurgeln. Dazwischen stießen immer wieder kurze, abgehackte Laute hervor. Einzelne Silben bildeten sich. Worte in einer völlig unverständlichen Sprache, fremdartig und geheimnisvoll. Ich konnte mich nicht rühren. Fühlte mich wie festgeschnallt auf den Stühlen und starrte in dieses faltige, schöne und volltönende Frauengesicht über mir.

Plötzlich hörte sie auf. Ich schloss die Augen. Sie beugte sich zu mir herunter und gab mir einen Kuss auf die Stirn.

Die Schmerzen waren weg.

Als ich die Augen wieder öffnete, hatte sie den Zuschauerraum schon verlassen. In der Seitengasse hörte ich noch leise ihr Gefieder rauschen.

Linie Elf

Die letzten Vorstellungen erlebte ich als Zuschauer meines eigenen Films. Alles verlief reibungslos. Jeder war bei der Sache. Keine Hänger, keine Stürze, keine besonderen Vorkommnisse. Wir hielten uns einigermaßen an die Absprachen, und dazwischen improvisierten wir, was das Zeug hielt. Ich gab alles, was ich hatte. Und ich fühlte mich gut dabei. Der Karren lief. Das Publikum war zufrieden. Das Wunder funktionierte.

Wir spielten noch siebenmal das Wurmloch und achtmal die Höllenfahrt. Nach der allerletzten Vorstellung, als der Applaus des fünfköpfigen Publikums endgültig verträpfelt war und die Leute den Zuschauerraum verlassen hatten, schlüpften wir aus unseren Kostümen und fingen an, die Requisiten und das Bühnenbild abzuräumen. Danach setzten wir uns im Schneidersitz auf die leere Bühne und hörten dem Theaterknistern zu.

Kurz nach Mitternacht standen wir auf, machten das Licht aus und verließen das Theater. Ein letztes Mal strich ich mit den Fingern an der schwarzen Wand entlang, stieg die enge Treppe hoch, atmete den staubig muffigen Duft ein und schloss die kleine Tür hinter mir.

»Mach gut, Kleiner!«, sagte Irina.

Janos sagte nichts mehr. Er streckte mir zum Abschied einfach die Hand entgegen und nickte mir stumm zu. Im kleinen Glaskasten neben der Eingangstür brannte immer noch ein verstaubtes Lämpchen und streute sein mattes Licht auf das Programm der nächsten Wochen.

In meine Wohnung war ich nach dem Apfelbaumsturz nur noch einmal zurückgekehrt, um die Bücher und ein paar andere Sachen in Sicherheit zu bringen. Wie sich herausstellte, war ich schon seit längerer Zeit der letzte Mieter gewesen. Die Wasserrohre waren durchgerostet und stellenweise aufgebrochen. Das Haus hatte die Nässe aufgesogen wie ein Schwamm. Bis die Mauern schließlich gesättigt waren. In den Wänden gluckerte es geheimnisvoll, überall fing der feuchte Putz an zu bröckeln, und in den Ecken wucherte Schimmel. Als letzter Bewohner hatte sich Herr Mohapp in eine Kammer unter dem Dach zurückgezogen. Dort saß er den ganzen Tag an einer schmalen Luke und knallte mit einem Luftdruckgewehr die Tauben von den Fenstersimsen. Die Leichen sammelte er in große, blaue Plastikmüllsäcke und fuhr damit mit der Straßenbahn quer durch die Stadt, um sie irgendwo auf dem Acker zu verbrennen. Er werde nicht aufgeben, erklärte er verbissen, unter keinen Umständen, niemals, er werde diesen verschissenen Pestviechern das Terrain nicht einfach so überlassen, er werde die Sache zu Ende bringen, ohne Gnade, ohne Rücksicht, und wenn er selbst dabei draufgehe!

Er warf einen gleichgültigen Blick in die Wohnung,

in der es mittlerweile gluckste und tröpfelte wie in einer Tropfsteinhöhle, nahm mit einem kurzen Nicken die Schlüssel entgegen, erließ mir großzügig die letzte Monatsmiete und wünschte mir alles Gute. Als ich den Hof verließ und um die nächste Ecke bog, hörte ich hinter mir noch eine ganze Weile das dumpfe Ploppen seines Luftdruckgewehrs in der lauen Abendluft verklingen.

Die letzten Nächte vor meiner Abreise verbrachte ich wieder zu Hause, in meinem viel zu klein gewordenen Kinderzimmer, unseren alten Kirschbaum im Fensterblick.

Wir standen früher auf als sonst, draußen war es noch dunkel, und die Dielen waren eisig kalt unter den nackten Füßen. Doch in der Küche blubberte freundlich der Kaffee, und es roch nach aufgebackenen Brötchen, Eiern und Speck. Vater saß schon fertig hergerichtet am Küchentisch. Brauner Anzug, Krawatte, glänzend geputzte Schuhe. Die dünnen Haare hatte er sich zu einem akkuraten Scheitel frisiert und mit einer gehörigen Portion Gel an den Kopf geklebt.

Wir saßen uns schweigend gegenüber und vermieden es, uns in die Augen zu schauen. Der Kaffee war heiß und stark. Die Eier und der Speck brutzelten in der Pfanne, die Butter schmolz auf den warmen Brötchen, und die Kruste krachte leise beim Hineinbeißen. Räuspern. Kauen. Schlucken. Leises Schlürfen. Das Summen der Heizungsrohre. Das Ticken der Wanduhr.

Den Abwasch erledigten wir gemeinsam. Schulter an Schulter. Zum ersten Mal wurde mir klar, dass ich größer war als er. Einen halben Kopf vielleicht, aber immerhin. An seiner linken Schläfe pulsierte das bläuliche Aderwürmchen. Hinter den Ohren sprossen ein paar lange, silbrige Haare hervor. Die Fältchen unter seinen Augen waren ganz fein verästelt und hingen wie ein hauchzartes Netz unter den Lidern. Er arbeitete schnell und routiniert. Überall flogen winzige Schaumbläschen herum, zerplatzten an seinem Sakko und hinterließen dunkle, kreisrunde Flecken.

»Das wars!«, sagte er, glättete mit den Fingerspitzen sorgfältig den Saum des Geschirrtuchs und hängte es über die Spüle. Für einen Moment blieb er in seiner leicht nach vorne gebeugten Haltung stehen und starrte in den Abfluss, aus dem es leise herausgurgelte. Sein Mundwinkel zuckte, seine Unterlippe bewegte sich ganz leicht. Es schien, als ob er nach Worten suchte. Nach den richtigen Worten. Aber es kam nichts.

Er richtete sich auf, streckte seinen Oberkörper gerade, zog umständlich die Krawatte aus dem Schlitz zwischen zwei Hemdknopflöchern hervor, die er zum Schutz vor dem Spülwasser dort hineingesteckt hatte, und lächelte mich ein wenig verlegen an. Ich lächelte auch. Oder versuchte es zumindest.

Wir fuhren mit der Straßenbahn zum städtischen Busbahnhof hinter dem Rathausplatz. Der städtische Busbahnhof war eigentlich kein Bahnhof, sondern eine rissige Betonfläche mit zwei unkrautüberwachsenen Haltebuchten, einer hohen Bogenlampe, an der eine alte Bahnhofsuhr befestigt war, und einem bröckligen Betonhäuschen in der Mitte. Das Häuschen sollte eigentlich den Busfahrern als Aufenthaltsraum dienen, war jedoch angeblich drinnen so versifft, dass die Fahrer ihre Pausen lieber am Tresen der nahe gelegenen Wurstbude oder auf der Rathaustoilette verbrachten.

Es gab zwei Buslinien. Die Linie Zehn führte mit einem Schlenker über den Friedhof vom städtischen Ärztezentrum zum Marienmond und wurde dementsprechend fast ausschließlich von den Altenheimbewohnern frequentiert. Im städtischen Volksmund nannte man sie auch die »Linie ohne Wiederkehr«.

Die Linie Elf war die Überlandverbindung. Alle zwei Stunden brachte sie ein paar müde Pendler, aufgeregte Schulschwänzer oder verwirrt dreinschauende Alzheimerrentner aus der Stadt, trug sie weit über den Acker hinaus, durchquerte die dahinterliegende Hügellandschaft, ohne jemals an einer der wenigen verlorenen Haltestellen stehen zu bleiben, und gelangte schließlich zur Endhaltestelle direkt vor dem glänzenden Bahnhofsgebäude der nächstgelegenen, größeren, schöneren, reicheren und überhaupt alles in allem gesehen viel städtischeren Stadt. Von hier aus ging es weiter, entweder mit dem Zug in noch fernere Gegenden, ins bahnhofsnah gelegene Pornokino oder gleich wieder mit der Linie Elf zurück in die Demenzabteilung des Marienmondes.

Als wir ankamen, lag eine fast andächtige Morgenstille über dem Platz. Der Bus stand schon da. Ein uraltes Modell, lindgrün mit staubigen Scheiben. Der Fahrer saß hinter seinem Lenkrad und blätterte wie in Zeitlupe in einem Schundheftchen herum. In den hinteren Reihen saßen verstreut ein paar Männer, in sich versunken, müde und graugesichtig. Die Bogenlampe flimmerte, die Bahnhofsuhr zeigte Viertel vor sechs.

Auf der anderen Seite der Betonfläche standen Max und Lotte. Er hatte beide Arme um sie geschlungen und knabberte an ihrem Ohrläppchen. Sie lachten, als sie uns sahen, und kamen Hand in Hand zu uns rübergerannt.

»Siehst scheiße aus!«, sagte Max und schlug mir mit voller Wucht seine flache Hand auf die Schulter.

»Um die Uhrzeit sieht jeder scheiße aus!«, sagte ich. Lotte stand nur da und lächelte. Vater wollte schon mal meinen Koffer in den Bus bringen. Eine Karte kaufen. Den Platz reservieren. Den Busfahrer nach der Ankunftszeit fragen oder nach dem Streckenverlauf. Irgendetwas tun jedenfalls. Ich hielt ihn zurück. Es blieben uns nur fünf Minuten.

Immer noch war es merkwürdig still. Die Gestalten im Bus saßen unbeweglich auf ihren Plätzen. Auch der Busfahrer rührte sich jetzt nicht mehr, schien über seinem Heftchen eingeschlafen zu sein. Mittlerweile war es etwas heller geworden. Die Dämmerstunde löste sich, hinter der Stadt ging die Sonne auf.

»Bald ist Frühling«, sagte Lotte. Sie sah gut aus. Rund und zufrieden. Der Stoff ihrer Jacke spannte über ihrem großen Bauch.

»Das kann schon noch eine Weile dauern«, sagte Max.

»War ein harter Winter, dieses Jahr«, meinte Vater.

»Ja«, sagte ich. »Ziemlich hart.«

Die Giebelspitze des Rathauses blitzte unter den ersten Sonnenstrahlen auf. Vater zupfte umständlich an seinem Hemdkragen herum und räusperte sich.

»Ich wollte …«

Weiter kam er nicht. Im Bus hatte sich der Fahrer plötzlich zu bewegen begonnen, hatte sich in seinem Sitz gerade aufgerichtet und ließ jetzt den Motor an.

Wir umarmten uns. Alle vier auf einmal. Für ein paar Sekunden lagen wir uns mit geschlossenen Augen in den Armen, spürten unsere Wärme und hörten uns atmen. Uns verband die Ahnung, dass wir so nicht mehr zusammenfinden würden. Dass dieser Moment auf einer rissigen Betonfläche namens Busbahnhof einen Wendepunkt darstellte.

Der Fahrer klopfte gegen die Scheibe, und ich riss mich los. Ich packte meinen Koffer, stieg ein, kaufte eine Fahrkarte und setzte mich ganz nach hinten in die letzte Reihe. Mit einem hydraulischen Zischen ging die Tür zu, der Fahrer stieg aufs Gas, und wir holperten davon. Ich hörte Max irgendetwas rufen, seine tiefe, raue Stimme, und drehte mich um. Er lief dem Bus ein paar Meter hinterher, fuchtelte mit den Armen, winkte, blieb schließlich stehen, schrie noch einmal, lachte. Hinter ihm standen Lotte und Vater. Auch sie lachten und riefen etwas. Ich presste Hände und Stirn gegen die Scheibe und starrte zu den drei kleiner werdenden Gestalten hinaus. Das Letzte, was ich sah, war Vaters zarte Friseurhand über seinem Kopf. Die kleine, ungeschickte Winkbewegung und den Anzugsärmel, der ihm vom Handgelenk ein Stück über den Unterarm gerutscht war.

Erst nachdem wir die letzten Ausläufer der Stadt hinter uns gelassen hatten, drehte ich mich wieder nach vorne. Der Acker lag da wie ein unendlich weiter, in der Morgenkälte erstarrter See. Ganz weit vorne konnte man die ersten Ausläufer der Hügellandschaft erahnen. Darüber ging die Sonne auf. Ein zittriger, vom blassgelben Morgendunst zart verschleierter Ball.

Einer der Pendler vor mir kippte mit dem Oberkörper zur Seite, klatschte mit der Wange an die Scheibe und begann zu schnarchen. Ich lehnte mich zurück, spürte das kühle Leder im Rücken und die harten Sitzfedern unterm Hintern. In meiner Brusttasche raschelte es leise. Mit spitzen Fingern zog ich die zerschlissene Landkarte heraus und faltete sie auf meinen Knien vorsichtig auseinander. Einige Städte waren mit rotem Filzstift eingekringelt und miteinander verbunden. Große und bekannte Städte, mit Theatern, die größer waren als Einkaufszentren. Mit dem Zeigefinger folgte ich den dicken Filzstiftlinien kreuz und quer durchs ganze Land. Dann steckte ich die Karte wieder ein und schloss die Augen.

Ich stelle mir vor, wie sich aus dem Flimmern der Straße ein lindgrüner Autobus herauslöst, wie er schnell die letzten grauen Flecken der Stadt hinter sich lässt und über den weiten Acker der Morgensonne entgegensaust. Unter den Reifen spritzen links und rechts die Kiesel weg, und auf dem Blech glänzt der Staub mattgolden in den ersten Sonnenstrahlen. Hinter der Heckscheibe ist ein verschwommener, heller Fleck zu erkennen. Es ist der Kopf eines Jungen. Seine Augen sind geschlossen. Er lächelt.

»Großartig!«

Christine Westermann, WDR

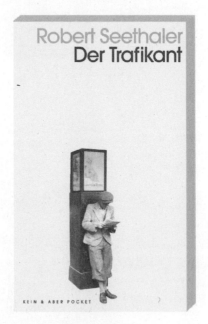

Roman, Taschenbuch, 256 Seiten
ISBN 978-3-0369-5909-2

Robert Seethalers gefeierter Bestseller spielt im Wien der 30er-Jahre, wo sich der junge Franz Hals über Kopf in Anezka verliebt und Freundschaft mit Sigmund Freud schließt. Doch als er den bekannten Professor in seinen Herzensangelegenheiten um Rat fragt, stellt sich schnell heraus, dass diesem das weibliche Geschlecht ein ebenso großes Rätsel ist wie Franz.

www.keinundaber.ch

»Dieser Text hat die Kraft und Poesie
von Fellinis *La Strada*.« Eckhart Schmidt

Roman, Taschenbuch, 288 Seiten
ISBN 978-3-0369-5915-3

Das erste Buch von Bestsellerautor Robert Seethaler: ein atmo-
sphärischer Roman über Musik, Freiheit, Sehnsucht, die Provinz
und über zwei einnehmende Außenseiter, deren Suche nach Liebe
so aussichtslos wie überraschend ist. Ein Buch gewordener Film
mit Anspruch auf Kultstatus.

www.keinundaber.ch

Unsere Leseempfehlung

160 Seiten

Als Andreas Egger in das Tal kommt, in dem er sein Leben ver-
bringen wird, ist er vier Jahre alt, ungefähr – so genau weiß das
keiner. Als junger Mann schließt er sich einem Arbeitstrupp an,
der eine der ersten Bergbahnen baut und mit der Elektrizität
auch das Licht und den Lärm in das Tal bringt. Dann kommt
der Tag, an dem Egger zum ersten Mal vor Marie steht, der Liebe seines Lebens, die er jedoch wieder verlieren wird. Erst viele
Jahre später, als Egger seinen letzten Weg antritt, ist sie noch
einmal bei ihm. Und er, über den die Zeit längst hinweggegan-
gen ist, blickt mit Staunen auf die Jahre, die hinter ihm liegen.

www.goldmann-verlag.de
www.facebook.com/goldmannverlag